효과 빠른 약점 처방전

국어 교과서 문법편 E

STAFF

발행인 정선욱
퍼블리싱 총괄 남형주
기획 · 개발 조비호 김태원 신영한 김성준 육인선
디자인 · 마케팅 김정인 김라니 강윤정
제작 · 유통 신성철 서준성

531 PROJECT 교과서 문법편 E 202201 제2판 1쇄 202303 제2판 2쇄
펴낸곳 이투스에듀(주) 서울시 서초구 남부순환로 2547
고객센터 1599-3225
등록번호 제2007-000035호
ISBN 979-11-389-0440-7 [53700]

531 효과 빠른 약점 처방전 PROJECT

531 프로젝트는
쉽게 익히고, 빠르게 다지고, 확실히 성적을 올릴 수 있는
영역별 단기 특강 교재입니다.

E
쉽게

531 PROJECT는
단기 특강 교재 중 가장 **'쉽게'** 개념을 익힐 수 있는 교재입니다.

01 영역별 꼭 알아야 하는 핵심 개념만을 선별하여 충실하게 기술한 교재입니다.
02 개념을 학습하고 이해한 내용을 확인해 보도록 문제를 명징하게 제시한 교재입니다.
03 문제 풀이를 통해 학습한 내용을 제대로 습득하도록 친절하고 상세한 해설과 첨삭을 덧붙인 교재입니다.

S
빠르게

531 PROJECT는
단기 특강 교재 중 가장 **'빠르게'** 공부할 수 있는 교재입니다.

01 대충 훑어서 빠르게 공부하는 게 아니라 꼭 필요한 내용으로 구성함으로써 빠르게 실력을 향상시킬 수 있는 교재입니다.
02 국어 각 영역의 개념 학습, 기출 및 변형 등 다양한 형태의 문제로 12강을 구성하여 빠르게 국어 공부를 완성할 수 있는 교재입니다.
03 학생들의 효율적인 학습을 위해 3단계의 과정을 제시하여 눈에 띄게 빠른 실력 향상을 가능하게 해 주는 교재입니다.

우월하게

531 PROJECT는
단기 특강 교재 중 가장 **'우월하게'** 실력을 향상시킬 수 있는 교재입니다.

01 엄선된 문제와 차별화된 구성으로 고난도 수능을 효과적으로 대비할 수 있는 교재입니다.
02 1등급이 되기 위해 필수적으로 학습해야 할 내용을 충실히 담은 교재입니다.
1등급을 쟁취하고 여러분의 꿈을 향해 도약해 봅시다!

이 책의
구성과 특징

STEP 1 /개념 열기/교과서 개념 알기/교과서 개념 정리/

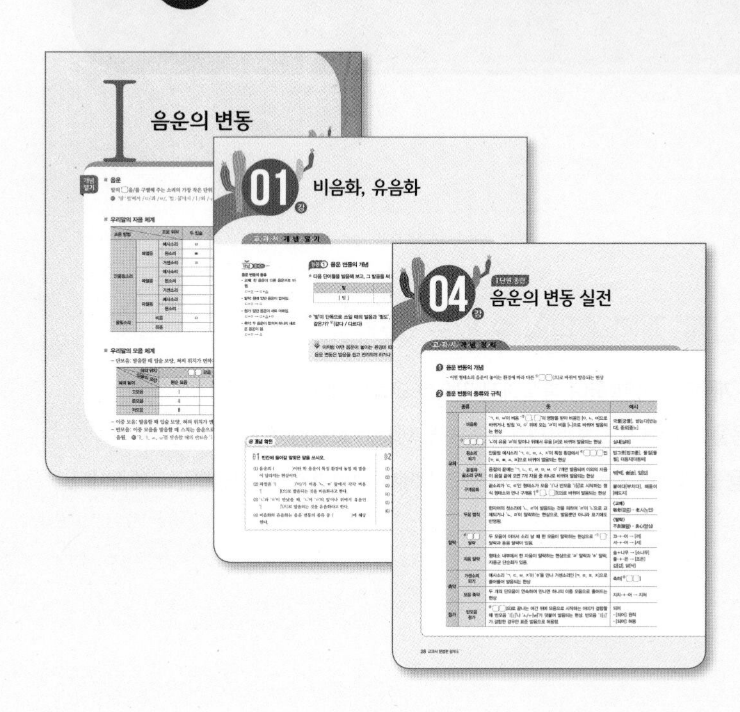

❶ **대단원 도비라 개념 열기** | 각 대단원과 연관된 미리 알아두면 도움이 되는 문법 개념을 간단하게 설명하였습니다.

❷ **활동** | 교과서와 유사한 활동을 통해 문법 개념을 익힐 수 있도록 구성하였고, 빈칸 채우기 활동을 하면서 개념을 확인하고 이해할 수 있도록 하였습니다.

❸ **개념 플러스** | 추가적으로 더 알면 도움이 되는 문법 개념을 덧붙여 설명하였습니다.

❹ **개념 확인** | 빈칸 채우기, ○× 문제 등으로 배운 개념을 바로 확인해 보도록 하였습니다.

❺ **교과서 개념 정리** | 각 대단원의 마지막에는 앞에서 배운 문법 개념들을 다시 한번 정리할 수 있도록 하였습니다.

STEP 2 /내신 문제로 다지기/내신 만점 대비/

❶ 앞에서 학습한 문법 개념에 대한 이해를 바탕으로 내신 유형의 문제를 풀어 봄으로써 개념 적용을 확실히 할 수 있도록 하였습니다.

❷ 활동 번호와 문법 개념어 제시를 통해 개념과 문제의 연관성을 한눈에 파악할 수 있도록 하였습니다.

❸ 단답형, 서술형 문제를 제시하여 내신 시험을 완벽하게 대비할 수 있도록 하였습니다.

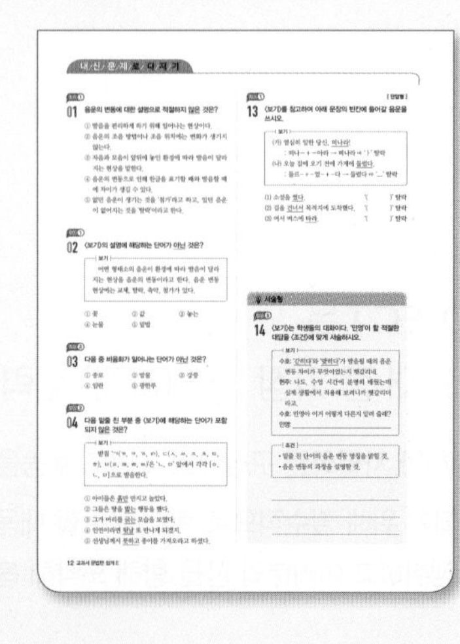

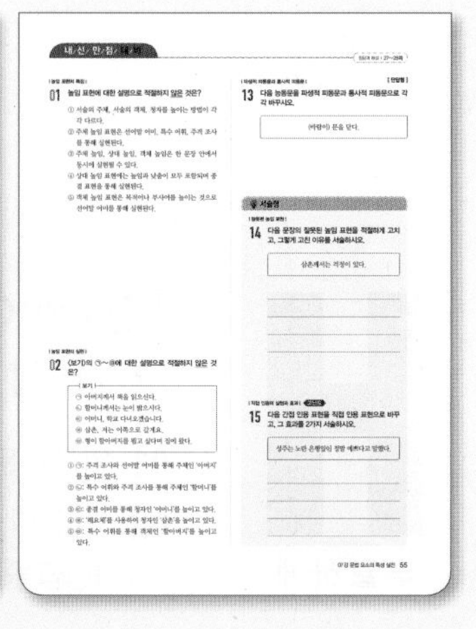

STEP 3 ／기출문제로 뛰어넘기／수능 1등급 대비／교과서 밖 개념 플러스／

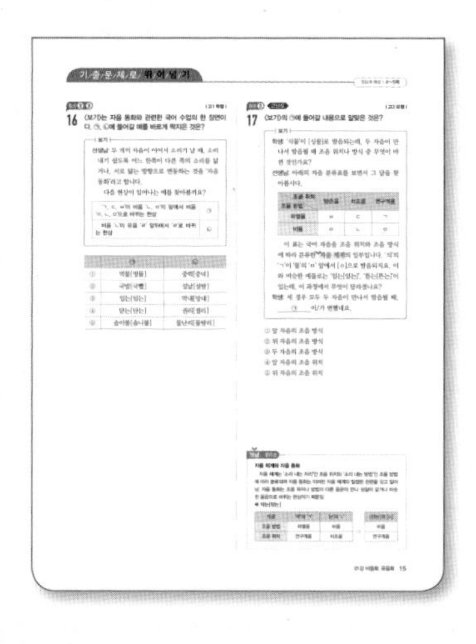

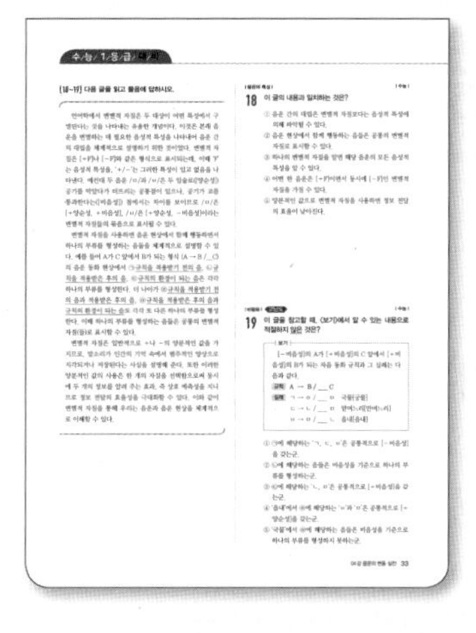

❶ 앞에서 익힌 문법 개념 이해와 적용 능력을 학력평가, 모의평가, 수능의 기출문제들을 풀어 봄으로써 확장시킬 수 있도록 하였습니다.

❷ 고등 국어 교과서 내용에는 없으나 기출문제에는 나오는 문법 개념들의 경우, '개념 플러스' 코너와 각 단원의 마지막에 나오는 '교과서 밖 개념 플러스'를 통해 추가 설명해 주었습니다.

[부록] 단어

고등 국어 교과서에는 빠진 문법의 세부 영역인 '단어' 부분을 부록으로 제공하였습니다. '개념 알기'에서 문법 개념을 학습한 후 '기출문제로 다지기'에서 개념의 이해 및 적용 방법을 익힐 수 있도록 하였습니다.

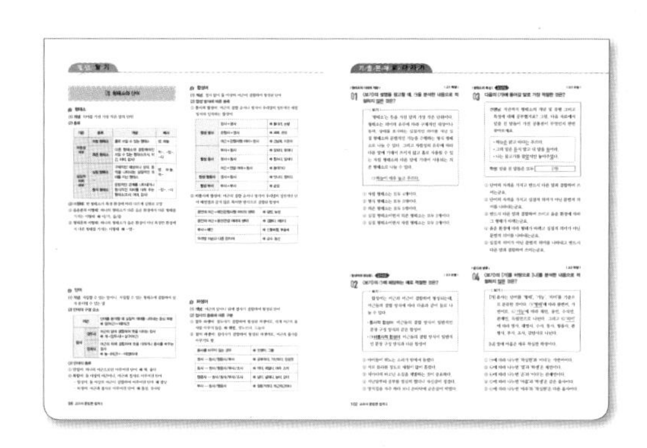

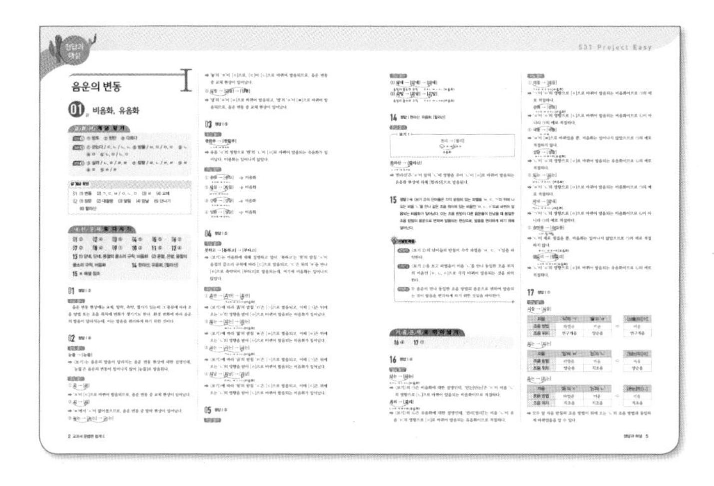

정답과 해설

❶ 상세하고 정확한 해설을 통해 개념 이해와 문제 풀이를 도울 수 있도록 하였습니다.

❷ 직접 필기한 것 같은 다양한 도식화를 통해 줄글을 읽는 것보다 효과적이고 빠르게 문제 해설을 이해할 수 있도록 하였습니다.

❸ 서술형 문제를 해결하는 데 도움이 되는 서술형 해결 방법을 단계별로 제시하였습니다.

이 책의

차례

Ⅰ 음운의 변동

Ⅱ 문법 요소의 특성

Ⅲ 한글 맞춤법의 기본 원리

Ⅳ 국어의 변화

531 Project Easy

I 음운의 변동

개념 열기

※ 빈칸을 채우시오.

■ 음운

말의 ☐을/를 구별해 주는 소리의 가장 작은 단위

예 '말 : 발'에서 /ㅁ/과 /ㅂ/, '말 : 물'에서 /ㅏ/와 /ㅜ/ ⇨ 뜻을 구별해 주는 음운

■ 우리말의 자음 체계

조음 방법 \ 조음 위치			두 입술	윗잇몸, 혀끝	센입천장, 혓바닥	여린입천장, 혀 뒤	목청 사이
안울림소리	파열음	예사소리	ㅂ	ㄷ		ㄱ	
		된소리	ㅃ	ㄸ		ㄲ	
		거센소리	ㅍ	ㅌ		ㅋ	
	파찰음	예사소리			ㅈ		
		된소리			ㅉ		
		거센소리			ㅊ		
	마찰음	예사소리		ㅅ			☐
		된소리		ㅆ			
울림소리	비음		ㅁ	ㄴ		ㅇ	
	유음			ㄹ			

■ 우리말의 모음 체계

– 단모음: 발음할 때 입술 모양, 혀의 위치가 변하지 않는 모음

혀의 높이 \ 혀의 위치 / 입술의 모양	☐☐ 모음		☐☐ 모음	
	평순 모음	원순 모음	평순 모음	원순 모음
고모음	ㅣ	ㅟ	ㅡ	ㅜ
중모음	ㅔ	ㅚ	ㅓ	ㅗ
저모음	ㅐ		ㅏ	

– 이중 모음: 발음할 때 입술 모양, 혀의 위치가 변하는 모음 예 ㅑ, ㅒ, ㅕ, ㅖ, ㅘ, ㅙ, ㅛ, ㅝ, ㅞ, ㅠ, ㅢ

– 반모음: 이중 모음을 발음할 때 스치는 음운으로, 혼자서 음절을 이루지 못하고 다른 모음과 함께 발음됨. 예 'ㅑ, ㅕ, ㅛ, ㅠ'를 발음할 때의 반모음 'ㅣ[j]' / 'ㅘ, ㅝ'를 발음할 때의 반모음 'ㅗ, ㅜ[w]'

답 뜻 / ㅎ / 전설 / 후설

01강 비음화, 유음화

교과서 개념 알기

음운 변동의 종류
- 교체: 한 음운이 다른 음운으로 바뀜.
  □+○ → □+△
- 탈락: 원래 있던 음운이 없어짐.
  □+○ → □
- 첨가: 없던 음운이 새로 더해짐.
  □+○ → □+△+○
- 축약: 두 음운이 합쳐져 하나의 새로운 음운이 됨.
  □+○ → △

활동 1 음운 변동의 개념

● 다음 단어들을 발음해 보고, 그 발음을 써 보자.

빛	빛도	빛만
[빋]	① [ ]	② [ ]

● '빛'이 단독으로 쓰일 때의 발음과 '빛도', '빛만'과 같이 다른 말과 어울려 쓰일 때 '빛'의 발음이 같은가? ③ (같다 / 다르다)

이처럼 어떤 음운이 놓이는 환경에 따라 발음이 달라지는 현상을 '음운 변동'이라고 한다. 음운 변동은 발음을 쉽고 편리하게 하거나 뜻을 분명하게 전달하기 위해 일어난다.

유음의 비음화
- 받침 'ㅁ, ㅇ' 뒤에 오는 유음 'ㄹ'은 'ㄴ'으로 발음됨.
  예 담력[담녁], 강릉[강능]
- 받침 'ㄱ, ㅂ' 뒤에 오는 유음 'ㄹ'은 'ㄴ'으로 발음됨.
  예 백로[백노 → 뱅노], 협력[협녁 → 혐녁]

활동 2 교체 _ 비음화

● 다음 단어들의 발음을 써 보고, 음운이 어떻게 바뀌었는지 확인해 보자.

국민	[궁민] ➡ ㄱ + ㅁ → ㅇ + ㅁ
굳는다	① [ ] ➡ □+□ → □+□
밥물	② [ ] ➡ □+□ → □+□

● 위의 활동을 통해 음운 변화의 규칙을 찾아보자.

원래의 자음		자음의 발음	
ㄱ	+ ㄴ, ㅁ ➡	ㅇ	➡ 'ㄱ, ㄷ, ㅂ'이 뒤에 오는 ⑤ '□, □' 앞에서 각각 [ㅇ, □, □](으)로 바뀌어 발음됨.
ㄷ		③ ______	
ㅂ		④ ______	

이처럼 비음이 아닌 'ㄱ, ㄷ, ㅂ'이 비음 'ㄴ, ㅁ'의 영향을 받아 각각 비음 [ㅇ, ㄴ, ㅁ]으로 바뀌거나, 받침 'ㅁ, ㅇ' 뒤에 오는 'ㄹ'이 비음 [ㄴ]으로 바뀌는 현상을 '비음화'라고 한다. 비음화는 파열음 'ㄱ, ㄷ, ㅂ'이 동일한 조음 위치의 비음인 [ㅇ, ㄴ, ㅁ]으로 바뀌는 현상이므로, 음운 변동의 종류 중 교체에 해당한다.

활동 ③ 교체_유음화

● 다음 단어들의 발음을 써 보고, 음운이 어떻게 바뀌었는지 확인해 보자.

논리	[놀리] ➡ ㄴ+ㄹ → ㄹ+ㄹ
신라	① [ ] ➡ □+□ → □+□
칼날	② [ ] ➡ □+□ → □+□

● 위의 활동을 통해 음운 변화의 규칙을 찾아보자.

원래의 자음		자음의 발음	
ㄴ	앞이나 뒤의 + ㄹ ➡	ㄹ	➡ 'ㄴ'이 ⑤ '□'을/를 만나 [□](으)로 바뀌어 발음됨.
ㄴ		③	
ㄴ		④	

이처럼 비음인 'ㄴ'이 앞이나 뒤에 오는 유음 'ㄹ'의 영향을 받아 'ㄹ'로 바뀌는 현상을 '유음화'라고 한다. 유음화도 비음화와 마찬가지로 'ㄴ'이 동일한 조음 위치의 유음인 [ㄹ]로 바뀌는 현상이므로, 음운 변동의 종류 중 교체에 해당한다.

개념 플러스

자음 동화
음절의 끝 자음과 그 뒤에 오는 자음이 만날 때 한쪽 또는 양쪽이 서로 비슷하거나 같은 소리로 바뀌는 현상으로, 비음화와 유음화가 이에 해당함.

동화의 분류
① 동화의 방향
- 순행 동화: 뒷소리가 앞소리를 닮게 되는 것 예 칼날[칼랄]
- 역행 동화: 앞소리가 뒷소리를 닮게 되는 것 예 입는[임는]
- 상호 동화: 앞소리와 뒷소리가 서로 닮게 되는 것 예 독립[동닙]

② 동화의 정도
- 완전 동화: 완전히 같아지게 되는 것 예 원리[월리]
- 불완전 동화: 비슷하게 닮는 것 예 왕릉[왕능]

개념 플러스

음절의 끝소리 규칙
음절의 끝에서 발음되는 자음은 'ㄱ, ㄴ, ㄷ, ㄹ, ㅁ, ㅂ, ㅇ'의 7개뿐이며 이외의 자음이 음절 끝에 오면 위 자음 중 하나로 바뀌어 발음되는 교체 현상

음절 끝소리	발음	예시
ㄲ, ㅋ	[ㄱ]	밖[박]
ㅌ, ㅅ, ㅆ, ㅈ, ㅊ, ㅎ	[ㄷ]	솥[솓]
ㅍ	[ㅂ]	잎[입]

✓ 개념 확인

01 빈칸에 들어갈 알맞은 말을 쓰시오.

(1) 음운의 ( )이란 한 음운이 특정 환경에 놓일 때 발음이 달라지는 현상이다.

(2) 파열음 '( )'이/가 비음 'ㄴ, ㅁ' 앞에서 각각 비음 '[ ]'(으)로 발음되는 것을 비음화라고 한다.

(3) 'ㄴ'과 'ㄹ'이 만났을 때, 'ㄴ'이 'ㄹ'의 앞이나 뒤에서 유음인 '[ ]'(으)로 발음되는 것을 유음화라고 한다.

(4) 비음화와 유음화는 음운 변동의 종류 중 ( )에 해당한다.

02 밑줄 친 단어를 소리 나는 대로 쓰시오.

(1) 책을 많이 읽어 작문 실력을 높이자. [ ]

(2) 영동과 영서는 대관령을 기준으로 나뉜다. [ ]

(3) 보름달이 뜬 밤에 달님에게 소원을 빌어 봐라. [ ]

(4) 우리의 앞날은 장밋빛 희망으로 부풀어 있다. [ ]

(5) 더러운 손으로 상처를 자꾸 만지면 덧나기 쉽다. [ ]

(6) 내일은 꼭 한라산에 가야지. [ ]

내신 문제로 다지기

활동 ①

01 음운의 변동에 대한 설명으로 적절하지 않은 것은?

① 발음을 편리하게 하기 위해 일어나는 현상이다.
② 음운의 조음 방법이나 조음 위치에는 변화가 생기지 않는다.
③ 자음과 모음이 앞뒤에 놓인 환경에 따라 발음이 달라지는 현상을 말한다.
④ 음운의 변동으로 인해 한글을 표기할 때와 발음할 때에 차이가 생길 수 있다.
⑤ 없던 음운이 생기는 것을 '첨가'라고 하고, 있던 음운이 없어지는 것을 '탈락'이라고 한다.

활동 ①

02 〈보기〉의 설명에 해당하는 단어가 아닌 것은?

보기

어떤 형태소의 음운이 환경에 따라 발음이 달라지는 현상을 음운의 변동이라고 한다. 음운 변동 현상에는 교체, 탈락, 축약, 첨가가 있다.

① 꽃　② 값　③ 놓는
④ 눈물　⑤ 덮밥

활동 ②

03 다음 중 비음화가 일어나는 단어가 아닌 것은?

① 종로　② 밥물　③ 강릉
④ 임란　⑤ 광한루

활동 ②

04 다음 밑줄 친 부분 중 〈보기〉에 해당하는 단어가 포함되지 않은 것은?

보기

받침 'ㄱ(ㄲ, ㅋ, ㄳ, ㄺ), ㄷ(ㅅ, ㅆ, ㅈ, ㅊ, ㅌ, ㅎ), ㅂ(ㅍ, ㄼ, ㄿ, ㅄ)'은 'ㄴ, ㅁ' 앞에서 각각 [ㅇ, ㄴ, ㅁ]으로 발음한다.

① 아이들은 흙만 만지고 놀았다.
② 그들은 땅을 밟는 행동을 했다.
③ 그가 머리를 긁는 모습을 보였다.
④ 인연이라면 뒷날 또 만나게 되겠지.
⑤ 선생님께서 붓하고 종이를 가져오라고 하셨다.

활동 ②

05 〈보기〉의 설명에 해당하는 단어가 아닌 것은?

보기

한자어의 경우, 받침 'ㄱ, ㄷ, ㅂ' 뒤에서 'ㄹ'은 [ㄴ]으로 발음되는데, 그 [ㄴ] 때문에 'ㄱ, ㄷ, ㅂ'은 다시 [ㅇ, ㄴ, ㅁ]으로 역행 동화되어 발음된다.

① 섭리(攝理)　② 독립(獨立)
③ 막론(莫論)　④ 박람회(博覽會)
⑤ 실내화(室內靴)

활동 ② 고난도

06 〈보기〉를 참고하여 탐구한 내용으로 적절하지 않은 것은?

보기

비음화는 음절 끝에서 파열음 예사소리로 발음되는 것들이 뒤의 비음을 만나 동화되어 비음으로 바뀌는 것이다. 이때 받침에서 자음이나 쌍받침은 대표음으로 교체된 후 비음화를 겪는다.

① '짓는'은 교체 후 비음화가 일어나는군.
② '깎는'은 탈락 후 비음화가 일어나는군.
③ '샀는데'는 교체 후 비음화가 일어나는군.
④ '키읔만'은 교체 후 비음화가 일어나는군.
⑤ '젖멍울'은 교체 후 비음화가 일어나는군.

활동 ③

07 다음 중 유음화가 일어나는 단어가 아닌 것은?

① 달님　② 남루　③ 완력
④ 반려동물　⑤ 하늘나라

활동 ❸

08 〈보기〉의 ㉠에 해당하는 것은?

보기

유음화는 비음 'ㄴ'이 유음 'ㄹ'과 만나 유음 'ㄹ'로 바뀌는 현상이다. 이때 'ㄴ'과 'ㄹ'이 결합하여 음운 변동이 일어나는 방향에 따라 ㉠순행적 유음화와 역행적 유음화로 구분할 수 있다.

① 산림 ② 편리 ③ 연령
④ 들나물 ⑤ 전라도

활동 ❷+❸

09 〈보기〉의 ㉠과 ㉡에 해당하는 것을 바르게 짝지은 것은?

보기

자음 동화란 말소리가 서로 이어질 때 인접한 두 자음이 서로 닮는 현상을 말한다. ㉠비음화, ㉡유음화, 구개음화 등이 이에 해당한다.

	㉠	㉡
①	침략	분란
②	선릉	백마
③	국립	듣는다
④	굽는	잘리다
⑤	신나다	권력

활동 ❷+❸ 고난도

10 〈보기〉의 ㉠과 ㉡에 해당하는 것을 바르게 짝지은 것은?

보기

자음 동화란 말소리가 서로 이어질 때, ㉠어느 한쪽이 영향을 받아 바뀌거나 ㉡양쪽 모두가 영향을 받아 바뀌어서 서로 비슷하거나 같은 소리로 바뀌는 현상으로 비음화, 유음화 등이 있다.

	㉠	㉡
①	석류[성뉴]	담력[담녁]
②	잡는[잠는]	반라[발라]
③	빻는[빤는]	법리[범니]
④	협력[혐녁]	앞마당[암마당]
⑤	난로[날로]	대통령[대통녕]

활동 ❷+❸ 고난도

11 〈보기〉의 ㉠과 ㉡에서 일어난 음운 변동 현상에 관한 설명으로 적절한 것은?

보기

㉠물놀이 후 ㉡먹는 라면 맛은 정말 최고야.

① ㉠은 변동을 통해 음운의 조음 위치가 변한다.
② ㉠은 변동 후 음운이 비음으로 바뀌어 발음된다.
③ ㉡은 변동 후 음운의 수가 하나 줄어들게 된다.
④ ㉡은 파열음이 유음을 만나 비음으로 발음된다.
⑤ ㉠, ㉡은 모두 음운의 변동 중 교체에 해당하며 자음 동화 현상에 속한다.

활동 ❶+❷+❸

12 다음 음운의 변동과 그 종류에 대한 설명으로 적절하지 않은 것은?

음운의 변동은 크게 교체, 첨가, 탈락, 축약으로 나뉘는데, 그중 ㉠교체에 속하는 자음 동화의 대표적인 현상에는 비음화와 유음화가 있다.

비음화는 비음 'ㄴ, ㅁ'의 영향을 받아 ㉡파열음 'ㄱ, ㄷ, ㅂ,'이 각각 [ㅇ, ㄴ, ㅁ]으로 바뀌어 발음되는 현상이다. ㉢'학년'이 [항년]으로 발음되는 것은 비음화 현상이 일어나기 때문이다.

유음화는 유음 'ㄹ'의 영향을 받아 비음인 'ㄴ'이 [ㄹ]로 바뀌어 발음되는 현상으로, ㉣유음화가 일어나기 위해서는 'ㄹ'이 'ㄴ' 뒤에 위치해야 한다. ㉤'관련'이 [괄련]으로 발음되는 것은 유음화 현상이 일어나기 때문이다.

① ㉠ ② ㉡ ③ ㉢ ④ ㉣ ⑤ ㉤

활동 ❶+❷ 【단답형】

13 다음 빈칸에 들어갈 단어의 발음과 일어나는 음운 변동 현상을 쓰시오.

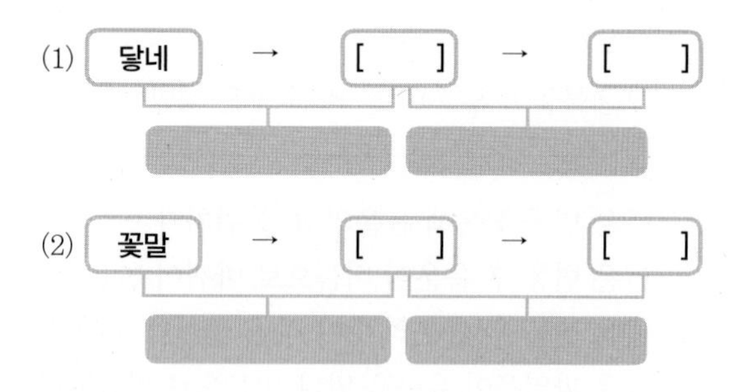

활동 ❸ 【단답형】

14 〈보기 1〉과 동일한 음운 현상이 일어나는 단어를 〈보기 2〉에서 골라 쓰고, 그 단어에서 일어나는 음운 변동 현상의 명칭과 단어의 발음을 쓰시오.

보기 1

천리

보기 2

설악산, 덕유산, 속리산, 한라산

서술형

활동 ❷ 고난도

15 〈보기 1〉에 근거하여 〈보기 2〉의 음운 변동 현상이 일어나는 이유를 〈조건〉에 맞게 서술하시오.

보기 1

조음 위치 / 조음 방법	양순음	치조음	경구개음	연구개음	후음
파열음	ㅂ	ㄷ		ㄱ	
파찰음			ㅈ		
마찰음		ㅅ			ㅎ
비음	ㅁ	ㄴ		ㅇ	
유음		ㄹ			

보기 2

- 줍는다 → [줌는다]
- 받는다 → [반는다]
- 먹는다 → [멍는다]

조건

- 〈보기 1〉의 음운들을 언급하며 쓸 것.
- 조음 방법과 〈보기 2〉의 음운 변동 현상의 명칭을 반드시 언급할 것.

활동 ❷+❸ | 고1 학평 |

16 〈보기〉는 자음 동화와 관련한 국어 수업의 한 장면이다. ㉠, ㉡에 들어갈 예를 바르게 짝지은 것은?

보기

선생님: 두 개의 자음이 이어서 소리가 날 때, 소리 내기 쉽도록 어느 한쪽이 다른 쪽의 소리를 닮거나, 서로 닮는 방향으로 변동하는 것을 '자음 동화'라고 합니다.

다음 현상이 일어나는 예를 찾아볼까요?

'ㄱ, ㄷ, ㅂ'이 비음 'ㄴ, ㅁ'의 앞에서 비음 'ㅇ, ㄴ, ㅁ'으로 바뀌는 현상	㉠
비음 'ㄴ'이 유음 'ㄹ' 앞뒤에서 'ㄹ'로 바뀌는 현상	㉡

	㉠	㉡
①	먹물[멍물]	중력[중녁]
②	국밥[국빱]	설날[설랄]
③	입는[임는]	막내[망내]
④	닫는[단는]	권리[궐리]
⑤	솜이불[솜니불]	물난리[물랄리]

활동 ❷ 고난도 | 고3 모평 |

17 〈보기〉의 ㉠에 들어갈 내용으로 알맞은 것은?

보기

학생: '식물'이 [싱물]로 발음되는데, 두 자음이 만나서 발음될 때 조음 위치나 방식 중 무엇이 바뀐 것인가요?

선생님: 아래의 자음 분류표를 보면서 그 답을 찾아봅시다.

조음 방법 \ 조음 위치	양순음	치조음	연구개음
파열음	ㅂ	ㄷ	ㄱ
비음	ㅁ	ㄴ	ㅇ

이 표는 국어 자음을 조음 위치와 조음 방식에 따라 분류한 자음 체계의 일부입니다. '식'의 'ㄱ'이 '물'의 'ㅁ' 앞에서 [ㅇ]으로 발음되지요. 이와 비슷한 예들로는 '입는[임는]', '뜯는[뜬는]'이 있는데, 이 과정에서 무엇이 달라졌나요?

학생: 세 경우 모두 두 자음이 만나서 발음될 때, ____㉠____ 이/가 변했네요.

① 앞 자음의 조음 방식
② 뒤 자음의 조음 방식
③ 두 자음의 조음 방식
④ 앞 자음의 조음 위치
⑤ 뒤 자음의 조음 위치

개념 플러스

자음 체계와 자음 동화

자음 체계는 '소리 내는 자리'인 조음 위치와 '소리 내는 방법'인 조음 방법에 따라 분류되며 자음 동화는 이러한 자음 체계와 밀접한 관련을 갖고 일어남. 자음 동화는 조음 위치나 방법이 다른 음운이 만나 성질이 같거나 비슷한 음운으로 바뀌는 현상이기 때문임.

예 막는[망는]

자음	'막'의 'ㄱ'	'는'의 'ㄴ'
조음 방법	파열음	비음
조음 위치	연구개음	치조음

⇨

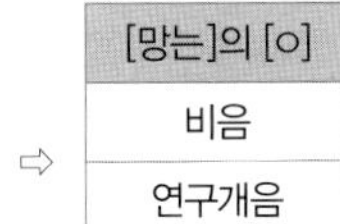

[망는]의 [ㅇ]
비음
연구개음

02강 된소리되기, 구개음화, 두음 법칙

교/과/서/ 개/념/ 알/기

된소리되기의 발생 환경
- 받침 'ㄱ, ㄷ, ㅂ' 뒤
  예 먹자[먹짜], 꽃다발[꼳따발]
- 어간 받침 'ㄴ(ㄵ), ㅁ(ㄻ)' 뒤
  예 신고[신꼬], 닮고[담꼬]
- 어간 받침 'ㄼ, ㄾ' 뒤
  예 넓게[널께], 핥다[할따]
- 한자어의 'ㄹ' 받침 뒤
  예 갈등[갈뜽], 물질[물찔]
- 어미 '-(으)ㄹ' 뒤
  예 할 것을[할 꺼슬], 할 사람[할 싸람]

활동 1 교체 _ 된소리되기

● 다음 단어들의 발음을 써 보고, 바뀐 음운을 찾아 적어 보자.

먼저 갈게	갈등	국밥	할 사람	옆집
① [ ]	③ [ ]	⑤ [ ]	⑦ [ ]	⑨ [ ]
ㄱ ➡ ② ☐	ㄷ ➡ ④ ☐	ㅂ ➡ ⑥ ☐	ㅅ ➡ ⑧ ☐	ㅈ ➡ ⑩ ☐

● 위의 활동을 통해 음운 변화의 규칙을 찾아보자.

'ㄱ, ㄷ, ㅂ, ㅅ, ㅈ'이 특정 환경에서 각각 [⑪ ☐, ☐, ☐, ☐, ☐](으)로 바뀌어 발음됨.

⬇

예사소리 ➡ ⑫ ☐☐☐

이처럼 안울림 예사소리가 특정 환경에서 된소리로 바뀌어 발음되는 현상을 '된소리되기'라고 한다. 이는 특정 음운이 된소리로 바뀌어 발음되는 것이므로 음운 변동의 종류 중 교체에 해당한다.

활동 2 교체 _ 구개음화

● 다음 단어들의 발음을 써 보고, 공통점을 살펴보자.

굳이	① [ ]	미닫이	② [ ]
같이	③ [ ]	솥이	④ [ ]

➡ 'ㄷ, ㅌ'이 'ㅣ'를 만나 '⑤ ☐, ☐'(으)로 발음됨.

개념 플러스…

실질 형태소와 형식 형태소
- 실질 형태소: 구체적 대상, 상태, 동작을 나타내는 실질적 의미를 지님.
- 형식 형태소: 문법적 관계나 형식적 의미를 지님.
  예 하늘이 맑아서 좋다.
  실 형 실 형 실형

● 다음 단어들의 발음을 써 보고, 차이점을 살펴보자.

곧이(곧+-이)	⑥ [ ]
곧이어(곧+이어)	⑦ [ ]

➡

곧	-이	형식 형태소
	이어	⑧ ☐☐ 형태소

이처럼 'ㄷ, ㅌ'이 형식 형태소 모음 'ㅣ'나 반모음 'ㅣ[j]' 앞에서 각각 [ㅈ, ㅊ]으로 바뀌는 현상을 '구개음화'라고 한다. 이는 'ㄷ, ㅌ'이 [ㅈ, ㅊ]으로 바뀌어 발음되는 것이므로 음운 변동의 종류 중 교체에 해당한다.

활동 ③ 교체 및 탈락 _ 두음 법칙

● 다음 단어들의 발음을 써 보고, 각 단어들이 변화하는 양상을 살펴보자.

녀자(女子)	리익(利益)	래일(來日)
[여자]	① [ ]	③ [ ]
ㄴ ➡ ∅	② □ ➡ □	④ □ ➡ □

● 밑줄에 유의하며 다음 단어들의 발음을 써 보고, 변화가 일어나는 환경을 살펴보자.

녀자(女子)	⑤ [ ]	리익(利益)	⑦ [ ]	래일(來日)	⑨ [ ]
남녀(男女)	⑥ [ ]	유리(有利)	⑧ [ ]	미래(未來)	⑩ [ ]

음운이 변동하는 위치: 한자어의 ⑪ (첫음 / 중간음 / 끝음)

이처럼 한자어의 첫소리(두음)에 'ㄴ, ㄹ'이 올 때, 이를 피하여 'ㄴ, ㄹ'이 탈락하거나 'ㄹ'이 [ㄴ]으로 바뀌게 되는 현상을 '두음 법칙'이라고 한다. 두음 법칙은 발음뿐 아니라 표기에도 반영된다.

개념 플러스

두음 법칙의 발생 환경

두음 법칙은 한자 단어에서만 일어나는 현상이므로, 고유어나 외래어에서는 일어나지 않음.

예) 녀석(고유어), 래브라도 리트리버(외래어)

개념 확인

01 빈칸에 들어갈 알맞은 말을 쓰시오.

(1) 안울림 예사소리가 특정 환경에서 된소리로 바뀌어 발음되는 현상을 (   )(이)라고 한다.

(2) 'ㄷ, ㅌ'이 뒤에 오는 'ㅣ'나 반모음 'ㅣ[j]' 앞에서 각각 '[,   ]'(으)로 바뀌는 현상을 구개음화라고 한다.

(3) 구개음화는 (   ) 형태소 'ㅣ'나 반모음 'ㅣ[j]' 앞에서 일어나는 현상이다.

(4) 된소리되기와 구개음화는 특정 음운이 다른 음운으로 바뀌어 발음되는 현상으로, 음운 변동의 종류 중 (   )에 해당한다.

(5) 한자어의 첫소리에 '(,   )'이/가 올 때 이를 꺼려 다른 소리로 발음되는 현상을 두음 법칙이라 한다.

(6) 두음 법칙은 발음뿐 아니라 (   )에도 반영된다.

02 밑줄 친 단어를 소리 나는 대로 쓰시오.

(1) 장마가 한 달 넘게 지속되어 걱정이다. [   ]

(2) 방 안에 갇히고 말았다. [   ]

(3) 문법 실력이 많이 발전되었구나! [   ]

(4) 거짓말을 하다니, 량심(良心)도 없군. [   ]

(5) 너랑은 끝이야. [   ]

(6) 두음 법칙의 례시(例示)를 보여 줄게. [   ]

(7) 그럭저럭 계획대로 되고 있군. [   ]

03 02번의 (1)~(7)이 된소리되기, 구개음화, 두음 법칙 중 각각 어떤 음운 변동 현상에 해당하는지 쓰시오.

(1)　　(2)　　(3)　　(4)

(5)　　(6)　　(7)

내신 문제로 다지기

활동 ①

01 다음 중 된소리되기가 일어나지 않는 것은?

① 덮개 ② 국수 ③ 옆집
④ 굳다 ⑤ 바람과

활동 ①

02 〈보기〉와 동일한 음운 변동 현상이 일어나는 단어로 적절하지 않은 것은?

보기

책상[책쌍]

① 닫았고 ② 꽃다발 ③ 낯설다
④ 옷고름 ⑤ 풀떼기

활동 ① 고난도

03 〈보기〉를 읽고 된소리되기를 이해한 내용으로 적절하지 않은 것은?

보기

된소리되기가 일어나는 경우는 다양하다. 그중 예외 없이 된소리로 발음해야 하는 경우가 있다. ㉠받침 'ㄱ(ㄲ, ㅋ, ㄳ, ㄺ), ㄷ(ㅅ, ㅆ, ㅈ, ㅊ, ㅌ), ㅂ(ㅍ, ㄼ, ㄿ, ㅄ)' 뒤에 연결되는 'ㄱ, ㄷ, ㅂ, ㅅ, ㅈ'은 된소리로 발음한다. 예를 들어, '깎다'를 [깍따]로 발음하는 경우이다.

두 번째는 ㉡한자어에서 몇 개의 경우를 제외하고 'ㄹ' 받침 뒤에 연결되는 'ㄷ, ㅅ, ㅈ'은 된소리로 발음한다. 예를 들어, '갈증(渴症)'의 경우 [갈쯩]으로 발음하는 것이 이에 해당한다.

① 쌍받침의 경우 대표음으로 교체된 후 된소리되기가 일어나는군.
② 동일한 음운 환경이라 하더라도 된소리되기가 일어나지 않기도 하는군.
③ ㉠을 보니, '샀다'와 '꽂고'는 각각 [삳따]와 [꼳꼬]로 발음해야겠군.
④ ㉡을 보니, '물질(物質)'과 '발전(發展)'은 각각 [물찔]과 [발쩐]으로 발음해야겠군.
⑤ ㉠과 ㉡을 보니, '엎고'와 '절도(竊盜)'는 각각 [업꼬]와 [절또]로 발음해야겠군.

활동 ① 고난도

04 〈보기〉에 해당하는 단어가 사용되지 않은 문장은?

보기

어간 받침 'ㄴ(ㄵ), ㅁ(ㄻ)' 뒤에 결합되는 어미의 첫소리 'ㄱ, ㄷ, ㅅ, ㅈ'은 된소리로 발음한다.

① 말을 더듬지 않도록 해라.
② 아이가 양말을 신고 있다.
③ 여기에 앉아서 쉬어 가세요.
④ 그녀의 피부는 나이에 비해 젊다.
⑤ 그분은 내가 닮고 싶은 사람이다.

활동 ②

05 〈보기〉와 동일한 음운 변동 현상이 일어나는 단어로 적절한 것은?

보기

맏이[마지]

① 맏형 ② 마디 ③ 국화
④ 미닫이 ⑤ 받는다

활동 ②

06 다음 중 구개음화가 일어나는 단어로 적절한 것은?

① 좋다 ② 닦다 ③ 디디다
④ 지키다 ⑤ 등받이

활동 ②

07 〈보기〉의 밑줄 친 단어와 동일한 음운 변동 현상이 일어나는 것끼리 바르게 묶은 것은?

보기

그 메모지를 벽에 덕지덕지 붙여.

① 끝이, 핥다 ② 같이, 다치다
③ 땀받이, 같은 ④ 해돋이, 햇볕을
⑤ 곧이듣다, 밭이

활동 2 고난도

08 〈보기〉에 해당하는 단어가 사용되지 않은 문장은?

보기

받침 'ㄷ, ㅌ(ㄾ)'이 조사나 접미사의 모음 'ㅣ'와 결합되는 경우에는, [ㅈ, ㅊ]으로 바꾸어서 뒤 음절 첫소리로 옮겨 발음한다.

① 할아버지 댁에 벼훑이가 있었다.
② 굳이 가겠다면 붙잡지는 않겠다.
③ 할머니 고향은 사방이 콩밭이다.
④ 닻이 걸려 있어 배가 움직이지 못했다.
⑤ 비가 와서 밭이랑 논에 작물이 잘 자랐다.

활동 3

09 다음 중 두음 법칙을 잘못 적용하여 짝지은 것은?

① 여자(女子) – 남여(男女)
② 요소(尿素) – 당뇨(糖尿)
③ 유대(紐帶) – 결뉴(結紐)
④ 익사(溺死) – 탐닉(耽溺)
⑤ 이승(尼僧) – 비구니(比丘尼)

활동 3

10 〈보기〉에 해당하는 예로 적절한 것은?

보기

한자음 '녀, 뇨, 뉴, 니'가 단어 첫머리에 올 적에는, 두음 법칙에 따라 '여, 요, 유, 이'로 적는다.

① 녀석 ② 니은 ③ 여기
④ 연세(年歲) ⑤ 유치(乳齒)

활동 3 고난도

11 〈보기〉는 두음 법칙에 관한 한글 맞춤법 규정이다. 밑줄 친 단어 중 규정을 잘못 적용한 것은?

보기

[제11항] 한자음 '랴, 려, 례, 료, 류, 리'가 단어의 첫머리에 올 적에는, 두음 법칙에 따라 '야, 여, 예, 요, 유, 이'로 적는다.

[붙임 1] 단어의 첫머리 이외의 경우에는 본음대로 적는다.

① 양심(良心)에 따라 행동하다.
② 올해는 짧은 머리가 유행(流行)이다.
③ 쌍용(雙龍)이 하늘로 오르는 듯하다.
④ 배가 급류(急流)에 휘말려 침몰되었다.
⑤ 혼례(婚禮)의 절차는 지방에 따라 차이가 있다.

활동 3

12 〈보기〉의 ㉠과 ㉡에 해당하는 예로 적절한 것끼리 묶은 것은?

보기

㉠한자음 '라, 래, 로, 뢰, 루, 르'가 단어의 첫머리에 올 적에는, 두음 법칙에 따라 '나, 내, 노, 뇌, 누, 느'로 적는다. ㉡단어의 첫머리 이외의 경우에는 본음대로 적는다.

	㉠	㉡
①	노인(老人)	거래(去來)
②	능묘(陵墓)	극낙(極樂)
③	태능(泰陵)	낙뢰(落雷)
④	누각(樓閣)	연말(年末)
⑤	래일(來日)	광한루(廣寒樓)

활동 ❶+❷ 【단답형】

13 〈보기〉의 (A), (B)의 발음을 쓰고, 각각의 단어에서 일어나는 음운 변동 현상의 명칭을 쓰시오.

보기

머리숱이 적다.
(A) (B)

활동 ❸ 【단답형】

14 〈보기〉에서 공통적으로 일어나는 음운 변동 현상의 명칭을 쓰고, (1)과 (2)에서 일어나는 현상이 각각 음운의 교체, 탈락, 첨가, 축약 중 어디에 속하는지 쓰시오.

보기

(1) 닉명(匿 숨을 닉, 名 이름 명) → 익명
(2) 라체(裸 벌거벗을 라, 體 몸 체) → 나체

서술형

활동 ❷ 고난도

15 〈보기〉의 밑줄 친 단어의 발음을 쓰고, 이에 반영된 음운 변동 현상에 대해 〈조건〉에 맞게 서술하시오.

보기

사건의 진상을 낱낱이 밝히다.

조건

- 단어의 발음이 변동하는 과정을 드러낼 것.
- 발생하는 음운 변동 현상의 명칭을 모두 쓰고, 이에 대해 단계적으로 설명할 것.

정답과 해설 I 8~9쪽

활동 ① 고난도 I 고1 학평 I

16 다음은 표준 발음법의 일부이고, 〈보기〉는 이를 학습하는 과정에서 학생들이 나눈 대화이다. ㉠~㉤ 중 적절하지 않은 것은?

> **제23항** 받침 'ㄱ(ㄲ, ㅋ, ㄳ, ㄺ), ㄷ(ㅅ, ㅆ, ㅈ, ㅊ, ㅌ), ㅂ(ㅍ, ㄼ, ㄿ, ㅄ)' 뒤에 연결되는 'ㄱ, ㄷ, ㅂ, ㅅ, ㅈ'은 된소리로 발음한다.
> **제24항** 어간 받침 'ㄴ(ㄵ), ㅁ(ㄻ)' 뒤에 결합되는 어미의 첫소리 'ㄱ, ㄷ, ㅅ, ㅈ'은 된소리로 발음한다.
> **제26항** 한자어에서, 'ㄹ' 받침 뒤에 연결되는 'ㄷ, ㅅ, ㅈ'은 된소리로 발음한다.

보기

학생 1: '국밥'의 표준 발음은 [국밥]이야, [국빱]이야?

학생 2: 표준 발음법 제23항에 따르면, [국빱]이 맞아. .... ㉠

학생 3: '아무리 뻗대도 소용이 없다.'에서 '뻗대도'는 받침 'ㄷ' 뒤에 'ㄷ'이 연결되기 때문에 [뻗때도]로 발음하겠네. .... ㉡

학생 2: '그가 집에 간다.'에서 '간다'는 [간다]로 발음하는데, '껴안다'는 왜 [껴안따]로 발음하지?

학생 3: '간다'의 기본형이 '가다'이므로 'ㄴ'은 어간 받침이 아니야. 그래서 표준 발음법 제24항을 적용할 수 없어.

학생 1: 표준 발음법 제24항에 따르면, '껴안다'는 [껴안따]로 발음하는 것이 맞아. .... ㉢

학생 2: 그러면 '그녀를 수양딸로 삼고 싶었다.'에서 '삼고'는 어간 받침 'ㅁ' 뒤에 'ㄱ'이 결합되어 [삼:꼬]로 발음해야겠네. .... ㉣

학생 3: '결과(結果)'는 [결과]로 발음하는데, '갈등(葛藤)'은 왜 [갈뜽]으로 발음하지?

학생 1: '갈등(葛藤)'은 표준 발음법 제26항에 따라 [갈뜽]으로 발음하지만, '결과(結果)'는 여기에 해당되지 않아. .... ㉤

① ㉠ ② ㉡ ③ ㉢ ④ ㉣ ⑤ ㉤

활동 ② I 고1 학평 I

17 〈보기〉를 바탕으로 할 때 발음이 바르게 된 것끼리 묶은 것은?

보기

- 음절의 끝소리는 뒤에 모음으로 시작되는 실질 형태소가 이어질 때에 'ㄱ, ㄴ, ㄷ, ㄹ, ㅁ, ㅂ, ㅇ'의 7자음(대표음)으로만 소리 난다. 다만 모음으로 시작되는 형식 형태소가 이어질 때에는 음절의 끝소리가 대표음으로 바뀌지 않고 뒤 음절의 첫소리가 된다.
- 끝소리가 'ㄷ, ㅌ'인 형태소가 모음 'ㅣ'로 시작하는 형식 형태소와 만나면 'ㄷ, ㅌ'이 'ㅈ, ㅊ'으로 바뀐다.
  예 같이[가치], 굳이[구지]

	가마솥을	물받이
①	[가마소틀]	[물바지]
②	[가마소슬]	[물바지]
③	[가마소츨]	[물바지]
④	[가마소틀]	[물바디]
⑤	[가마소츨]	[물바디]

03강 모음 탈락, 반모음 첨가, 거센소리되기

교/과/서/ 개/념/ 알/기

개념 플러스…

자음 탈락

- 자음군 단순화: 음절 끝에 겹받침이 올 때 하나만 남고 나머지는 탈락함.
  예 흙[흑], 없다[업따]
- 'ㄹ' 탈락: 용언 어간의 끝소리 'ㄹ'이 몇몇 어미 앞에서 탈락함. 또는 합성 및 파생의 과정에서 'ㄴ, ㄷ, ㅅ, ㅈ' 앞의 'ㄹ'이 탈락함.
  예 울+니 → 우니,
  솔+나무 → 소나무
- 'ㅎ' 탈락: 음절 끝의 'ㅎ, ㄶ, ㅀ'이 모음으로 시작하는 어미나 접미사와 만나 'ㅎ'이 탈락함.
  예 좋아[조아]

활동 ① 탈락 _ 모음 탈락

● 다음 형태소 결합 과정에서 없어진 음운을 찾아 써 보자.

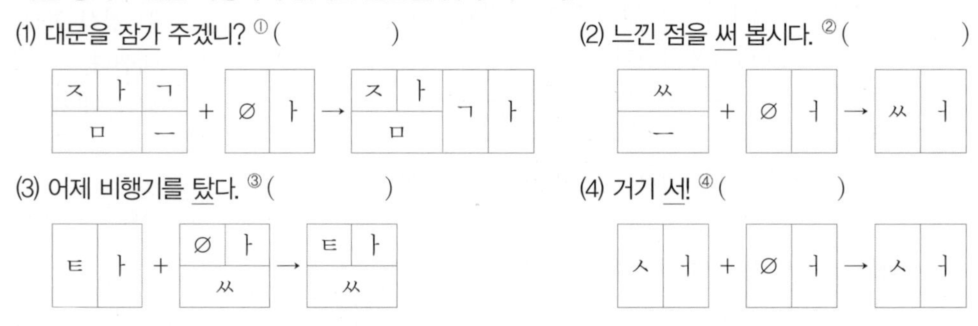

(1) 대문을 잠가 주겠니? ①(　　　　)

(2) 느낀 점을 써 봅시다. ②(　　　　)

(3) 어제 비행기를 탔다. ③(　　　　)

(4) 거기 서! ④(　　　　)

● 위 활동을 통해 알 수 있는 음운 변동의 규칙을 찾아보자.

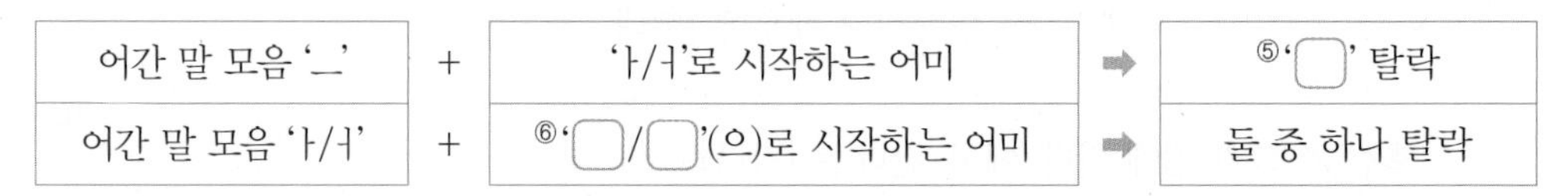

어간 말 모음 'ㅡ'	+	'ㅏ/ㅓ'로 시작하는 어미	➡	⑤'▢' 탈락
어간 말 모음 'ㅏ/ㅓ'	+	⑥'▢/▢'(으)로 시작하는 어미	➡	둘 중 하나 탈락

이처럼 두 모음이 이어질 때 한 모음이 탈락하는 현상을 '모음 탈락'이라고 한다. 'ㅡ'와 'ㅏ/ㅓ'가 만나면 'ㅡ'가 탈락하는 'ㅡ 탈락', 같은 모음('ㅏ/ㅓ')이 이어지면 둘 중 하나가 탈락하는 '동음 탈락'이 있으며 모음 탈락은 표기에 반영된다.

개념 플러스…

반모음 첨가 허용 규정

반모음 첨가 현상은 발음의 편의를 위한 것이므로, 음운의 음가대로 발음하는 것이 원칙이나, 피어[피어/피여], 되어[되어/되여], 아니오[아니오/아니요], 이오[이오/이요] 등과 같이 반모음 'ㅣ[j]'가 첨가된 발음은 표준 발음으로 인정됨.

활동 ② 첨가 _ 반모음 첨가

● 다음 단어를 발음 나는 대로 써 보고, 이를 통해 알 수 있는 음운 변동의 규칙을 찾아보자.

피어	아니오	갖추어	좋아
[피어 / 피여]	[아니오 / ①　　　]	[갇추어 / ②　　　]	[조아 / ③　　　]

⬇

④(자음 / 모음)으로 끝난 형태소에 ⑤(자음 / 모음)으로 시작하는 형태소가 결합할 때 ⑥▢▢▢이/가 첨가되어 발음되기도 한다.

이처럼 모음으로 끝난 용언에 모음으로 시작하는 어미가 결합할 때, 모음끼리의 충돌을 피하기 위해 반모음 'ㅣ[j]'나 반모음 'ㅗ/ㅜ[w]'가 덧붙는 현상을 '반모음 첨가'라고 한다. 이는 필수적 음운 변동이 아니므로 원래 음가대로 발음하는 것이 원칙이지만, 반모음을 첨가하여 발음하는 것이 허용되는 경우도 있다.

활동 ③ 축약 _ 거센소리되기

● 다음 단어들을 발음할 때 음운이 변화하는 양상을 살펴보자.

국화	[구콰] ➡ ㄱ + ㅎ → ㅋ
맏형	①[ ] ➡ ▢+▢→▢
굽히다	②[ ] ➡ ▢+▢→▢
젖히다	③[ ] ➡ ▢+▢→▢

● 다음 단어들의 발음 양상을 써 보고, 변화가 일어나는 환경을 살펴보자.

원래의 자음		자음의 발음	
ㄱ	+ ㅎ ➡	ㅋ	➡ 'ㄱ, ㄷ, ㅂ, ㅈ'이 ⑧'▢'을/를 만나면 [ㅋ, ▢, ▢, ▢](으)로 줄어들어 발음됨.
ㄷ		④ ______	
ㅂ		⑤ ______	
ㅈ		⑥ ______	
예사소리		⑦▢▢소리	

이처럼 예사소리 'ㄱ, ㄷ, ㅂ, ㅈ'이 'ㅎ'을 만나서 거센소리 [ㅋ, ㅌ, ㅍ, ㅊ]으로 줄어들어 발음되는 현상을 '거센소리되기'라고 한다. 이는 두 음운이 만나 한 음운으로 줄어드는 현상이므로 음운 변동의 종류 중 축약에 해당한다.

개념 플러스…

모음 축약
두 개의 단모음이 연속하여 만나면 하나의 이중 모음으로 줄어드는 현상
예 가지-+-어 → 가져,
주-+-어 → 줘

개념 확인

01 빈칸에 들어갈 알맞은 말을 쓰시오.

(1) 모음 두 개가 이어질 때 모음 한 개가 탈락하는 현상을 (　　　)(이)라고 한다.

(2) 어간 말 모음 'ㅡ'가 'ㅏ/ㅓ'로 시작하는 어미를 만나면 '(　　　)'이/가 탈락한다.

(3) 어간 말 모음 'ㅏ/ㅓ'가 'ㅏ/ㅓ'로 시작하는 어미를 만나 둘 중 하나가 탈락하는 현상을 (　　　)(이)라고 한다.

(4) 반모음 첨가는 모음과 모음이 이어질 때 모음끼리 충돌하는 것을 막기 위해 (　　　)이/가 덧붙는 현상이다.

(5) 예사소리 'ㄱ, ㄷ, ㅂ, ㅈ'과 'ㅎ'이 만나서 거센소리인 '[, , ,]'(으)로 줄어들어 발음되는 현상을 거센소리되기라고 한다.

02 다음 밑줄 친 단어가 형성될 때 탈락한 모음을 쓰시오.

(1) 몸이 아파서 그래. (　　　)

(2) 너는 키가 정말 커. (　　　)

(3) 오늘은 김치를 담가 봅시다. (　　　)

(4) 내가 커피를 사 줄게. (　　　)

03 다음 설명이 맞으면 ○, 틀리면 ×에 표시하시오.

(1) '좋아'의 발음은 [조아]가 원칙이며 [조와]로 발음하는 것도 허용된다. (○, ×)

(2) '꽃이 피었다'를 [꼬치 피엳따]로 발음하는 것은 잘못된 발음이다. (○, ×)

04 다음 밑줄 친 단어를 소리 나는 대로 쓰시오.

(1) 백합이 참 예쁘다. [　　　]

(2) 내 손을 놓지 마. [　　　]

(3) 발을 밟혀서 소리를 질렀다. [　　　]

내/신/ 문/제/로/ 다/지/기

활동 ①

01 〈보기〉에서 설명하고 있는 음운 변동의 예시로 적절하지 않은 것은?

> 보기
> 두 모음이 이어질 때 그중 한 모음이 탈락하는 현상을 모음 탈락이라고 한다.

① 자라　② 꺼서　③ 치러
④ 펴고　⑤ 모아라

활동 ①

02 〈보기〉를 참고할 때 밑줄 친 부분의 탈락의 양상이 나머지와 다른 것은?

> 보기
> 모음 탈락은 용언 어간의 끝 모음 'ㅡ'가 'ㅏ/ㅓ'로 시작하는 어미를 만나서 탈락하는 'ㅡ' 탈락과, 어간 말 모음과 어미의 첫 모음이 'ㅏ/ㅓ'로 같아서 하나가 탈락하는 동음 탈락으로 나뉜다.

① 국물이 너무 짜.
② 그 음악 좀 꺼 줄래?
③ 너무 깜깜하니까 겁이 나.
④ 그는 신경이 곤두서 있었다.
⑤ 땅을 파서 동굴을 만들었다.

활동 ②

03 〈보기〉의 밑줄 친 부분의 예로 적절한 것은?

> 보기
> 음운의 변동은 한 음운이 다른 음운으로 바뀌는 교체, 한 음운이 없어지는 탈락, 없던 음운이 생기는 첨가, 두 음운이 합쳐져 하나의 음운이 되는 축약이 있다.

① 치- + -어 → [치여]
② 뜨- + -어서 → [떠서]
③ 끼- + -어서 → [껴서]
④ 주- + -어서 → [줘서]
⑤ 꾸- + -어서 → [꿔서]

활동 ③

04 다음 중 거센소리되기 현상이 일어나는 단어로 적절하지 않은 것은?

① 낳고　② 역할　③ 좁혀
④ 좋은　⑤ 그렇지

활동 ③ 고난도

05 〈보기〉를 읽고 학생이 추론한 내용으로 적절하지 않은 것은?

> 보기
> 우리나라는 사계절이 **[뚜려타다]**. 봄은 날이 따뜻하고 꽃들이 많이 피어 나들이 다니는 사람들이 **[만코]**, 뜨거운 여름에는 더위를 피하기 위해 **[수탄]** 관광객들이 계곡과 바다로 떠난다. 가을에는 조물주의 붓이 전국을 훑어 강산이 아름다운 단풍으로 **[울긋불그타다]**. 겨울에는 눈이 내려 온 세상을 **[하야케]** 덮는다.

① [뚜려타다]는 2번의 음운 변동 과정을 거쳤을 것이다.
② [만코]에는 'ㅎ'과 'ㄱ'이 만나 거센소리되기가 된 결과가 드러난다.
③ [수탄]은 음절의 끝소리 규칙 이후에 거센소리되기를 거쳤을 것이다.
④ [울긋불그타다]는 교체와 축약을 거쳤을 것이다.
⑤ [하야케]는 첨가와 축약을 거쳤을 것이다.

활동 ③

06 단어들의 음운 변동에 대한 설명으로 적절한 것은?

① '닫히다'는 거센소리되기 이후 구개음화로 이어진다.
② '달맞이'는 음절의 끝소리 규칙 이후 구개음화로 이어진다.
③ '같이'는 음절의 끝소리 규칙 이후 거센소리되기로 이어진다.
④ '앉히다'는 음절의 끝소리 규칙과 거센소리되기 이후 구개음화로 이어진다.
⑤ '잊히다'는 음절의 끝소리 규칙과 거센소리되기 이후 구개음화로 이어진다.

활동 ①+③

07 〈보기〉의 ㉠과 ㉡에 해당하는 예가 바르게 짝지어진 것은?

보기

음운 변동은 ㉠두 음운이 만나 한 음운이 탈락하기도 하고, ㉡두 음운이 하나의 음운으로 축약되기도 한다.

	㉠	㉡
①	와	국물
②	만나	칼날
③	먹어	깎고
④	커지고	낳아
⑤	아파도	끊고

활동 ①+②+③

08 〈보기〉에 제시된 단어들의 음운 변동에 대한 설명으로 적절하지 않은 것은?

보기

파랗다　기뻐서　사서　잠가　책이오

① '파랗다'는 [파라타]로 발음되면서 'ㅎ'과 'ㄷ'이 [ㅌ]으로 축약되는 거센소리되기 현상이 일어난다.
② '기뻐서'는 어간의 끝 모음 'ㅡ'가 'ㅓ'로 시작하는 어미를 만나 탈락하는 현상이 일어난다.
③ '사서'는 어간 '사-'와 어미 '-아서'가 만나면서 'ㅏ' 하나가 탈락하는 현상이 일어난다.
④ '잠가'는 어간의 끝 모음 'ㅜ'가 'ㅏ'로 시작하는 어미를 만나 탈락하는 현상이 일어난다.
⑤ '책이오'는 [책이요]로 발음되면서 반모음이 첨가되는 현상이 일어나기도 한다.

활동 ①+②+③ 고난도

09 다음 음운 변동에 대한 설명으로 적절한 것은?

① '커서'와 '앞서서'는 동일한 음운이 탈락한다.
② '떠서'와 '읊어라'는 음운 변동을 표기에 반영한다.
③ '백합'은 '써라'와 달리 음운의 변동 결과 음운의 개수가 줄어든다.
④ '피어[피여]'와 '좋아[조와]'에서 나타나는 음운의 변동은 표준 발음으로 인정한다.
⑤ '끝나서'와 '급히'에서 나타나는 음운 변동은 변동 전과 변동 후 음운의 개수에 차이가 있다.

활동 ①+②+③

10 다음 〈보기 1〉을 읽고 ㉠~㉢의 사례를 〈보기 2〉에서 골라 바르게 짝지은 것은?

보기 1

음운 변동 현상에는 교체, 축약, 탈락, 첨가가 있다. ㉠거센소리되기는 축약 현상의 하나로, 두 개의 음운이 만나 하나의 음운으로 합쳐지는 현상이며, ㉡모음 탈락은 두 모음이 이어질 때 하나의 모음이 탈락하는 현상이다. 한편 ㉢두 모음이 연속할 때 음운이 첨가되는 경우도 있다.

보기 2

시골 할아버지 댁에 ⓐ가서[가서] 친척들과 만나는 일은 늘 즐겁다. 이번 명절은 할아버지의 칠순과 겹쳐 ⓑ축하[추카] 잔치를 했다. 아버지는 인삼주를 ⓒ담가[담가] 선물하셨다. 나는 사촌들과 용돈을 모아 비싸진 ⓓ않더라도[안터라도] 마음을 담은 선물을 드렸다. 모두가 한마음이 ⓔ되어[되여] 할아버지의 무병장수를 기원하였다.

	㉠	㉡	㉢
①	ⓑ	ⓐ	ⓒ
②	ⓑ	ⓐ	ⓔ
③	ⓓ	ⓔ	ⓒ
④	ⓓ	ⓒ	ⓑ
⑤	ⓑ	ⓔ	ⓒ

활동 ①+②+③

11 〈보기〉의 ㉠~㉤에 대한 설명으로 적절하지 않은 것을 모두 고르시오.

| 보기 |

널 ㉠놓기 전 알지 ㉡못했다.
내 머문 세상 이토록 쓸쓸한 것을.
고운 ㉢꽃이 피고 진 이 곳
다시는 없을 너라는 계절.
욕심이 ㉣생겼다.
너와 함께 살고 늙어가 주름진 손을 맞잡고
내 삶은 따뜻했었다고.
단 한번 축복 그 짧은 마주침이 ㉤지나
빗물처럼 너는 울었다.

– 노래 〈첫눈처럼 너에게 가겠다〉 중

① ㉠은 거센소리되기가 일어나 [노키]로 발음한다.
② ㉡은 거센소리되기가 일어나 [모탣따]로 발음한다.
③ ㉢은 거센소리되기가 일어나 [꼬치]로 발음한다.
④ ㉣은 모음 첨가 현상이 표기에 반영되어 [생겯따]로 발음한다.
⑤ ㉤은 모음 탈락 현상이 표기에 반영되어 [지나]로 발음한다.

활동 ①+②+③ 고난도

12 다음 ㄱ~ㄷ에서 일어나는 각 음운 변동에 대한 설명으로 적절하지 않은 것은?

ㄱ. 되어 / 피어 / 아니오
ㄴ. 커서 / 써서 / 자서
ㄷ. 노랗게 / 좁히지 / 옳지는

① ㄱ은 두 모음 사이에 반모음이 첨가되는 현상으로 '기어'를 예시에 추가할 수 있다.
② ㄴ은 두 모음 중 하나가 탈락하는 모음 탈락 현상으로 '따라'를 예시에 추가할 수 있다.
③ ㄷ은 두 음운이 만나 하나의 음운으로 합쳐지는 축약 현상으로, '암각화'를 예시에 추가할 수 있다.
④ '졌네'는 ㄱ과 ㄴ의 현상이 모두 일어난 예로 추가할 수 있다.
⑤ ㄱ과 ㄷ의 현상이 모두 일어날 수 있는 예로 '맏형이오'를 들 수 있다.

활동 ①   [단답형]

13 〈보기〉를 참고하여 아래 문장의 빈칸에 들어갈 음운을 쓰시오.

| 보기 |

(가) 열심히 일한 당신, 떠나라!
　: 떠나- + -아라 → 떠나라 ➡ 'ㅏ' 탈락
(나) 오늘 집에 오기 전에 가게에 들렀다.
　: 들르- + -었- + -다 → 들렀다 ➡ 'ㅡ' 탈락

(1) 소설을 썼다. '(　　　)' 탈락
(2) 길을 건너서 목적지에 도착했다. '(　　　)' 탈락
(3) 어서 버스에 타라. '(　　　)' 탈락

서술형

활동 ③

14 〈보기〉는 학생들의 대화이다. '민영'이 할 적절한 대답을 〈조건〉에 맞게 서술하시오.

| 보기 |

수호: '갇히다'와 '맞히다'가 발음될 때의 음운 변동 차이가 무엇이었는지 헷갈리네.
현주: 나도. 수업 시간에 분명히 배웠는데 실제 생활에서 적용해 보려니까 헷갈리더라고.
수호: 민영아 이거 어떻게 다른지 알려 줄래?
민영: ______________________

| 조건 |

• 밑줄 친 단어의 음운 변동 명칭을 밝힐 것.
• 음운 변동의 과정을 설명할 것.

정답과 해설 | 11~13쪽

활동 ③ | 고1 학평 |

15 〈보기 1〉의 표준 발음법에 따라 〈보기 2〉의 ㉠~㉤을 발음한다고 할 때, 적절하지 않은 것은?

보기 1

표준 발음법

제9항 받침 'ㄲ, ㅋ', 'ㅅ, ㅆ, ㅈ, ㅊ, ㅌ', 'ㅍ'은 어말 또는 자음 앞에서 각각 대표음 [ㄱ, ㄷ, ㅂ]으로 발음한다.

제12항 'ㅎ(ㄶ, ㅀ)' 뒤에 'ㄱ, ㄷ, ㅈ'이 결합되는 경우에는, 뒤 음절 첫소리와 합쳐서 [ㅋ, ㅌ, ㅊ]으로 발음한다.

제14항 겹받침이 모음으로 시작된 조사나 어미, 접미사와 결합되는 경우에는, 뒤엣것만을 뒤 음절 첫소리로 옮겨 발음한다.(이 경우, 'ㅅ'은 된소리로 발음함.)

제23항 받침 'ㄱ(ㄲ, ㅋ, ㄳ, ㄺ), ㄷ(ㅅ, ㅆ, ㅈ, ㅊ, ㅌ), ㅂ(ㅍ, ㄼ, ㄿ, ㅄ)' 뒤에 연결되는 'ㄱ, ㄷ, ㅂ, ㅅ, ㅈ'은 된소리로 발음한다.

보기 2

- 주름이 ㉠많던 그 이마에는
- ㉡젊어 품었던 꿈들 사라졌지만
- 너희가 없으면 나도 ㉢없단다.
- ㉣꽃처럼 ㉤웃던 우리 어머니

① ㉠은 제12항 규정에 따라 [만턴]으로 발음해야겠군.
② ㉡은 제14항 규정에 따라 [절머]로 발음해야겠군.
③ ㉢은 제14항, 제23항 규정에 따라 [업딴다]로 발음해야겠군.
④ ㉣은 제9항 규정에 따라 [꼳]으로 발음해야겠군.
⑤ ㉤은 제9항, 제23항 규정에 따라 [욷뗜]으로 발음해야겠군.

활동 ①+③ 고난도 | 고2 학평 |

16 〈보기〉의 ㉠~㉣에 대한 이해로 적절한 것은?

보기

음운의 변동 중 ㉠축약은 두 음운이 합쳐져서 하나의 음운으로 줄어드는 현상을 말한다. 반면 ㉡탈락은 두 음운이 만나면서 한 음운이 사라져 소리가 나지 않는 현상을 말한다. 이러한 축약과 탈락은 ㉢자음에서 일어나는 경우와 ㉣모음에서 일어나는 경우가 있다.

① '싫다[실타]'는 ㉠과 ㉣에 해당된다.
② '좋아요[조아요]'는 ㉡과 ㉣에 해당한다.
③ '울+는 → 우는'은 ㉠과 ㉢에 해당된다.
④ '크+어서 → 커서'는 ㉡과 ㉣에 해당한다.
⑤ '나누+었다 → 나눴다'는 ㉠과 ㉢에 해당한다.

04강 I단원 종합 음운의 변동 실전

교/과/서/ 개/념/ 정/리

1 음운 변동의 개념

– 어떤 형태소의 음운이 놓이는 환경에 따라 다른 ① ☐☐(으)로 바뀌어 발음되는 현상

2 음운 변동의 종류와 규칙

종류		뜻	예시
교체	비음화	'ㄱ, ㄷ, ㅂ'이 비음 '① ☐, ☐'의 영향을 받아 비음인 [ㅇ, ㄴ, ㅁ]으로 바뀌거나, 받침 'ㅁ, ㅇ' 뒤에 오는 'ㄹ'이 비음 [ㄴ]으로 바뀌어 발음되는 현상	국물[궁물], 받는다[반는다], 종로[종노]
	② ☐☐☐	'ㄴ'이 유음 'ㄹ'의 앞이나 뒤에서 유음 [ㄹ]로 바뀌어 발음되는 현상	실내[실래]
	된소리 되기	안울림 예사소리 'ㄱ, ㄷ, ㅂ, ㅅ, ㅈ'이 특정 환경에서 ③ ☐☐☐인 [ㄲ, ㄸ, ㅃ, ㅆ, ㅉ]으로 바뀌어 발음되는 현상	밥그릇[밥끄륻], 물질[물찔], 더듬지[더듬찌]
	음절의 끝소리 규칙	음절의 끝에는 'ㄱ, ㄴ, ㄷ, ㄹ, ㅁ, ㅂ, ㅇ' 7개만 발음되며 이외의 자음이 음절 끝에 오면 7개 자음 중 하나로 바뀌어 발음되는 현상	밖[박], 솥[솓], 잎[입]
	구개음화	끝소리가 'ㄷ, ㅌ'인 형태소가 모음 'ㅣ'나 반모음 'ㅣ[j]'로 시작하는 형식 형태소와 만나 구개음 '[④ ☐, ☐]'(으)로 바뀌어 발음되는 현상	붙이다[부치다], 해돋이[해도지]
교체 / 탈락	두음 법칙	한자어의 첫소리에 'ㄴ, ㄹ'이 발음되는 것을 피하여 'ㄹ'이 'ㄴ'으로 교체되거나 'ㄴ, ㄹ'이 탈락하는 현상으로, 발음뿐만 아니라 표기에도 반영됨.	〈교체〉 敬老(경로) - 老人(노인) 〈탈락〉 不良(불량) - 良心(양심)
탈락	⑤ ☐☐ 탈락	두 모음이 이어서 소리 날 때 한 모음이 탈락하는 현상으로 '⑥ ☐' 탈락과 동음 탈락이 있음.	끄-+-어 → [꺼] 서-+-어 → [서]
	자음 탈락	형태소 내부에서 한 자음이 탈락하는 현상으로 'ㄹ' 탈락과 'ㅎ' 탈락, 자음군 단순화가 있음.	솔+나무 → [소나무] 좋-+-은 → [조은] 값[갑], 닭[닥]
축약	거센소리 되기	예사소리 'ㄱ, ㄷ, ㅂ, ㅈ'이 'ㅎ'을 만나 거센소리인 [ㅋ, ㅌ, ㅍ, ㅊ]으로 줄어들어 발음되는 현상	축하[⑦ ☐☐]
	모음 축약	두 개의 단모음이 연속하여 만나면 하나의 이중 모음으로 줄어드는 현상	지치-+-어 → 지쳐
첨가	반모음 첨가	⑧ ☐☐(으)로 끝나는 어간 뒤에 모음으로 시작하는 어미가 결합할 때 반모음 'ㅣ[j]'나 'ㅗ/ㅜ[w]'가 덧붙어 발음되는 현상. 반모음 'ㅣ[j]'가 결합한 경우만 표준 발음으로 허용함.	되어 - [되어]: 원칙 - [되여]: 허용

| 비음화 |

01 다음 중 비음화가 일어나는 단어가 포함되지 않은 것은?

① 대통령은 국민이 선출한다.
② 산림 관리는 중요한 일이다.
③ 박나래는 매력이 넘치더라고.
④ 그러게, 정말로 네 말이 맞네.
⑤ 우리 첫눈이 내리는 날에 만나자.

| 자음 동화의 방향 |

02 〈보기〉를 참고하였을 때 동화의 방향이 나머지와 다른 것은?

보기

자음 동화는 그 방향에 따라 뒷소리가 앞소리의 영향으로 앞소리와 닮거나 같은 소리로 바뀌는 순행 동화, 앞소리가 뒷소리의 영향으로 뒷소리와 닮거나 같은 소리로 바뀌는 역행 동화, 앞소리와 뒷소리가 서로 닮아서 두 소리가 모두 바뀌는 상호 동화로 나눌 수 있다.

① 밥물[밤물]
② 신라[실라]
③ 권력[궐력]
④ 설날[설랄]
⑤ 한라산[할라산]

| 된소리되기의 유형과 사례 | 고난도

03 〈보기〉에 제시된 된소리되기의 유형과 사례가 잘못 연결된 것은?

보기

된소리되기는 예사소리가 다음과 같은 환경에서 된소리로 발음되는 현상이다.

- 받침 'ㄱ, ㄷ, ㅂ' 뒤에 'ㄱ, ㄷ, ㅂ, ㅅ, ㅈ'이 올 때 ······ ⓐ
- 용언 어간 받침 'ㄴ(ㄵ), ㅁ(ㄻ)' 뒤에 'ㄱ, ㄷ, ㅅ, ㅈ'으로 시작하는 어미가 올 때 ······ ⓑ
- 한자어 'ㄹ' 받침 뒤에 'ㄷ, ㅅ, ㅈ'이 올 때 ······ ⓒ
- 관형사형 어미 '-(으)ㄹ' 뒤에 'ㄱ, ㄷ, ㅂ, ㅅ, ㅈ'이 올 때 ······ ⓓ

① ⓐ: 밥상을 들여라.
② ⓑ: 여름 감기가 심하다.
③ ⓑ: 어서 신발을 신자.
④ ⓒ: 경제 발전이 시급하다.
⑤ ⓓ: 갈 곳이 없다.

| 구개음화 |

04 다음 중 구개음화가 일어나지 않는 단어는?

① 끝이
② 볕이
③ 곧이어
④ 붙이다
⑤ 가을걷이

| 두음 법칙 |

05 다음 중 두음 법칙이 일어나지 않은 단어는?

① 낙원(樂園)
② 내일(來日)
③ 유행(流行)
④ 양심(良心)
⑤ 여생(餘生)

| 모음 탈락의 유형 |

06 〈보기〉를 참고할 때 모음 탈락의 유형이 나머지와 다른 것은?

보기

모음 탈락은 동사나 형용사의 어간 말 모음 'ㅏ/ㅓ'와 어미의 첫 모음이 같거나, 동사나 형용사의 어간 말 모음 'ㅡ' 뒤에 'ㅏ/ㅓ'로 시작하는 어미가 붙을 때 일어난다.

① 얼른 자라.
② 학교에 갔다.
③ 거기에 그대로 서.
④ 자기소개서를 써서 내라.
⑤ 호수를 지나 집으로 와라.

| 거센소리되기 |

07 다음 중 〈보기〉의 음운 변동 현상이 일어나는 단어로 적절하지 않은 것은?

보기

거센소리되기는 'ㅎ'과 'ㄱ, ㄷ, ㅂ, ㅈ'이 만나면 하나로 줄어 [ㅋ, ㅌ, ㅍ, ㅊ]으로 발음되는 음운의 축약 현상이다.

① 입혀 ② 놓고 ③ 빻아
④ 잡히다 ⑤ 이렇지

| 반모음 첨가 |

08 다음 중 반모음 첨가가 일어나지 않은 것은?

① 기-+-어 → [기여]
② 피-+-어 → [피여]
③ 지-+-어 → [지여]
④ 삐지-+-어 → [삐져]
⑤ 무엇-+-이-+오 → [무어시요]

| 음운 변동의 특징 | 고난도

09 다음 단어들의 음운 변동 현상과 관련한 설명으로 적절하지 않은 것은?

① '역할'의 음운 개수는 5개이고 음운 변동 후에 4개로 줄어든다.
② '맏이'의 음운 개수는 5개이고 음운 변동 후에 4개로 줄어든다.
③ '법학'의 음운 개수는 6개이고 음운 변동 후에 5개로 줄어든다.
④ '국문학사'의 음운 개수는 11개이고 음운 변동 후에도 11개로 유지된다.
⑤ '단란하다'의 음운 개수는 10개이고, 음운 변동 후에도 10개로 유지된다.

| 음운 변동의 특징 | 고난도

10 다음 단어들의 음운 변동 현상과 관련한 설명으로 적절하지 않은 것은?

① '깎는'은 한 번의 교체를 거쳐 [깡는]으로 발음된다.
② '앞마당'은 두 번의 교체를 거쳐 [암마당]으로 발음된다.
③ '년(年)+세(歲)'는 한 번의 탈락을 거쳐 [연세]로 발음된다.
④ '뚜렷하다'는 교체와 축약을 차례로 거쳐 [뚜려타다]로 발음된다.
⑤ '좋겠다'는 한 번의 축약과 두 번의 교체를 거쳐 [조켇따]로 발음된다.

| 음운 변동의 종류 | 【 단답형 】

11 음운 변동을 크게 분류한 네 가지 종류를 쓰시오.

정답과 해설 | 14~16쪽

| 음운 변동의 파악 | 【단답형】

12 다음 단어들의 올바른 발음을 쓰고, 공통적으로 일어난 음운 변동 현상의 명칭을 쓰시오.

죽녹원　　굳는　　집만

| 음운 변동의 파악 | 【단답형】

13 다음 문장의 올바른 발음을 쓰고, 일어난 음운 변동을 모두 쓰시오.

그렇지 않더라도 축하는 할 거야.

서술형

| 음운 변동의 종류와 양상 | 고난도

14 다음 문장의 밑줄 친 부분에 일어나는 음운 변동의 종류를 〈보기〉에서 찾아 쓰고, 각각의 음운 변동 양상에 대해 서술하시오.

대학생이 되어 대학교에 가서 좋다.

보기

교체　　첨가　　축약　　탈락

| 음운 변동의 환경 | 고난도

15 다음 문장의 발음을 쓰고, 한 어절에만 음운 변동이 일어나는 이유를 음운 변동의 명칭과 함께 서술하시오.

신발 신고

| 비음화, 유음화, 구개음화 | | 고2 학평 |

16 〈보기 1〉을 활용하여 〈보기 2〉의 음운 변동을 설명한 내용으로 적절한 것은?

보기 1

조음 위치 / 조음 방법	입술소리	잇몸소리	센입천장소리	여린입천장소리
파열음	ㅂ, ㅍ	ㄷ, ㅌ		ㄱ, ㅋ
파찰음			ㅈ, ㅊ	
비음	ㅁ	ㄴ		ㅇ
유음		ㄹ		

보기 2

㉠ 국민 → [궁민]　　㉡ 물난리 → [물랄리]
㉢ 굳이 → [구지]

① ㉠은 첫음절 끝의 파열음이 뒤의 자음과 결합하여 유음으로 바뀌었다.
② ㉡은 유음이 앞뒤 비음의 영향을 받아 비음으로 바뀌었다.
③ ㉢은 여린입천장소리가 뒤의 자음을 닮아 센입천장소리로 바뀌었다.
④ ㉠과 ㉡에서 변동된 음운은 조음 방법이 변하였다.
⑤ ㉡과 ㉢에서 변동된 음운은 조음 위치가 변하였다.

| 음운 변동의 종류 | | 고2 학평 |

17 〈보기〉의 ㉠과 같은 음운 현상이 나타난 예로 적절한 것은?

보기

음운 변동은 어떤 음운이 다른 음운으로 바뀌는 '교체', 새로운 음운이 생기는 '첨가', 어떤 음운이 없어지는 '탈락', 두 음운이 하나의 음운으로 합쳐지는 '축약'으로 나눌 수 있다. 이러한 음운 변동은 단어에 따라 한 번만 일어나기도 하지만, 한 단어 안에서 두 가지 음운 변동이 순차적으로 일어나는 경우도 있다. 예를 들어 교체 후 교체가 일어나는 경우, ㉠교체 후 축약이 일어나는 경우, 탈락 후 교체가 일어나는 경우, 첨가 후 교체가 일어나는 경우 등을 들 수 있다.

① 꽃다발: [꼳다발] → [꼳따발]
② 넋두리: [넉두리] → [넉뚜리]
③ 뜻하다: [뜯하다] → [뜨타다]
④ 부엌문: [부억문] → [부엉문]
⑤ 색연필: [색년필] → [생년필]

개념 플러스

'ㄴ' 첨가

합성어나 파생어에서 앞말에 받침이 있고 뒷말의 첫음절이 'ㅣ, ㅑ, ㅕ, ㅛ, ㅠ'일 때 'ㄴ'이 첨가되는 현상으로, 다른 음운 변동과 함께 일어나는 경우가 많아 유의해야 함.

예 불여우 → [불녀우] → [불려우]
('ㄴ' 첨가) (유음화)

[18~19] 다음 글을 읽고 물음에 답하시오.

언어학에서 변별적 자질은 두 대상이 어떤 특성에서 구별된다는 것을 나타내는 유용한 개념이다. 이것은 본래 음운을 변별하는 데 필요한 음성적 특성을 나타내어 음운 간의 대립을 체계적으로 설명하기 위한 것이었다. 변별적 자질은 [+F]나 [−F]와 같은 형식으로 표시되는데, 이때 'F'는 음성적 특성을, '+/−'는 그러한 특성이 있고 없음을 나타낸다. 예컨대 두 음운 /ㅁ/과 /ㅂ/은 두 입술로([양순성]) 공기를 막았다가 터뜨리는 공통점이 있으나, 공기가 코를 통과한다는([비음성]) 점에서는 차이를 보이므로 /ㅁ/은 [+양순성, +비음성], /ㅂ/은 [+양순성, −비음성]이라는 변별적 자질들의 묶음으로 표시될 수 있다.

변별적 자질을 사용하면 음운 현상에서 함께 행동하면서 하나의 부류를 형성하는 음들을 체계적으로 설명할 수 있다. 예를 들어 A가 C 앞에서 B가 되는 형식 (A → B /__C)의 음운 동화 현상에서 ㉠규칙을 적용받기 전의 음, ㉡규칙을 적용받은 후의 음, ㉢규칙의 환경이 되는 음은 각각 하나의 부류를 형성한다. 더 나아가 ㉣규칙을 적용받기 전의 음과 적용받은 후의 음, ㉤규칙을 적용받은 후의 음과 규칙의 환경이 되는 음도 각각 또 다른 하나의 부류를 형성한다. 이때 하나의 부류를 형성하는 음들은 공통의 변별적 자질(들)로 표시할 수 있다.

변별적 자질은 일반적으로 +나 −의 양분적인 값을 가지므로, 말소리가 인간의 기억 속에서 범주적인 양상으로 지각되거나 저장된다는 사실을 설명해 준다. 또한 이러한 양분적인 값의 사용은 한 개의 자질을 선택함으로써 동시에 두 개의 정보를 알려 주는 효과, 즉 상호 예측성을 지니므로 정보 전달의 효율성을 극대화할 수 있다. 이와 같이 변별적 자질을 통해 우리는 음운과 음운 현상을 체계적으로 이해할 수 있다.

| 음운의 특성 | | 수능 |

18 이 글의 내용과 일치하는 것은?

① 음운 간의 대립은 변별적 자질보다는 음성적 특성에 의해 파악될 수 있다.
② 음운 현상에서 함께 행동하는 음들은 공통의 변별적 자질로 표시할 수 있다.
③ 하나의 변별적 자질을 알면 해당 음운의 모든 음성적 특성을 알 수 있다.
④ 어떤 한 음운은 [+F]이면서 동시에 [−F]인 변별적 자질을 가질 수 있다.
⑤ 양분적인 값으로 변별적 자질을 사용하면 정보 전달의 효율이 낮아진다.

| 비음화 | 고난도 | 수능 |

19 이 글을 참고할 때, 〈보기〉에서 알 수 있는 내용으로 적절하지 않은 것은?

보기

[−비음성]의 A가 [+비음성]의 C 앞에서 [+비음성]의 B가 되는 자음 동화 규칙과 그 실례는 다음과 같다.

규칙 A → B / __ C

실례 ㄱ → ㅇ / __ ㅁ 국물[궁물]
ㄷ → ㄴ / __ ㅁ 맏며느리[만며느리]
ㅂ → ㅁ / __ ㄴ 읍내[음내]

① ㉠에 해당하는 'ㄱ, ㄷ, ㅂ'은 공통적으로 [−비음성]을 갖는군.
② ㉡에 해당하는 음들은 비음성을 기준으로 하나의 부류를 형성하는군.
③ ㉢에 해당하는 'ㄴ, ㅁ'은 공통적으로 [+비음성]을 갖는군.
④ '읍내'에서 ㉣에 해당하는 'ㅂ'과 'ㅁ'은 공통적으로 [+양순성]을 갖는군.
⑤ '국물'에서 ㉤에 해당하는 음들은 비음성을 기준으로 하나의 부류를 형성하지 못하는군.

1 음운 변동의 유형: 음운 변동은 한 음운이 특정 환경에서 다른 음운으로 바뀌는 현상으로, 그 유형에는 교체, 축약, ①□□, 첨가가 있음.

교체	음절의 끝소리 규칙, 자음 동화(비음화, 유음화), 된소리되기, 구개음화, 'ㅣ' 모음 역행 동화, *두음 법칙
축약	거센소리되기, 모음 축약
탈락	자음 탈락(자음군 단순화, 'ㄹ' 탈락, 'ㅎ' 탈락), 모음 탈락('ㅡ' 탈락, 동음 탈락), *두음 법칙
첨가	'ㄴ' 첨가, 사잇소리 현상, 반모음 첨가

(* 표시된 것은 둘 다 적용됨.)

2 음절의 끝소리 규칙: 음절의 끝에서 발음되는 자음은 '②□, □, □, □, □, □, □' 일곱 개뿐이며, 이외의 자음이 음절 끝에 오면 이 일곱 자음 중 하나로 바뀌어 발음됨.

교체	발음	예시
ㄲ, ㅋ	[ㄱ]	밖[박], 부엌[부억]
ㅌ, ㅅ, ㅆ, ㅈ, ㅊ, ㅎ	[ㄷ]	솥[솓], 빗[빋], 꽃[꼳]
ㅍ	[ㅂ]	잎[입]

3 'ㅣ' 모음 역행 동화: 앞말의 후설 모음 'ㅏ, ㅓ, ㅗ, ㅜ'가 뒷말의 전설 모음 'ㅣ'에 동화되어 ③□□ 모음 'ㅐ, ㅔ, ㅚ, ㅟ'로 바뀌어 발음되는 현상으로, 몇 단어를 제외하고는 표준어로 인정하지 않음.

예) 고기 → [괴기], 아비 → [애비]

4 모음 축약: 두 개의 단모음이 연속되어 만나면 하나의 ④□□ □□(으)로 줄어드는 현상으로, 두 음절이 한 음절로 줄어들 때에 어느 하나의 모음은 반모음으로 바뀜.

ㅣ	+	ㅓ	⇒	ㅕ	…	먹-+-이어 → 먹여
ㅣ	+	ㅗ	⇒	⑤□	…	가-+-시-+-오 → 가쇼
ㅣ	+	ㅐ	⇒	ㅒ	…	이+애 → 얘
ㅗ	+	ㅏ	⇒	ㅘ	…	오-+-아서 → 와서
ㅜ	+	ㅓ	⇒	⑥□	…	두-+-었다 → 뒀다
ㅡ	+	ㅣ	⇒	ㅢ	…	뜨-+-이다 → 띄다
ㅚ	+	ㅓ	⇒	ㅙ	…	되-+-었다 → 됐다
ㅏ	+	ㅕ	⇒	ㅐ	…	하-+-였-+-다 → 했다

5 자음 탈락

① **자음군 단순화**: 음절의 끝에 ⑦□□□이/가 올 때, 한 자음만 남고 나머지는 탈락하는 현상

예) 값[갑], 흙[흑], 넋[넉], 맑다[막따], 없다[업따]

② **'ㄹ' 탈락** : 합성이나 파생의 과정에서 앞말의 ⑧□□ 'ㄹ'이 'ㄴ, ㄷ, ㅅ, ㅈ' 앞에서 탈락하거나, ⑨□□의 어간 말 자음 'ㄹ'이 몇몇 어미 앞에서 탈락하는 현상

예) 아들+님 → 아드님, 둥글-+-니 → 둥그니

③ **'ㅎ' 탈락**: 음절의 끝소리인 'ㅎ, ㄶ, ㅀ'이 ⑩□□(으)로 시작하는 어미나 접미사와 결합할 때 'ㅎ'이 탈락하는 현상

예) 놓-+-아 → [노아], 좋-+-은 → [조은]

6 'ㄴ' 첨가: 합성어나 파생어에서 앞말에 ⑪□□이/가 있고 뒷말의 첫음절이 'ㅣ, ㅑ, ㅕ, ㅛ, ㅠ'일 때 '⑫□'이/가 첨가되는 현상

예) 맨+입[맨닙], 색+연필[생년필], 눈+요기[눈뇨기]

7 사잇소리 현상

- 두 개의 형태소 또는 단어가 어울려 ⑬□□□을/를 만들 때 그 사이에 소리가 첨가되는 수의적인 현상

사잇소리 첨가 조건	사잇소리 현상	예시
앞말의 끝소리가 ⑭□□□□(이)고 뒷말의 첫소리가 안울림 예사소리일 때	뒤의 안울림 예사소리가 된소리로 변함.	시내+가 → 시냇가[시내까/시낻까]
앞말이 ⑮□□(으)로 끝나고 뒷말이 'ㄴ, ㅁ'으로 시작할 때	앞말의 끝소리에 'ㄴ' 소리가 덧남.	이+몸 → 잇몸[인몸]
앞말이 모음으로 끝나고 뒷말이 '⑯□'(이)나 반모음 'ㅣ[j]'로 시작할 때	앞말의 끝소리와 뒷말의 첫소리에 'ㄴ' 소리가 덧남.	나무+잎 → 나뭇잎[나문닙]

- 결합하는 말 중 하나는 고유어여야 하지만, ⑰□□□에서도 일어나는 예외적인 경우가 있음.

예) 곳간(庫間), 셋방(貰房), 숫자(數字), 찻간(車間), 툇간(退間), 횟수(回數)

문법 요소의 특성

※ 빈칸을 채우시오.

개념 열기

■ **문법 요소:** 문법적 □□을/를 실현하는 데 사용되는 다양한 표현들로, 높임 표현, 시간 표현, 피동 표현, 인용 표현 등이 있음. 담화 상황에 맞는 문법 요소를 사용해야 올바른 문장을 표현할 수 있음.

■ **문장:** 생각이나 감정을 완결된 내용으로 나타내는 최소의 언어 형식

(1) 주성분: 문장의 골격을 이루는 필수적인 성분

문장 성분	개념	실현 방법
주어	동작, 상태, 성질의 □□이/가 되는 문장 성분	체언에 주격 조사 '이/가, 께서, 에서', 보조사 '은, 는, 도, 만' 등이 결합하여 나타남.
서술어	주어의 동작, 상태, 성질 등을 풀이하는 기능을 하는 문장 성분	동사나 형용사가 그대로 쓰이거나 체언에 서술격 조사 '이다' 등이 결합하여 나타남.
□□□	서술어의 동작 대상이 되는 문장 성분	체언에 목적격 조사 '을/를', 보조사 '도, 만' 혹은 목적격 조사와 보조사가 동시에 결합하여 나타남.
보어	'되다, 아니다'와 같은 서술어의 필수 성분으로 기능하는 문장 성분	체언에 보격 조사 '이/가', 보조사가 결합하여 나타남.

(2) 부속 성분: 주성분의 내용을 꾸며 뜻을 더하는 성분

문장 성분	개념	실현 방법
관형어	□□을/를 꾸며 주는 문장 성분	관형사가 그대로 쓰이거나, 체언에 관형격 조사 '의'가 결합하거나 용언 어간에 관형사형 어미가 결합하여 나타남.
□□□	용언, 관형어, 다른 부사어, 문장 전체 등을 꾸며 주며, 문장이나 단어를 이어 주기도 하는 문장 성분	부사가 그대로 쓰이거나, 체언에 부사격 조사 '에, 에서'가 결합하거나 용언 어간에 부사형 어미 '–게, –도록' 등이 결합하여 나타남.

(3) 독립 성분: 주성분이나 부속 성분과 직접적인 관계를 맺지 않는 성분

문장 성분	개념	실현 방법
독립어	문장의 어느 성분과도 직접적인 관계를 맺지 않는 문장 성분	감탄사, 제시어, 대답하는 말이 그대로 쓰이거나, 체언에 호격 조사 '아/야'가 결합하여 나타남.

높임 표현, 시간 표현

교/과/서/ 개/념/ 알/기

직접 높임과 간접 높임

- 직접 높임: 주어를 직접 높이는 것.
  예 선생님께서는 학교에 계신다.
- 간접 높임: 주어와 관련된 대상(신체 부분, 소유물 등)을 통해 주어를 간접적으로 높이는 것으로, 높임의 특수 어휘를 사용하지 않음.
  예 그 분은 눈썹미가 있으시다. (○)
  그 분은 눈썹미가 계시다. (×)

활동 1 주체 높임법

● 다음 문장을 〈보기〉처럼 주체 높임 표현에 맞게 고쳐 써 보자.

보기
선생님이 책을 읽는다. ➡ 선생님께서 책을 읽으신다.

(1) 할아버지는 귀가 밝다. ➡ 할아버지① ☐☐는 귀가 ☐☐☐☐.
(2) 아버지는 방에서 잔다. ➡ 아버지② ☐☐는 방에서 ☐☐☐☐.

이처럼 서술의 주체를 높이는 표현 방법을 '주체 높임법'이라고 한다. 일반적으로 서술어에 선어말 어미 '-(으)시-'를 붙여 실현한다. 주격 조사 '께서'를 사용하거나 '계시다', '잡수시다', '주무시다', '말씀'과 같은 높임의 특수 어휘를 사용하여 실현하기도 한다.

활동 2 객체 높임법

● 다음 문장을 〈보기〉처럼 객체 높임 표현에 맞게 고쳐 써 보자.

보기
나는 할머니에게 꽃을 줬다. ➡ 나는 할머니께 꽃을 드렸다.

(1) 인선이가 삼촌에게 안부를 물어보았다. ➡ 인선이가 삼촌① ☐ 안부를 ☐☐☐☐☐.
(2) 경배는 어머니를 데리러 공항으로 갔다. ➡ 경배는 어머니를 ② ☐☐☐ 공항으로 갔다.

이처럼 문장의 목적어나 부사어, 즉 서술의 객체를 높이는 표현 방법을 '객체 높임법'이라고 한다. 부사격 조사 '께'를 사용하거나 '드리다', '모시다', '여쭈다' 등의 어휘를 사용하여 실현한다.

개념 플러스

상대 높임법의 체계

격식체	
하십시오체(아주높임)	먼저 가십시오.
하오체(예사 높임)	먼저 가시오.
하게체(예사 낮춤)	먼저 가게.
해라체(아주낮춤)	먼저 가라.
비격식체	
해요체(두루높임)	먼저 가요.
해체(두루낮춤)	먼저 가.

활동 3 상대 높임법

● 다음 문장의 듣는 이를 고려하여 상대 높임 표현을 완성해 보자.

(1) (친구에게) 나도 과자 좀 ① (줘, 주세요).
(2) (학생이 선생님에게) 선생님, 청소 다 ② (했어, 했어요).
(3) (처음 보는 사람에게) 양재역은 왼쪽으로 ③ (가게, 가십시오).

이처럼 화자가 청자를 높이거나 낮추는 표현 방법을 '상대 높임법'이라고 한다. 상대 높임법은 종결 표현을 통해 실현하는데, 공식적이고 의례적인 표현의 격식체 '하십시오체, 하오체, 하게체, 해라체'와 비공식적이고 친근한 표현의 비격식체 '해요체, 해체'로 나뉜다.

활동 4 잘못된 높임 표현

● 다음 문장이 어색한 이유를 쓰고, 잘못된 표현을 바르게 고쳐 써 보자.

㉠ 이 상품이 제일 인기 있으십니다.
㉡ 외숙모, 강아지가 정말 귀여우시네요.
㉢ 선생님이 너보고 준비하시라고 했어.

	어색한 이유	고친 표현
㉠	'상품'을 높임.	이 상품이 제일 인기 ① □□□□.
㉡	② '□□□'을/를 높임.	외숙모, 강아지가 정말 귀엽네요.
㉢	'선생님'을 높이지 않고 '너'를 높임.	선생님께서 너보고 ③ □□□□□ 하셨어.

이처럼 높이지 말아야 할 대상을 높이거나, 높여야 할 대상을 높이지 않는 등 실제 담화에서 잘못된 높임 표현을 사용하는 경우가 있으므로 유의해야 한다.

활동 5 시제

● 다음 문장의 시제와, 시제를 표현한 방법을 파악해 보자.

문장	시제	표현 방법
어제는 정말 행복했다.	① □□ 시제	부사어 ② □□, 선어말 어미 '-었-'
내일은 요리를 하겠다.	미래 시제	부사어 내일, 선어말 어미 '-③ □-'
오늘도 예쁜 하늘	④ □□ 시제	부사어 오늘, 관형사형 어미 '-ㄴ-'

이처럼 어떤 사건이 일어난 시간적 위치를 나타내는 표현을 '시제'라고 한다. 과거 시제는 선어말 어미 '-았-/-었-, -더-', 동사 어간에 붙는 관형사형 어미 '-(으)ㄴ', 관형사형 어미 '-던', 시간 부사어 '어제, 옛날에' 등으로 표현한다. 현재 시제는 동사 어간에 붙는 선어말 어미 '-ㄴ-/-는-', 형용사 어간에 붙는 관형사형 어미 '-(으)ㄴ', 동사 어간에 붙는 관형사형 어미 '-는', 시간 부사어 '오늘, 지금' 등으로 표현한다. 미래 시제는 선어말 어미 '-겠-', 관형사형 어미 '-(으)ㄹ', 시간 부사어 '내일, 모레' 등으로 표현한다.

개념 플러스…

사건시와 발화시
시제는 사건이 일어나는 시점인 사건시와 말하는 시점인 발화시의 선후 관계에 따라 구분함.
- 과거 시제
  ▽사건시 ▲발화시
- 현재 시제
  ▽사건시 ▲발화시
- 미래 시제
  ▲발화시 ▽사건시

'-고 있다'의 중의성
동작의 진행과 완료라는 두 가지 의미를 동시에 나타내며 중의성을 갖는 경우가 있음.
예 누나는 운동화를 신고 있다.

활동 6 동작상

● 다음 문장들의 동작상과, 동작상을 표현한 방법을 파악해 보자.

문장	동작상	표현 방법
벌써 해가 지고 있다.	① □□□	보조 용언 '-고 있다'
오랜 가뭄으로 나무가 말라 버렸다.	② □□□	보조 용언 '-아/-어 버리다'

이처럼 시간의 흐름 속에서 동작이 일어나는 모습을 표현한 것을 '동작상'이라고 하는데, 이는 진행상과 완료상으로 나뉜다. 진행상은 동작이 진행되고 있음을 나타내며, 보조 용언 '-고 있다', '-아/-어 가다' 등으로 표현한다. 그리고 완료상은 동작이 이미 끝났거나 끝난 상태가 지속됨을 나타내며, 보조 용언 '-아/-어 있다', '-아/-어 버리다' 등으로 표현한다.

개념 플러스

어미 '-더-'의 의미
과거 시제를 나타낼 뿐만 아니라 과거에 직접 경험한 사건을 전달할 때도 쓰임.
예 문정이는 어제 공원에서 산책을 하더라.

활동 7 시간 표현 선어말 어미의 다양한 의미

● 다음 밑줄 친 부분이 각각 어떤 의미로 사용되었는지 골라 보자.

선어말 어미	문장	의미
-겠-	제주도엔 비가 오겠다.	① (추측, 의지, 가능성)
	짐을 혼자 옮길 수 있겠어?	② (추측, 의지, 가능성)
	수행 평가는 만점을 받겠다.	③ (추측, 의지, 가능성)
-았-/-었-	포도가 잘 익었다.	④ (완료 지속, 미래 확신)
	이제 바다에 다 왔다!	⑤ (완료 지속, 미래 확신)
-았었-/-었었-	나는 도윤이와 친했었다.	현재와는 단절된 과거

이처럼 시간을 표현하는 선어말 어미는 문맥에 따라 다양한 의미로 사용된다. '-겠-'은 화자의 추측, 주체의 의지, 가능성 등을 나타내는 의미로도 사용되고, '-았-/-었-'은 완료된 상황이 지속되거나 미래에 실현될 일을 확신할 때 사용된다. 또한 '-았었-/-었었-'은 과거의 사건이 현재와 단절되었음을 표현할 때 사용된다.

개념 확인

01 빈칸에 들어갈 알맞은 말을 쓰시오.

(1) 주체 높임법은 기본적으로 선어말 어미 '-(으)(   )-'을/를 사용하며, 주격 조사 '(   )'와/과 특수 어휘를 사용하기도 한다.

(2) (   )은/는 종결 표현을 통해 실현되며, 격식체와 비격식체로 나뉜다.

(3) 선어말 어미 '-겠-'은 미래 시제 외에 (   ), 의지, (   ) 등의 의미로 사용된다.

02 다음 설명이 맞으면 ○, 틀리면 ×에 표시하시오.

(1) 객체 높임법은 부사격 조사 '께' 대신 '에게'를 사용한다. (○, ×)

(2) 현재 시제는 선어말 어미 '-ㄴ-/-는-', 관형사형 어미 '-(으)ㄹ', 시간 부사어 '오늘' 등으로 표현한다. (○, ×)

(3) 진행상은 보조 용언 '-고 있다', '-아/-어 가다' 등으로 표현한다. (○, ×)

내/신/ 문/제/로/ 다/지/기

정답과 해설 | 17~18쪽

활동 ①

01 〈보기〉를 참고할 때, 주체 높임의 방법이 다른 것은?

보기
주체 높임법에는 주체를 직접적으로 높이는 직접 높임과 주체와 관련된 대상을 높임으로써 간접적으로 높이는 간접 높임이 있다.

① 담임 선생님의 키가 크시구나.
② 그새 흰머리가 더 많아지셨군요.
③ 아버지, 이제 몸은 좀 괜찮으세요?
④ 나무 밑에 할머니께서 앉아 계시네.
⑤ 교장 선생님의 훈화가 있으시겠습니다.

활동 ①+②+③

02 〈보기〉에서 밑줄 친 특수 어휘가 높이는 대상의 종류가 같은 것끼리 묶인 것은?

보기
㉠ 어머니께서 할아버지께 과일을 드렸다. ㉡ 선생님께서는 여전히 그 학교에 계신다. ㉢ 지영아, 할머니 모시고 큰댁에 좀 다녀올래? ㉣ 아버지께서 점심을 잡수셨다.

① ㉠ : ㉡, ㉢, ㉣
② ㉠, ㉡ : ㉢, ㉣
③ ㉠, ㉢ : ㉡, ㉣
④ ㉠, ㉡, ㉣ : ㉢
⑤ ㉠, ㉢, ㉣ : ㉡

활동 ③

03 다음 문장 중 격식체로 표현한 문장끼리 묶인 것은?

ㄱ. 어서 집으로 가렴.
ㄴ. 어서 집으로 가요.
ㄷ. 어서 집으로 가구려.
ㄹ. 어서 집으로 가십시오.

① ㄱ, ㄴ
② ㄱ, ㄴ, ㄷ
③ ㄱ, ㄷ, ㄹ
④ ㄴ, ㄷ, ㄹ
⑤ ㄱ, ㄴ, ㄷ, ㄹ

활동 ①+③ 고난도

04 〈보기〉에 대한 설명으로 적절한 것은?

보기
선생님, 그동안 건강하게 지내셨습니까?

① 비격식체를 사용하여 청자를 높이고 있군.
② 높임의 특수 어휘를 통해 서술의 주체를 높이고 있군.
③ 정중하고도 친근한 느낌을 주는 '해요체'를 사용하고 있군.
④ 동일한 대상에게 주체 높임과 상대 높임을 동시에 사용하고 있군.
⑤ 종결 어미를 활용하여 직접적으로 드러나지 않은 대상을 높이고 있군.

활동 ❶+❷+❸ 고난도

05 〈보기〉의 [예문]을 [조건]에 따라 적절하게 분석한 것은?

보기

우리말의 높임법에는 서술의 주체를 높이는 주체 높임법, 화자가 청자를 높이거나 낮추는 상대 높임법, 서술의 객체를 높이는 객체 높임법이 있다. 실제 대화에서는 이들 중 둘 또는 셋이 동시에 작용하는 경우가 많다.

[조건] 높임의 대상에 대한 존대를 [+]로, 비존대를 [−]로 나타냄.
[예문] 옆집 아주머니께서 고구마를 주셨습니다.

① [주체+], [객체+], [상대+]
② [주체+], [객체−], [상대+]
③ [주체+], [객체−], [상대−]
④ [주체−], [객체+], [상대−]
⑤ [주체−], [객체−], [상대+]

활동 ❹

06 높임 표현이 어법에 맞게 이루어진 것은?

① 할아버지께서는 손이 크시다.
② 선생님 댁 고양이가 예쁘시네요.
③ 아버지, 저 오시라고 했다면서요?
④ 손님, 이 바지는 면 100%이십니다.
⑤ 주문하신 커피 한 잔 나오셨습니다.

활동 ❹

07 다음 문장을 높임 표현에 맞게 고쳐 쓴 것으로 적절하지 않은 것은?

① 할머니가 고민이 있는 것 같아. → 할머니께서 고민이 계신 것 같아.
② 할아버지는 이미 밥을 먹었다. → 할아버지께서는 이미 진지를 잡수셨다.
③ 이 계좌로 만 원이 입금되셨습니다. → 이 계좌로 만 원이 입금되었습니다.
④ 원하는 제품이 계시면 말씀해 주세요. → 원하는 제품이 있으시면 말씀해 주세요.
⑤ 이 제품의 가격은 이만 오천 원이십니다. → 이 제품의 가격은 이만 오천 원입니다.

활동 ❺

08 밑줄 친 부분의 시제가 다른 것은?

① 내가 읽을 책은 단편 소설이다.
② 나는 수목원에 가서 꽃을 보았다.
③ 교실에서 시끄럽게 떠든 사람이 누구냐?
④ 동생이 먹던 빵은 유통 기한이 지난 것이다.
⑤ 엄마와 함께 보자고 약속한 그 영화가 아니다.

활동 5

09 다음 밑줄 친 부분의 시제 분석이 적절하지 않은 것은?

① 재민이는 장차 훌륭한 어른이 되겠다.
발화시 ― 사건시

② 그때부터 시간이 좀 더 많아질 것이야.
발화시 ― 사건시

③ 요즈음 기말고사 직전이어서 매우 바쁘다.
발화시 / 사건시

④ 어릴 적 귀엽던 아이가 벌써 이렇게 크다니.
사건시 ― 발화시

⑤ 저 멀리 산을 오르는 사람들이 한둘 보인다.
사건시 ― 발화시

활동 6

10 〈보기〉를 참고할 때, 밑줄 친 부분의 동작상이 다른 것은?

보기

동작상	진행상	발화시를 기준으로 동작이 계속되는 모습
	완료상	발화시를 기준으로 동작이 끝났거나 끝난 상태가 지속되는 모습

① 창밖에 낙엽이 쌓이고 있어요.
② 날이 더워서 꽃이 시들어 간다.
③ 지수는 음악을 다 들어 버렸다.
④ 지현이가 열심히 올라오고 있다.
⑤ 현준이가 손을 흔들며 내게 다가오고 있다.

활동 5+6

11 다음 문장의 시제와 동작상으로 적절한 것은?

형이 동생의 간식을 먹어 버렸다.

	시제	동작상
①	과거	완료상
②	과거	진행상
③	현재	완료상
④	현재	진행상
⑤	미래	완료상

활동 5+7 고난도

12 다음 문장의 밑줄 친 부분이 시제의 의미만을 나타내고 있는 것은?

① 거긴 지금 춥겠지?
② 이걸 너 혼자 할 수 있겠어?
③ 고향에서는 이미 추수를 다 끝냈겠다.
④ 곧 대통령 내외분의 입장이 있겠습니다.
⑤ 무슨 일이 있어도 너는 내가 꼭 잡겠다.

활동 ❶+❸ 【 단답형 】

13 다음 문장에서 ㉠을 통해 실현되는 높임법의 종류를 모두 쓰시오.

> 아버지, 할아버지께서 어머니를 찾는 전화를 여러 번 ㉠하셨습니다.

활동 ❺ 【 단답형 】

14 〈보기 1〉을 참고하여 〈보기 2〉에서 시제를 실현하는 요소 세 가지를 찾아 쓰시오.

보기 1

> 시제는 대개 선어말 어미, 관형사형 어미, 시간 부사어 등을 통해 실현된다.

보기 2

> 어제 본 그림이 참 멋있더라.

서술형

활동 ❹

15 다음 대화에서 선생님의 말이 어색한 이유와, 적절한 수정 방안을 〈조건〉에 맞게 서술하시오.

> 지연: 선생님, 여쭤볼 게 있어요.
> 선생님: 지연이는 날마다 나에게 여쭤보는구나.

조건

- 잘못된 부분을 인용하여 그 이유를 구체적으로 제시할 것.

활동 ② | 고1 학평 |

16 ⓐ~ⓔ 중 〈보기〉의 ㉠에 해당하지 않는 것은?

| 보기 |

높임 표현에는 말하는 이가 듣는 이에 대하여 높이거나 낮추어 말하는 상대 높임, 서술의 주체를 높이는 주체 높임, 목적어나 부사어가 나타내는 대상, 즉 서술의 객체를 높이는 ㉠객체 높임이 있다.

선생님: 지은아, 방학은 잘 보냈니?
지은: 네. 제 용돈으로 할머니께 ⓐ드릴 선물을 사서 할머니 댁에 다녀왔어요.
선생님: 기특하다. 할머니를 ⓑ뵙고 왔구나. 가서 무엇을 했니?
지은: 아버지께서 할머니를 ⓒ모시고 병원에 가신 사이에 저는 ⓓ큰아버지께 인사를 드리고 왔어요.
선생님: 저런, 할머니께서 ⓔ편찮으셨나 보다.

① ⓐ ② ⓑ ③ ⓒ ④ ⓓ ⑤ ⓔ

활동 ⑦ 고난도 | 고2 학평 |

17 다음은 선어말 어미 '-겠-'에 대해 탐구 활동을 하기 위한 자료이다. 탐구한 내용으로 적절하지 않은 것은?

ㄱ. 구름이 낀 걸 보니 내일은 비가 오겠다.
ㄴ. 서울에는 지금쯤 눈이 내리겠다.
ㄷ. 설악산에는 벌써 단풍이 들었겠다.
ㄹ. 그 목표를 (제가/형이*) 꼭 이루겠습니다.
ㅁ. 그 정도는 어린애도 (알겠다./할 수 있겠다.)

*는 비문 표시임.

① ㄱ을 통해 '-겠-'이 미래뿐만 아니라 말하는 사람의 추측을 나타낸다는 것을 알 수 있다.
② ㄴ을 통해 '-겠-'이 현재의 사실에 대해 말하는 사람의 추측을 나타낸다는 것을 알 수 있다.
③ ㄷ을 통해 '-겠-'이 의지를 나타내는 문장에서 '-었-'과 함께 쓰일 수 있다는 것을 알 수 있다.
④ ㄹ을 통해 '-겠-'이 의지를 나타내는 문장에서는 말하는 사람과 주어가 일치해야 한다는 것을 알 수 있다.
⑤ ㅁ을 통해 '-겠-'이 가능성이나 능력을 나타낸다는 것을 알 수 있다.

피동 표현, 인용 표현

교/과/서/ 개/념/ 알/기

활동 1 능동 표현과 피동 표현

● 다음 문장의 주어를 찾고, 주어가 행위를 하는지 혹은 당하는지를 파악해 보자.

문장	주어	행위
영기는 고양이를 안았다.	① ▢▢	(한다 / 당한다)
고양이가 영기에게 안겼다.	② ▢▢▢	(한다 / 당한다)

● 다음 빈칸을 채워 보고, 능동 표현을 피동 표현으로 바꾸는 방법을 확인해 보자.

(1) 능동문: 안개가 마을을 덮었다. ➡ 피동문: ③ ▢▢▢ 안개에 덮였다.
(2) 능동문: 경찰이 범인을 쫓았다. ➡ 피동문: 범인이 ④ ▢▢▢▢ 쫓겼다.

개념 플러스…

능동문이 피동문으로 바뀔 때 문장 구조
- 능동문: 주어+목적어+능동 서술어
- 피동문: 주어+부사어+피동 서술어

이처럼 주어가 제힘으로 동작을 하는 걸 표현하는 것을 '능동 표현', 주어가 다른 주체에 의해 동작을 당하는 걸 표현하는 것을 '피동 표현'이라고 한다. 능동문을 피동문으로 바꿀 때 능동문의 주어는 피동문의 부사어가 되고, 능동문의 목적어는 피동문의 주어가 된다. 또한 능동문의 서술어 능동사는 피동사가 된다.

활동 2 피동 표현의 실현

● 다음 문장을 〈보기〉처럼 피동 표현으로 고쳐 써 보자.

보기
태호가 끈을 풀었다. → 끈이 태호에 의해 풀렸다.

(1) 다람쥐가 도토리를 밟았다. ➡ 도토리가 다람쥐에게 ① ▢▢▢.
(2) 주연이는 진실을 밝혔다. ➡ 진실이 주연이에 의해 ② ▢▢▢▢.
(3) 목장에서 양을 사육한다. ➡ 양이 목장에서 ③ ▢▢▢▢.

개념 플러스…

피동 표현의 실현 유형
- 파생적 피동: 피동 접미사 '–이–, –히–, –리–, –기–'를 결합함.
- 통사적 피동: '–아/–어지다', '–게 되다'를 결합함.

이처럼 피동 표현은 능동을 나타내는 동사의 어간에 피동 접미사 '-이-, -히-, -리-, -기-'나 '-아/-어지다', '-게 되다'를 붙인다. 특정 명사 뒤에 '-되다'를 붙여 만들 수도 있다.

활동 3 피동 표현의 효과

● 다음과 같이 능동 표현을 피동 표현으로 바꾸었을 때 어떠한 효과가 있는지 파악해 보자.

(1) 내가 유리창을 깼다. → 유리창이 깨졌다.
(2) (알 수 없는 사람이) 나무를 훼손했다. → 나무가 훼손됐다.
(3) 사고의 원인을 폭설로 추정하고 있다. → 폭설이 사고의 원인으로 추정되고 있다.

⬇

(1) 행위의 ① □□이/가 강조되어 행위의 주체를 밝히지 않을 수 있음.
(2) 행위의 ② □□이/가 누군지 모를 때 사용할 수 있음.
(3) 내용의 ③ □□□을/를 높일 수 있음.

이처럼 피동 표현은 행위의 대상을 강조할 때, 행위의 주체를 밝히고 싶지 않을 때, 행위의 주체가 누군지 분명하지 않을 때, 내용의 객관성을 높이고 싶을 때, 자신의 발언이나 행위에 대한 책임을 회피하고자 할 때 등에 사용한다.

주동과 사동 표현

주어가 동작을 직접 하는 것을 주동, 주어가 동작을 남에게 시키는 것을 사동이라고 함.

예 주동문: 아이가 약을 먹는다.
사동문: 의사가 아이에게 약을 먹인다.

- 파생적 사동: 사동 접미사 '-이-, -히-, -리-, -기-, -우-, -구-, -추-', '-시키다'를 결합함.
- 통사적 사동: '-게 하다'를 결합함.

활동 4 잘못된 피동 표현

● 다음 문장의 잘못된 표현을 고쳐 써 보자.

(1) 이 물건은 유용하게 쓰여진다. ➡ 이 물건은 유용하게 ① □□□.
(2) 나는 할 수 있다고 생각된다. ➡ 나는 할 수 있다고 ② □□□□.

이처럼 번역 투의 영향으로 불필요한 피동 표현을 사용하거나 피동문을 만드는 요소를 중복 사용하는 이중 피동 표현을 사용하는 경우가 있다.

활동 5 인용 표현

● 다음 빈칸을 채워 보고, 인용 표현에 대해 탐구해 보자.

• 나는 요즘 정말 행복해. <
- 지원이가 "나는 요즘 정말 행복해." ① □□ 말했다.
- 지원이가 자기는 요즘 정말 행복하다 ② □ 말했다.

이처럼 다른 사람의 말이나 글을 자신의 말이나 글 속에 끌어 쓰는 표현을 '인용 표현'이라고 하는데, 이는 직접 인용과 간접 인용으로 나뉜다. 직접 인용은 다른 사람의 말이나 글을 그대로 옮기는 것으로, 인용하는 문장에 큰따옴표를 하고 뒤에 조사 '라고'를 사용한다. 간접 인용은 다른 사람의 말이나 글을 내용만 옮겨 자신의 표현으로 바꾸는 것으로, 조사 '고'를 사용한다.

인용 표현의 표현 효과

- 직접 인용: 말이나 글을 직접 전하므로 현장감과 생동감을 주고 말한 이의 감정을 잘 드러냄.
- 간접 인용: 원문을 요약·수정하여 표현하므로 직접 인용보다 매끄럽고 간결한 느낌을 줌.

'하다' 인용

직접 인용은 인용하는 문장 뒤에 인용 조사 없이 '하다'만을 사용하여 표현하기도 함.

예 아영이는 "끝이다!" 하고 외쳤다.

활동 6 직접 인용과 간접 인용

● 다음 직접 인용 표현을 〈보기〉처럼 간접 인용 표현으로 바꾸어 보자.

> 보기
> 성미는 "내가 도와줄게."라고 말했다. → 성미는 자기가 도와주겠다고 말했다.

(1) 다혜는 어머니께 "감사합니다."라고 말했다. ➡ 다혜는 어머니께 ①□□□□고 말했다.

(2) 원지는 나에게 "거기 있는 연필 좀 빌려주겠니?"라고 물었다. ➡ 원지는 나에게 ②□□ 있는 연필 좀 □□□□□□고 물었다.

개념 플러스…

'명사+이다'의 간접 인용 종결 어미

- 평서문·감탄문: '-(이)라'
  - 예 희연이가 나에게 이것이 책상이라고 했다.
- 의문문: '-(이)냐'
  - 예 희연이가 나에게 이것이 책상이냐고 물었다.

● 위의 활동을 통해 직접 인용 표현을 간접 인용 표현으로 바꾸는 방식을 알아보자.

직접 인용 표현 ↓ 간접 인용 표현	
	큰따옴표가 빠지고 조사 ③'□□'이/가 '고'로 바뀐다.
	화자와 청자에 따라 상대 ④□□ 표현이 바뀐다.
	인칭 대명사, ⑤□□ 표현, 시간 표현이 바뀐다.
	문장 종결 어미는 평서문·감탄문일 땐 '-다', 의문문일 땐 동사는 '-느냐', 형용사는 '-(으)냐'로 바뀐다. 또한 명령문일 땐 '⑥-(으)□', 청유문일 땐 '-자'로 바뀐다.

이처럼 직접 인용 표현을 간접 인용 표현으로 바꾸면 큰따옴표가 사라지고, 조사 '라고'가 '고'로 바뀐다. 또한 상대 높임 표현, 인칭 대명사와 지시 표현, 시간 표현, 종결 어미 등도 바뀐다.

개념 확인

01 빈칸에 들어갈 알맞은 말을 쓰시오.

(1) 주어가 다른 주체에 의해 동작이나 행위를 당하는 걸 표현하는 것을 (　　　　)(이)라고 한다.

(2) 피동 표현은 능동사에 피동 접미사 '-(　　)-, -(　　)-, -(　　)-, -(　　)-'나 '-아/-어지다, '-게 (　　)' 등을 붙여 만든다.

(3) 직접 인용 표현을 간접 인용 표현으로 바꾸면 조사 '(　　　　)' 이/가 '(　　　　)'(으)로 바뀌고, (　　　　) 어미, 상대 높임 표현 등도 바뀐다.

02 다음 설명이 맞으면 ○, 틀리면 ×에 표시하시오.

(1) 능동문을 피동문으로 바꾸면 능동문의 목적어는 피동문의 부사어가 된다. (○, ×)

(2) '올해 겨울은 추울 것으로 보여진다.'는 올바른 피동 표현이다. (○, ×)

(3) 직접 인용문은 인용하는 문장에 큰따옴표를 붙이고 조사 '라고'를 사용한다. (○, ×)

(4) 의문문을 간접 인용할 때 종결 어미는 '-다'로 바뀐다. (○, ×)

정답과 해설 I 22~23쪽

활동 ②

01 〈보기〉의 피동 표현을 실현하는 방법의 사례로 적절하지 않은 것은?

보기
- ㉠ 동사 + -이-, -히-, -리-, -기-
- ㉡ 명사 + -되다
- ㉢ 동사 + -아/-어지다
- ㉣ 동사 + -게 되다

① ㉠: 연이 나무에 걸렸다.
② ㉡: 그의 이론이 사실로 증명되었다.
③ ㉡: 내가 그 학교에 입학하게 되었다.
④ ㉢: 동생의 오해가 전부 풀어졌다.
⑤ ㉣: 내가 전부 책임을 지게 되었다.

활동 ①+② 고난도

02 〈보기〉는 능동 표현을 피동 표현으로 바꾼 것이다. 이 중 적절한 것만 찾아 묶은 것은?

보기
- ⓐ 길이 넓다 → 사람들이 길을 넓혔다.
- ⓑ 나는 하늘을 보았다. → 하늘이 나에게 보였다.
- ⓒ 빗물이 운동장을 팠다. → 운동장이 빗물에 패였다.
- ⓓ 우리는 그를 회장으로 뽑았다. → 그가 우리에 의해 회장으로 뽑혔다.
- ⓔ 학자들이 그 문제를 풀었다. → 그 문제가 학자들에 의해 풀렸다.

① ⓐ, ⓑ, ⓒ　　② ⓐ, ⓑ, ⓓ
③ ⓑ, ⓒ, ⓔ　　④ ⓑ, ⓓ, ⓔ
⑤ ⓒ, ⓓ, ⓔ

활동 ①+③

03 피동 표현에 대한 설명으로 적절하지 않은 것은?

① 능동 표현에 비해 객관적인 느낌을 줄 수 있다.
② 행위를 당하는 대상을 강조하고 싶을 때 사용한다.
③ 행위의 주체를 모르거나 굳이 밝힐 필요가 없을 때 사용한다.
④ 능동 표현에 비해 행위를 직접 하는 주체의 의지가 강조된다.
⑤ 주어가 직접 동작을 하는 것이 아니라 다른 주체에 의해 동작을 당하는 것을 표현한다.

활동 ①+②+③

04 〈보기〉에 제시된 문장에 대한 설명으로 적절하지 않은 것은?

보기

㉠	ⓐ	사냥꾼이 사슴을 쫓는다.
	ⓑ	사슴이 사냥꾼에게 쫓긴다.
㉡	ⓐ	동생이 컵을 깼어요.
	ⓑ	컵이 깨져 있어요.

① ㉠: ⓐ의 주어는 ⓑ의 부사어로, ⓐ의 목적어는 ⓑ의 주어로 바뀌었다.
② ㉠: ⓐ를 ⓑ로 바꿀 때, '쫓긴다'는 '쫓는다'에 피동 접미사 '-기-'를 붙여 만든 것이다.
③ ㉠: ⓐ의 주어는 '쫓다'라는 행위의 주체이고, ⓑ의 주어는 '쫓다'라는 행위의 대상이다.
④ ㉡: ⓐ는 주체의 행동과 원인에, ⓑ는 대상과 행위의 결과에 초점을 맞추고 있다.
⑤ ㉡: ⓑ는 행위의 주체를 숨김으로써 ⓐ에 비해 주체의 행위에 대한 책임을 회피하는 효과가 있다.

활동 ④

05 〈보기〉의 밑줄 친 부분에 해당하는 사례로 적절하지 않은 것은?

보기
우리는 실생활에서 잘못된 피동 표현을 사용하는 경우가 많다. 특히 능동 표현이 가능한데도 피동 표현을 사용하는 것은 불필요한 피동 표현이므로 능동 표현으로 바꾸어 쓰는 것이 바람직하다. 예 공사장에서 많은 먼지가 발생된다. → '공사장에서 많은 먼지가 발생한다.'라고 능동 표현이 가능하므로 불필요한 피동에 해당한다.

① 아직은 때가 아니라고 생각된다.
② 「광장」은 최인훈에 의해 지어졌다.
③ 그곳에는 많은 문화재가 매몰되어 있었다.
④ 훼손된 건축물은 하루빨리 복원돼야 한다.
⑤ 오늘 회의에서 다루어질 내용이 무엇인가요?

활동 ④ 고난도

06 다음 중 이중 피동 표현이 사용된 문장이 아닌 것은?

① 물이 컵에 가득 담겨져서 넘쳤다.
② 모여진 송금이 수재민에게 전달되었다.
③ 전문가들에 의해 그림이 복원되어졌다.
④ 마을에 들어서니 잔칫상이 차려져 있었다.
⑤ 그는 사람들에게 잊혀질 권리를 주장하였다.

활동 ⑤

07 〈보기〉의 (가)~(다)에 대한 설명으로 적절하지 않은 것은?

보기
(가) 그 사람은 지갑을 찾아 준 내게 "아이구, 정말 감사합니다. 돈도 중요하지만, 그보다 지갑 속의 어머니 사진을 영영 잃어버리는 줄 알았는데 이렇게 찾게 되니 정말 다행입니다."라고 말했다. (나) 그 사람은 지갑을 찾아 준 내게 돈보다도 특히 어머니 사진을 찾게 되어 정말 감사하다고 말했다. (다) 그 사람은 지갑을 찾아 준 내게 돈을 찾게 되어 정말 감사하다고 말했다.

① (가)는 '그 사람'이 실제로 발화하는 것과 같은 느낌을 주어 현장감이 느껴진다.
② (나)는 (가)에 비해 문어적 특성이 두드러지게 나타난다.
③ (나)처럼 (가)의 '그 사람'의 발화 내용을 요약·수정하여 전달하는 것도 가능하다.
④ (나)와 (다)는 '그 사람'의 생생한 감정이나 태도 등을 전달하기에 적합한 인용법이다.
⑤ (다)는 (가)의 '그 사람'의 발화 의도를 왜곡했다는 점에서 올바르지 않은 인용이라고 할 수 있다.

활동 ⑥

08 다음 중 인용 표현을 적절하게 사용하지 않은 것은?

① 갈릴레이는 지구는 돈다고 중얼거렸다.
② 친구가 나에게 취미가 무엇이냐고 물었다.
③ 그는 친구에게 "집에 언제 오냐?"고 물었다.
④ 엄마가 딸에게 "빨리 학교에 가라."라고 말했다.
⑤ 그녀는 집에 들어서자 "으악!" 하고 소리를 질렀다.

활동 6 고난도

09 〈보기〉를 참고하여 직접 인용을 간접 인용으로 바꾼 문장 중 적절하지 않은 것은?

보기

간접 인용은 다른 데에서 들은 말이나 읽은 글을 인용할 때 그 형식은 유지하지 않고 내용만 인용하는 방식이다. 따라서 간접 인용 표현을 사용할 때에는 인용절의 시간 표현, 높임 표현, 지시 대명사, 종결 어미 등을 문장에 맞도록 적절히 바꾸어야 한다.

① 조카가 나에게 "고맙습니다."라고 말했다.
→ 조카가 나에게 고맙다고 말했다.

② 그는 어제 "오늘이 내 생일이야."라고 말했다.
→ 그는 오늘이 자신의 생일이라고 말했다.

③ 그는 어제 내게 "같이 등산 갈래?"라고 물었습니다.
→ 그는 어제 내게 같이 등산 가겠느냐고 물었습니다.

④ 여행 간 그는 "이쪽 지방의 날씨가 맘에 들어."라고 말했다.
→ 여행 간 그는 그쪽 지방의 날씨가 맘에 든다고 말했다.

⑤ 친구가 나에게 "네가 서 있는 그곳에서 기다려."라고 말했다.
→ 친구가 나에게 내가 서 있는 이곳에서 기다리라고 말했다.

활동 6

10 〈보기〉를 참고하여 밑줄 친 부분을 바르게 고치지 못한 것은?

보기

직접 인용을 간접 인용으로 바꿀 때는 인용절의 종결 어미를 적절하게 바꿔 준 후 인용격 조사 '고'를 붙여 줘야 한다.

• 평서문·감탄문
동사, 형용사: –다고
명사+이다: –(이)라고

• 의문문
동사 : –느냐고
형용사: –(으)냐고
명사+이다: –(이)냐고

• 명령문
–(으)라고

• 청유문
–자고

① 혜원이는 "나 오늘 좀 아파."<u>라고</u> 말했다.
→ 혜원이는 자기가 오늘 좀 아프다고 말했다.

② 철호가 "오늘은 쉬는 날이야."<u>라고</u> 밝혔다.
→ 철호가 오늘은 쉬는 날이라고 밝혔다.

③ 아저씨는 나에게 "학생이니?"<u>라고</u> 물었다.
→ 아저씨는 나에게 학생이냐고 물었다.

④ 그가 나에게 "저랑 같이 갑시다."<u>라고</u> 말했다.
→ 그가 나에게 자기와 같이 가라고 말했다.

⑤ 선생님께서 영희에게 "어디 가니?"<u>라고</u> 물었다.
→ 선생님께서 영희에게 어디 가느냐고 물었다.

활동 ② 고난도 [단답형]

11 〈보기〉의 밑줄 친 단어 중 피동 표현이 사용된 것을 모두 쓰시오.

> 보기
>
> 어제 하늘을 가득 덮었던 구름이 걷히면서 오늘은 날씨가 맑게 갰습니다. 이 때문에 나들이를 떠나는 차량이 몰리면서 도로가 정체되고 있지만, 오후가 되면 정체 상황도 풀릴 것으로 예상됩니다.

활동 ⑥ [단답형]

12 다음 〈보기〉의 간접 인용을 직접 인용으로 바꾸어 서술하시오.

> 보기
>
> 그는 선생님께 사랑한다고 말했다.

서술형

활동 ①+②

13 〈보기〉에 제시된 문장을 〈조건〉에 맞추어 피동 표현으로 바꾼 후, 피동 표현을 실현한 방식을 서술하시오.

> 보기
>
> 사람들이 나무를 벴다.

> 조건
>
> - '나무'를 주어로 할 것.
> - 피동 표현을 만드는 두 가지 방식을 활용하여 각각의 문장으로 서술할 것.
> - 서술어에 첨가된 피동 표현 실현 요소를 각각 밝힐 것.

활동 ❶+❷ | 고1 학평 |

14 〈보기〉를 참고할 때, 피동 표현의 예로 적절한 것은?

보기
- 능동 표현: 주어가 동작을 제힘으로 하는 것을 나타냄.
  예) 호랑이가 토끼를 잡다.
- 피동 표현: 주어가 다른 주체에 의해서 동작을 당하게 되는 것을 나타냄.
  예) 토끼가 호랑이에게 잡히다.

① 동생에게 사탕을 빼앗기다.
② 운동장에서 친구를 만나다.
③ 친구가 기쁜 소식을 전하다.
④ 교장 선생님께 고개를 숙이다.
⑤ 할머님께 공손하게 허리를 굽히다.

활동 ❶+❷ | 고1 학평 |

15 〈보기〉의 설명을 참고할 때 '피동 표현'의 예로 적절한 것은?

보기
피동 표현은 주체가 남에 의해 어떤 동작을 당하는 것을 나타낸 표현이다. 예를 들어 '토끼가 호랑이에게 잡혔다.'라는 문장은 주체가 스스로 한 행동이 아니라 남에 의해 '잡는' 동작을 당하는 것을 표현하고 있으므로 피동 표현이다.

① 밧줄을 세게 당기다.
② 동생의 머리를 감기다.
③ 아이에게 밥을 먹이다.
④ 후배가 선배를 놀리다.
⑤ 태풍에 건물이 흔들리다.

활동 ❻ 고난도 | 고3 모평 |

16 〈보기〉의 ⓐ~ⓓ에 들어갈 말을 올바르게 짝지은 것은?

보기
㉠ 영희 어머니께서는 "네 동생은 착해."라고 말씀하셨다.
㉡ 영희 어머니께서는 내 동생이 착하다고 말씀하셨다.

㉠은 영희 어머니의 발화를 그대로 옮긴 직접 인용이고, ㉡은 영희 어머니의 발화를 풀어 쓴 간접 인용이다. 그런데 직접 인용을 간접 인용으로 바꿀 때나 간접 인용을 직접 인용으로 바꿀 때는 인용절 속의 어미, 인용 조사, 대명사, 지시 표현, 높임 표현 등에 변화가 생길 수 있다.

직접 인용	아들이 어제 저에게 "내일 사무실에 계십시오."라고 말했습니다.
⇩	
간접 인용	아들이 어제 저에게 (ⓐ) 사무실에 (ⓑ) 말했습니다.

직접 인용	언니는 어제 "나의 휴대 전화에 메시지를 꼭 남겨라."라고 나에게 말했다.
⇩	
간접 인용	언니는 어제 (ⓒ) 휴대 전화에 메시지를 꼭 (ⓓ) 나에게 말했다.

	ⓐ	ⓑ	ⓒ	ⓓ
①	오늘	있으라고	자기의	남기라고
②	어제	계시라고	자기의	남겨라고
③	오늘	있으라고	나의	남겨라고
④	오늘	계시라고	자기의	남겨라고
⑤	어제	계시라고	나의	남기라고

07강

Ⅱ단원 종합

문법 요소의 특성 실전

교/과/서/ 개/념/ 정/리

❶ 높임 표현

종류	뜻	실현 방법
주체 높임법	서술의 주체를 높이는 방법	선어말 어미 '-(으)①□-', 주격 조사 '께서', 특수 어휘 '계시다, 주무시다' 등
객체 높임법	서술의 대상이 되는 ②□□□(이)나 부사어를 높이는 방법	부사격 조사 '께', 특수 어휘 '모시다, 여쭈다' 등
③□□ 높임법	화자가 청자를 높이거나 낮추어 말하는 방법	격식체의 종결 표현 '하십시오체, 하오체, 하게체, 해라체, 비격식체의 종결 표현 '해요체, 해체'

❷ 시간 표현

종류		뜻	실현 방법
시제	과거 시제	①□□□이/가 발화시보다 앞서 있는 시제	어미 '-았-/-었-, -더-, -(으)ㄴ, -던', 부사어 '어제, 옛날에' 등
	②□□ 시제	사건시와 발화시가 일치하는 시제	어미 '-ㄴ-/-는-, -(으)ㄴ, -는', 부사어 '오늘' 등
	미래 시제	사건시가 발화시보다 나중인 시제	어미 '-겠-, -(으)ㄹ', 부사어 '내일, 모레' 등
동작상	진행상	동작이 ③□□되고 있음을 나타내는 동작상	보조 용언 '-고 있다, -아(어) 가다', 연결 어미 '-(으)면서' 등
	④□□상	동작이 이미 끝났거나 끝난 상태가 지속됨을 나타내는 동작상	보조 용언 '-아(어) 있다, -아(어) 버리다', 연결 어미 '-고서' 등

❸ 피동 표현

① 능동과 피동: 능동은 주어가 동작을 제힘으로 하는 것이고, 피동은 주어가 다른 주체에 의해 동작을 당하는 것임.

② 피동 표현의 실현

– 능동문의 ①□□은/는 피동문의 부사어가 되고, 능동문의 목적어는 피동문의 주어가 됨.

– 능동사의 어간에 ②□□ □□□ '-이-, -히-, -리-, -기-'나 '-아/-어지다, -게 되다'를 붙이거나 특정 ③□□ 뒤에 '-되다'를 붙여 피동사로 바꿈.

❹ 인용 표현

종류	뜻	실현 방법
직접 인용	다른 사람의 말이나 글을 그대로 옮기는 것	인용하는 문장에 큰따옴표, 조사 '①□□'
②□□ 인용	다른 사람의 말이나 글을 내용만 옮기는 것	조사 '고'

| 높임 표현의 특징 |

01 높임 표현에 대한 설명으로 적절하지 않은 것은?

① 서술의 주체, 서술의 객체, 청자를 높이는 방법이 각각 다르다.
② 주체 높임 표현은 선어말 어미, 특수 어휘, 주격 조사를 통해 실현된다.
③ 주체 높임, 상대 높임, 객체 높임은 한 문장 안에서 동시에 실현될 수 있다.
④ 상대 높임 표현에는 높임과 낮춤이 모두 포함되며 종결 표현을 통해 실현된다.
⑤ 객체 높임 표현은 목적어나 부사어를 높이는 것으로 선어말 어미를 통해 실현된다.

| 높임 표현의 실현 |

02 〈보기〉의 ㉠~㉤에 대한 설명으로 적절하지 않은 것은?

보기

㉠ 아버지께서 책을 읽으신다.
㉡ 할머니께서는 눈이 밝으시다.
㉢ 어머니, 학교 다녀오겠습니다.
㉣ 삼촌, 저는 이쪽으로 갈게요.
㉤ 형이 할아버지를 뵙고 싶다며 집에 왔다.

① ㉠: 주격 조사와 선어말 어미를 통해 주체인 '아버지'를 높이고 있다.
② ㉡: 특수 어휘와 주격 조사를 통해 주체인 '할머니'를 높이고 있다.
③ ㉢: 종결 어미를 통해 청자인 '어머니'를 높이고 있다.
④ ㉣: '해요체'를 사용하여 청자인 '삼촌'을 높이고 있다.
⑤ ㉤: 특수 어휘를 통해 객체인 '할아버지'를 높이고 있다.

| 높임 표현의 종류 | 고난도

03 〈보기〉의 ⓐ~ⓔ에서 실현된 높임 표현의 종류가 같은 것끼리 묶은 것은?

보기

ⓐ 선생님, 정말 감사합니다.
ⓑ 교장 선생님께서 훈화 말씀을 하셨다.
ⓒ 동생이 어머니를 모시고 병원에 갔다.
ⓓ 할아버지께서 안방에서 낮잠을 주무신다.
ⓔ 혜진이가 국어 문제를 선생님께 여쭤보았다.

① ⓐ - ⓒ
② ⓐ - ⓓ
③ ⓑ - ⓓ
④ ⓒ - ⓓ
⑤ ⓓ - ⓔ

| 시제의 종류 |

04 다음 밑줄 친 부분 중 시제가 나머지와 다른 것은?

① 잎새에 이는 바람에도 나는 괴로워했다.
② 책을 읽던 수영이의 모습은 정말 예뻤어.
③ 어제 보람이와 먹은 빵은 정말 맛있었다.
④ 내가 어제 간 곳은 정말 특별한 곳이었어.
⑤ 내일 있을 발표를 준비하려면 오늘 잠은 다 잤다.

| 시간 표현 선어말 어미의 의미 |

05 다음 문장의 밑줄 친 부분과 그 의미의 연결이 적절하지 않은 것은?

① 내일은 비가 오겠네. - 가능성
② 벌써 면접이 끝났겠다. - 추측
③ 그 일을 혼자 다 할 수 있겠어? - 가능성
④ 나한테 주어진 길을 걸어가야겠다. - 의지
⑤ 이번 과제는 제가 마무리하겠습니다. - 의지

| 시간 표현의 실현 |

06 〈보기〉의 ⓐ~ⓔ에 대한 설명으로 적절하지 않은 것은?

보기
ⓐ 어느새 꽃이 피어 있었다.
ⓑ 의기는 공부를 하고 있었어.
ⓒ 어제 본 영화는 정말 재미있었다.
ⓓ 네가 떠날 나라로 곧 따라갈 것이다.
ⓔ 친구가 지금 읽고 있는 책은 소설이다.

① ⓐ: '-어 있-'을 통해 이미 행위가 완료되었음을 드러내고 있다.
② ⓑ: '-고 있-'을 통해 현재 시제와 진행상을 드러내고 있다.
③ ⓒ: '-ㄴ'과 '-었-'을 통해 과거 시제를 드러내고 있다.
④ ⓓ: '-ㄹ'과 '-ㄹ 것'을 통해 미래 시제를 드러내고 있다.
⑤ ⓔ: '-는'을 통해 현재 시제를 드러내고 있다.

| 잘못된 피동 표현 | 고난도

07 〈보기〉의 ㉠, ㉡의 경우에 해당하는 예시문과 그것을 자연스럽게 고친 문장이 적절하게 이어지지 않은 것은?

보기
부자연스러운 피동 표현으로는 ㉠능동 표현이 가능한데도 불필요하게 피동 표현을 쓰는 경우와 ㉡이중 피동을 쓰는 경우 등이 있다.

① ㉠: 그 영화는 김 감독에 의해 만들어졌다. → 김 감독이 그 영화를 만들었다.
② ㉠: 그들이 화해했다는 것이 믿겨지지 않는다. → 그들이 화해했다는 것이 믿기지 않는다.
③ ㉠: 나는 이웃이 어려울 때 돕는 것이 옳은 일이라고 생각되어진다. → 나는 이웃이 어려울 때 돕는 것이 옳은 일이라고 생각한다.
④ ㉡: 그 사건은 이미 잊혀진 일이 되었다. → 그 사건은 이미 잊힌 일이 되었다.
⑤ ㉡: 수익금은 유기견을 위해 유용하게 쓰여질 것으로 보인다. → 수익금은 유기견을 위해 유용하게 쓰일 것으로 보인다.

| 피동 표현의 실현 방식 |

08 다음 피동문 중 그 실현 방식이 나머지와 다른 것은?

① 내가 모기에게 물렸다.
② 재희가 술래에게 쫓겼다.
③ 단팥빵이 식탁에 놓였다.
④ 사슴이 호랑이에게 잡혔다.
⑤ 내가 그 학교에 입학하게 되었다.

| 간접 인용과 직접 인용 | 고난도

09 〈보기〉를 참고하여 간접 인용 표현을 직접 인용 표현으로 바꾼 것으로 적절하지 않은 것은?

보기
간접 인용 표현을 직접 인용 표현으로 바꿀 때에는 인용절의 종결 어미를 적절하게 바꾼 후, 조사 '고'를 '라고'로 바꿔야 한다. 또한 시간 표현, 높임 표현, 지시 대명사 등을 적절하게 바꿔야 한다.

① 찬호는 자기가 먼저 간다고 말했다.
→ 찬호는 "내가 먼저 갈게."라고 말했다.
② 문수는 자기가 잘못한 거라고 말했다.
→ 문수는 "내가 잘못한 거야."라고 말했다.
③ 그는 아버지께 자기도 가야 하냐고 물었다.
→ 그는 아버지께 "저도 가야 합니까?"라고 물었다.
④ 선아는 자기 오빠가 드디어 귀국했다고 말했다.
→ 선아는 "우리 오빠가 드디어 귀국했어."라고 말했다.
⑤ 나는 오늘 할머니께 내가 무엇을 해야 하느냐고 여쭈었다.
→ 나는 어제 할머니께 "저는 내일 무엇을 해야 해요?"라고 여쭈었다.

| 인용 표현의 특징 |

10 〈보기〉의 인용 표현을 분석한 내용으로 적절하지 않은 것은?

보기

함께 소풍을 가기로 한 친구가 나에게 오늘 하늘이 맑냐고 물어보았다.

① 다른 사람의 말을 간접 인용하였다.
② 조사 '고'를 사용해 인용 표현을 실현했다.
③ 직접 인용 표현으로 바꾸려면 큰따옴표를 사용해야 한다.
④ 직접 인용 표현으로 바꾸려면 조사 '고'를 그대로 써야 한다.
⑤ 직접 인용 표현으로 바꾸면 인용된 문장의 종결 어미가 달라질 수 있다.

| 높임 표현의 실현 요소 | 【단답형】

11 다음 문장에서 높임 표현을 실현하는 문법 요소를 모두 찾아 쓰시오.

엄마께서는 선생님의 가르침을 받으라고 말씀하셨습니다.

| 시간 표현의 실현 요소 | 【단답형】

12 다음 문장의 시제와 동작상을 각각 쓰고, 이를 실현하는 문법 요소를 찾아 쓰시오.

흰 눈이 펑펑 내리고 있었다.

| 파생적 피동문과 통사적 피동문 | 【단답형】

13 다음 능동문을 파생적 피동문과 통사적 피동문으로 각각 바꾸시오.

(바람이) 문을 닫다.

서술형

| 잘못된 높임 표현 |

14 다음 문장의 잘못된 높임 표현을 적절하게 고치고, 그렇게 고친 이유를 서술하시오.

삼촌께서는 걱정이 있다.

| 직접 인용의 실현과 효과 | 고난도

15 다음 간접 인용 표현을 직접 인용 표현으로 바꾸고, 그 효과를 2가지 서술하시오.

성주는 노란 은행잎이 정말 예쁘다고 말했다.

| 선어말 어미 '-았-/-었-'의 의미 | 고난도 | 수능 |

16 밑줄 친 부분이 〈보기〉의 ⓐ~ⓒ에 해당하는 예로 적절하지 않은 것은?

보기

선어말 어미 '-았-/-었-'은 여러 가지 의미를 지닌다.

(가) 오늘 아침에 누나는 밥을 안 먹었어요.
(나) 들판에 안개꽃이 아름답게 피었습니다.
(다) 이렇게 비가 안 오니 농사는 다 지었다.

(가)에서와 같이 ⓐ사건이나 상태가 과거의 것임을 나타내기도 하고, (나)에서와 같이 ⓑ과거에 일어난 사건의 결과 상태가 현재까지 지속되고 있음을 나타내기도 한다. (가)의 경우와 달리 (나)의 경우에는 '-았-/-었-'을 보조 용언 구성 '-아/-어 있-'이나 '-고 있-'으로 교체하여도 의미가 달라지지 않는다. 또한 (다)에서와 같이 ⓒ미래의 일을 확정적인 사실로 받아들임을 나타내기도 한다.

① ⓐ A: 어제 뭐 했니?
B: 하루 종일 텔레비전만 보았어.

② ⓐ A: 너 아까 집에 없더라.
B: 할머니 생신 선물 사러 갔어.

③ ⓑ A: 감기 걸렸다며?
B: 응, 그래서인지 아직도 목이 잠겼어.

④ ⓑ A: 소풍날 날씨는 괜찮았어?
B: 아주 나빴어.

⑤ ⓒ A: 너 오늘도 바빠?
B: 응, 과제 준비하려면 오늘도 잠은 다 잤어.

| 능동문과 피동문 | 고2 학평 |

17 다음을 바탕으로 〈보기〉를 이해한 것으로 적절하지 않은 것은?

능동문을 피동문으로 바꿀 때에는 능동문의 주어와 목적어를 각각 피동문의 부사어와 주어로 바꾸고, 능동문의 서술어에 알맞은 피동 접사나 '-어지다'를 붙여 피동문의 서술어로 만든다. 피동문을 쓸 때에는 지나친 피동 표현(이중 피동)이 되지 않도록 유의해야 한다.

보기

ㄱ. 마을이 폭풍에 휩쓸리다.
ㄴ. 도둑이 경찰에게 잡히다.
ㄷ. 그의 오해가 동생에 의해 풀리다.

① ㄱ의 '휩쓸리다'는 '휩쓸다'의 어근에 피동 접사가 붙은 경우이다.
② ㄱ을 능동문으로 바꾸기 위해서는 '폭풍에'를 목적어로 만들어야 한다.
③ ㄴ을 능동문으로 바꾸면 행위의 주체가 '경찰'이 된다.
④ ㄴ의 '잡히다'를 '잡혀지다'로 바꾸면 지나친 피동 표현이 된다.
⑤ ㄷ의 '풀리다' 외에 '풀다'의 어간에 '-어지다'를 붙여도 피동문이 된다.

[18~19] 다음 글을 읽고 물음에 답하시오.

'I like you.'를 번역할 때, 듣는 이가 친구라면 '난 널 좋아해.'라고 하겠지만, 할머니라면 '저는 할머니를 좋아해요.'라고 할 것이다. 왜냐하면 우리말은 상대에 따라 높임 표현이 달리 실현되기 때문이다.

'높임 표현'이란 말하는 이가 어떤 대상을 높이거나 낮추는 정도를 구별하여 표현하는 방법을 말한다. 국어에서 높임 표현은 높임의 대상에 따라 주체 높임, 상대 높임, 객체 높임으로 나누어진다.

주체 높임은 서술의 주체를 높이는 방법이다. 주체 높임을 실현하기 위해 선어말 어미 '-(으)시-'를 사용하며, 주격 조사 '이/가' 대신에 '께서'를 쓰기도 한다. 그 밖에 '계시다', '주무시다' 등과 같은 특수 어휘를 사용하여 높임을 드러내기도 한다. 그리고 주체 높임에는 직접 높임과 간접 높임이 있다. 직접 높임은 높임의 대상인 주체를 직접 높이는 것이고, ㉠간접 높임은 높임의 대상인 주체의 신체 일부, 소유물, 가족 등을 높임으로써 주체를 간접적으로 높이는 것이다.

상대 높임은 말하는 이가 듣는 이를 높이거나 낮추어 말하는 방법이다. 상대 높임은 주로 종결 표현을 통해 실현되는데, 아래와 같이 크게 격식체와 비격식체로 나뉜다.

격식체	하십시오체	예 합니다, 합니까? 등
	하오체	예 하오, 하오? 등
	하게체	예 하네, 하는가? 등
	해라체	예 한다, 하냐? 등
비격식체	해요체	예 해요, 해요? 등
	해체	예 해, 해? 등

격식체는 격식을 차리는 자리나 공식적인 상황에서 주로 사용하며, 비격식체는 격식을 덜 차리는 자리나 사적인 상황에서 주로 사용한다. 그렇기 때문에 같은 대상이라도 공식적인 자리인지 사적인 자리인지에 따라 높임 표현이 달리 실현되기도 한다.

객체 높임은 목적어나 부사어가 지시하는 대상, 즉 서술의 객체를 높이는 방법이다. 객체 높임은 '모시다', '여쭈다' 등과 같은 특수 어휘를 통해 실현되며, 부사격 조사 '에게' 대신 '께'를 사용하기도 한다.

| 간접 높임의 예 | | 고1 학평 |

18 다음 문장 중 ㉠의 예로 적절한 것은?

① 아버지께서 요리를 하셨다.
② 교수님께서는 책이 많으시다.
③ 어머니께서 음악회에 가셨다.
④ 선생님께서 우리의 이름을 부르신다.
⑤ 할아버지께서는 마을 이장이 되셨다.

| 높임 표현의 실현 | | 고1 학평 |

19 윗글을 바탕으로 〈보기〉의 ⓐ~ⓔ를 탐구한 내용으로 적절하지 않은 것은?

보기

(복도에서 친구와 만난 상황)
성호: 지수야, ⓐ선생님께서 발표 자료 가져오라고 하셨어.
지수: 지금 바빠서 ⓑ선생님께 자료 드리기 어려운데, 네가 가져다 드리면 안 될까?
성호: ⓒ네가 선생님을 직접 뵙고, 자료를 드리는 게 좋을 것 같아.
지수: 알았어.

(교무실로 선생님을 찾아간 상황)
선생님: 지수야, 이번 수업 시간에 발표해야지? 발표 자료 가져왔니?
지수: 여기 있어요. ⓓ열심히 준비했어요.
선생님: 그래, 준비한 대로 발표 잘 하렴.

(수업 중 발표 상황)
지수: ⓔ이상으로 발표를 마치겠습니다.
성호: 궁금한 점이 있는데, 질문해도 되겠습니까?

① ⓐ: 조사 '께서'와 선어말 어미 '-시-'를 사용하여 서술의 주체인 선생님을 높이고 있군.
② ⓑ: 조사 '께'와 특수 어휘 '드리다'를 사용하여 서술의 객체인 선생님을 높이고 있군.
③ ⓒ: 특수 어휘 '뵙다'를 사용하여 서술의 주체인 선생님을 높이고 있군.
④ ⓓ: 듣는 사람인 선생님을 높이기 위해 '준비했어요'라는 종결 표현을 사용하고 있군.
⑤ ⓔ: 수업 중 발표하는 공식적인 상황이므로 '마치겠습니다'라고 격식체를 사용하고 있군.

교/과/서/ 밖/ 개/념/ 플/러/스

정답과 해설 | 29쪽

❶ 문장의 구성 단위

(1) **어절**: 문장을 구성하고 있는 각각의 마디이며 문장 ①□□의 최소 단위로 띄어쓰기 단위와 대체로 일치함.

(2) **구**: 둘 이상의 어절이 모여 하나의 단어와 동등한 기능을 하는 단위. 구 안에서는 주어와 서술어의 관계를 가지지 않음.

(3) ②□: 둘 이상의 어절이 모여 하나의 문법 단위를 이루고, 주어와 서술어의 관계를 가지고 있는 단위. 그러나 독립하여 쓰이지 못하고 다른 문장의 한 성분으로 기능함.

❷ 문장의 구조

(1) 문장의 짜임새에 따른 갈래

홑문장		주어와 서술어가 한 번만 나타나는 문장
겹문장	③□□ 문장	한 문장이 다른 홑문장을 한 성분으로 안아 겹문장이 된 문장
	이어진 문장	둘 이상의 홑문장이 ④□□ 어미에 의해 결합된 문장

(2) 안은 문장

① **명사절을 안은 문장**: 명사형 어미 '-(으)ㅁ, -⑤□'이/가 결합하여 주어, 목적어, 부사어 등으로 기능하는 명사절을 안은 문장

예) 나는 수영이가 꿈을 이루기를 바란다.

② **관형절을 안은 문장**: 관형사형 어미 '-(으)ㄴ, -는, -(으)ㄹ, -던'이 결합하여 ⑥□□□(으)로 기능하는 관형절을 안은 문장

예) 선아가 나를 도와준 일을 잊지 않을 것이다.

③ **부사절을 안은 문장**: 부사형 어미 '-⑦□, -도록', 부사 파생 접미사 '-이' 등이 결합하여 부사어로 기능하는 부사절을 안은 문장

예) 소화가 잘 되도록 밥을 천천히 먹어라.

④ **서술절을 안은 문장**: 절 표지가 따로 쓰이지 않고 절 전체가 ⑧□□□ 기능을 하는 서술절을 안은 문장

예) 진모는 키가 크다.

⑤ **인용절을 안은 문장**: 다른 사람의 말을 인용한 문장에 인용의 부사격 조사 '⑨□□, 고'가 결합한 인용절을 안은 문장

- 직접 인용절: 다른 사람의 말을 직접 인용하여 조사 '라고'를 붙여서 만듦.

예) 국어 선생님께서 "바른 말을 써야지."라고 하셨다.

- 간접 인용절: 말하는 사람의 표현으로 바꾸어 조사 '고'를 붙여서 만듦.

예) 우리는 인간이 누구나 존엄하다고 믿는다.

(3) 이어진 문장

① **대등하게 이어진 문장**: 앞 절과 뒤 절의 의미 관계가 대등한 문장으로, '나열, 대조' 등의 의미 관계를 가짐. 나열 관계의 경우 연결 어미 '-⑩□', '-(으)며' 등을, 대조 관계의 경우 연결 어미 '-지만', '-(으)나' 등을 사용함.

예) 여름은 덥고 겨울은 춥다.

② **종속적으로 이어진 문장**: 앞 절과 뒤 절의 의미 관계가 독립적이지 못하고 종속적인 문장으로, '원인, 조건, 의도' 등의 의미 관계를 가짐. ⑪□□ 관계의 경우 연결 어미 '-(으)니까', '-(으)므로' 등을, 조건 관계의 경우 연결 어미 '-거든', '-(으)면' 등을, 의도 관계의 경우 연결 어미 '-(으)려고', '-도록' 등을 사용함.

예) 운동을 하니까 체력이 단련되었다.

예) 날씨가 좋으면 소풍을 가자.

❸ 종결 표현: 문장을 끝맺는 표현으로, 종결 표현에 따라 문장의 의미가 달라짐.

① **평서문**: 화자가 자신의 생각이나 사건의 내용을 ⑫□□□(으)로 진술하는 문장으로, 평서형 어미 '-다' 등을 사용함.

예) 인선이는 여행을 간다.

② **의문문**: 화자가 청자에게 ⑬□□을/를 하여 대답을 요구하는 문장으로, 의문형 어미 '-(느)냐, -니, -까' 등을 사용함.

예) 집에 언제 갈거니?

③ **명령문**: 화자가 청자에게 무엇을 시키거나 행동을 ⑭□□하는 문장으로, 명령형 어미 '-아라/-어라, -게' 등을 사용함.

예) 조용히 좀 해라.

④ **청유문**: 화자가 청자에게 같이 행동할 것을 요청하는 문장으로, 청유형 어미 '-자, -ㅂ시다' 등을 사용함.

예) 우리 함께 야구 보러 가자.

⑤ **감탄문**: 화자가 자신의 ⑮□□을/를 표현하거나 청자를 별로 의식하지 않는 문장으로, 감탄형 어미 '-구나' 등을 사용함.

예) 튤립이 정말 예쁘구나!

III 한글 맞춤법의 기본 원리

※ 빈칸을 채우시오.

개념 열기

■ 표준어

– 전 국민이 공통적으로 쓸 수 있는 자격을 부여받은 단어. 우리나라에서는 교양 있는 사람들이 두루 쓰는 현대 □□□(으)로 정함을 원칙으로 함.

> **제1항** 표준어는 교양 있는 사람들이 두루 쓰는 현대 서울말로 정함을 원칙으로 한다.

⬇

> 표준어 사정(査定)의 원칙이다. 조선어 학회가 1933년 '한글 맞춤법 통일안' 총론 제2항에서 정한 "표준말은 대체로 현재 중류 사회에서 쓰는 서울말로 한다."가 이렇게 바뀐 것이다.

■ 표준 발음법

– 표준어의 실제 말소리 중에 여러 형태의 발음이 있을 경우 국어의 전통성과 □□□을/를 고려하여 정한 규정

> **제1항** 표준 발음법은 표준어의 실제 발음을 따르되, 국어의 전통성과 합리성을 고려하여 정함을 원칙으로 한다.

⬇

> 표준어의 발음법에 대한 대원칙을 정한 것이다. '표준어의 실제 발음을 따른다'라는 근본 원칙에 '국어의 전통성과 합리성을 고려하여 정한다'는 조건이 붙어 있다. 표준 발음법은 교양 있는 사람들이 두루 쓰는 현대 서울말의 발음을 표준어의 실제 발음으로 여기고서 일단 이를 따르도록 원칙을 정한 것이다.

■ 한글

– □□ □□이/가 우리말을 표기하기 위하여 창제한 훈민정음을 20세기 이후 달리 이르는 명칭임.

– 1446년 훈민정음이 처음 반포될 당시에는 28개의 자음과 모음이 사용되었지만, 현행 한글 맞춤법에서는 □□개의 자모만 씀.

■ 한글 맞춤법

– □□로써 우리말을 표기하는 □□의 전반을 이르는 말

– 효시는 훈민정음이라고 할 수 있고, 현재의 맞춤법은 1933년의 '한글 맞춤법 통일안'을 기본으로 하여, 1988년에 문교부가 확정·고시한 것임.

■ 어문 규정이 필요한 이유: 효과적이고 정확한 □□□□을/를 하기 위한 것임.

08강 총칙, 대표적인 한글 맞춤법 규정

교/과/서/ 개/념/ 알/기

소리 글자, 한글

한글은 표음 문자(表音文字)이며 음소 문자임.

- 표음 문자: 말소리를 그대로 기호로 나타낸 문자. 한글, 로마자, 아라비아 문자 등이 있음.
- 음소 문자: 표음 문자 가운데 음소 단위의 음을 표기하는 문자. 한글, 로마자 등이 이에 해당함.

활동 1 한글 맞춤법 제1장, 총칙

● 다음 단어들을 조건에 맞게 분류해 보자.

반짝이　달　굳이　마중　어깨
아랫집　귓불　원고　신라

'소리대로' 적은 단어	'어법에 맞도록' 적은 단어
①	②

제1장은 총칙이다. 한글은 말소리를 그대로 기호로 나타낸 문자이므로 문자로 기록할 때 제일 먼저는 표준어를 소리 나는 대로 적는다. 그런데 이 소리가 경우에 따라 바뀔 수 있어 소리 그대로만 적었을 경우 읽는 사람이 혼란을 느낄 수 있다. 이 혼란을 막기 위해 한글 맞춤법은 소리대로 적는 것 외에 어법에 맞도록 각각의 원형을 지켜 주는 것을 규정하였다.

제1항 한글 맞춤법은 표준어를 소리대로 적되, 어법에 맞도록 함을 원칙으로 한다.

제2항 문장의 각 단어는 띄어 씀을 원칙으로 한다.

개념 플러스…

'ㄱ, ㅂ' 뒤의 된소리

'ㄱ, ㅂ' 받침 뒤에서 나는 된소리는 같은 음절이나 비슷한 음절이 겹쳐 나는 경우가 아니면 된소리로 적지 아니함.

활동 2 한글 맞춤법 제3장, 소리에 관한 것

● 다음 설명을 참고하여 제시된 단어들에서 보이는 된소리가 된소리의 종류 ㉠, ㉡ 중 어디에 속하는지 찾아 써 보자.

한 단어 안에서 뚜렷한 까닭 없이 나는 된소리는 다음 음절의 첫소리를 된소리로 적는다.
㉠ 두 모음 사이에서 나는 된소리
㉡ 'ㄴ, ㄹ, ㅁ, ㅇ' 받침 뒤에서 나는 된소리

거꾸로	① ______	몽땅	② ______
아끼다	③ ______	담뿍	④ ______
어떠하다	⑤ ______	움찔	⑥ ______

● 다음 단어들을 소리 나는 대로 써 보고, 이 단어들과 관계된 한글 맞춤법 규정의 빈칸을 채워 보자.

맏이	[⑦]	걷히다	[⑧]
닫히다	[⑨]	같이	[⑩]

⬇

제6항 'ㄷ, ㅌ' 받침 뒤에 종속적 관계를 가진 '-이(-)'나 '-히-'가 올 적에는 그 'ㄷ, ㅌ'이 '⑪ ☐, ☐'(으)로 소리 나더라도 '⑫ ☐, ☐'(으)로 적는다.

제3장은 소리에 관한 것이다. 된소리, 구개음화, 모음, 두음 법칙, 겹쳐 나는 소리 등에 대한 규정을 정리하였다.

제5항 한 단어 안에서 뚜렷한 까닭 없이 나는 된소리는 다음 음절의 첫소리를 된소리로 적는다.

1. 두 모음 사이에서 나는 된소리 ㉥ 소쩍새, 어깨
2. 'ㄴ, ㄹ, ㅁ, ㅇ' 받침 뒤에서 나는 된소리 ㉥ 살짝, 훨씬

다만, 'ㄱ, ㅂ' 받침 뒤에서 나는 된소리는, 같은 음절이나 비슷한 음절이 겹쳐 나는 경우가 아니면 된소리로 적지 아니한다. ㉥ 국수, 깍두기

제6항 'ㄷ, ㅌ' 받침 뒤에 종속적 관계를 가진 '-이(-)'나 '-히-'가 올 적에는 그 'ㄷ, ㅌ'이 'ㅈ, ㅊ'으로 소리 나더라도 'ㄷ, ㅌ'으로 적는다. ㉥ 굳이, 끝이

제11항 한자음 '랴, 려, 례, 료, 류, 리'가 단어의 첫머리에 올 적에는, 두음 법칙에 따라 '야, 여, 예, 요, 유, 이'로 적는다. ㉥ 양심, 용궁, 유행

두음 법칙
일부 소리가 단어의 첫머리에 발음되는 것을 꺼려 나타나지 않거나 다른 소리로 발음되는 일을 말함. 'ㅣ, ㅑ, ㅕ, ㅛ, ㅠ' 앞에서의 'ㄹ'과 'ㄴ'이 없어지고, 'ㅏ, ㅗ, ㅜ, ㅡ, ㅐ, ㅚ' 앞의 'ㄹ'은 'ㄴ'으로 변함.

활동 3 한글 맞춤법 제4장, 형태에 관한 것

● 다음 접미사가 붙어서 만들어진 단어의 알맞은 형성 방식을 찾아 선으로 연결해 보자.

(1) 길이 •
(2) 걸음 •
(3) 짓궂이 •
(4) 웃음 •
(5) 익히 •
(6) 실없이 •
(7) 묶음 •

• ㉠ '-이'가 붙어서 명사로 된 것
• ㉡ '-음/-ㅁ'이 붙어서 명사로 된 것
• ㉢ '-이'가 붙어서 부사로 된 것
• ㉣ '-히'가 붙어서 부사로 된 것

⬇

어간에 '-이'나 '-음/-ㅁ'이 붙어서 ① ☐☐(으)로 된 것과 '-이'나 '-히'가 붙어서 ② ☐☐(으)로 된 것은 그 어간의 원형을 밝히어 적는다.

합성어

둘 이상의 실질 형태소가 결합하여 하나의 단어가 된 말

- 통사적 합성어: 우리말의 일반적인 어순이나 단어 배열법과 일치하는 합성어
- 비통사적 합성어: 우리말의 일반적인 어순이나 단어 배열법에서 벗어난 합성어

사잇소리

두 개의 형태소 또는 단어가 어울려 합성 명사를 이룰 때 그 사이에 덧생기는 소리

● **다음 단어들의 발음을 적고, 각 단어가 사잇소리를 표기하는 조건 중에 어느 것에 해당하는지 그 기호를 써 보자.**

1. 순우리말로 된 합성어로서 앞말이 모음으로 끝난 경우
   (1) 뒷말의 첫소리가 된소리로 나는 것 ······ ㉠
   (2) 뒷말의 첫소리 'ㄴ, ㅁ' 앞에서 'ㄴ' 소리가 덧나는 것 ······ ㉡
   (3) 뒷말의 첫소리 모음 앞에서 'ㄴㄴ' 소리가 덧나는 것 ······ ㉢
2. 순우리말과 한자어로 된 합성어로서 앞말이 모음으로 끝난 경우
   (1) 뒷말의 첫소리가 된소리로 나는 것 ······ ㉣
   (2) 뒷말의 첫소리 'ㄴ, ㅁ' 앞에서 'ㄴ' 소리가 덧나는 것 ······ ㉤
   (3) 뒷말의 첫소리 모음 앞에서 'ㄴㄴ' 소리가 덧나는 것 ······ ㉥

단어	발음	이유	단어	발음	이유
뱃길	[밷낄]	㉠	댓잎	[댄닙]	㉢
텃마당	[③]	④	툇마루	[⑤]	⑥
봇둑	[⑦]	⑧	사삿일	[⑨]	⑩

제4장은 형태에 관한 것이다. 체언과 조사, 어간과 어미, 접미사가 붙어서 된 말, 합성어 및 접두사가 붙은 말, 준말 등에 대한 규정을 다룬다.

제19항 어간에 '-이'나 '-음/-ㅁ'이 붙어서 명사로 된 것과 '-이'나 '-히'가 붙어서 부사로 된 것은 그 어간의 원형을 밝히어 적는다.

다만, 어간에 '-이'나 '-음'이 붙어서 명사로 바뀐 것이라도 그 어간의 뜻과 멀어진 것은 원형을 밝히어 적지 아니한다. 예 굽도리, 무녀리, 코끼리, 거름(비료)

[붙임] 어간에 '-이'나 '-음' 이외의 모음으로 시작된 접미사가 붙어서 다른 품사로 바뀐 것은 그 어간의 원형을 밝히어 적지 아니한다.

(1) 명사로 바뀐 것 예 귀머거리, 까마귀, 너머, 마감
(2) 부사로 바뀐 것 예 너무, 도로
(3) 조사로 바뀌어 뜻이 달라진 것 예 부터, 조차

사이시옷

사잇소리 현상이 나타났을 때 쓰는 'ㅅ'의 이름

제30항 사이시옷은 다음과 같은 경우에 받치어 적는다.

1. 순우리말로 된 합성어로서 앞말이 모음으로 끝난 경우
   (1) 뒷말의 첫소리가 된소리로 나는 것 예 귓밥, 나룻배, 냇가
   (2) 뒷말의 첫소리 'ㄴ, ㅁ' 앞에서 'ㄴ' 소리가 덧나는 것 예 멧나물, 깻묵, 뒷머리
   (3) 뒷말의 첫소리 모음 앞에서 'ㄴㄴ' 소리가 덧나는 것 예 뒷일, 깻잎, 나뭇잎
2. 순우리말과 한자어로 된 합성어로서 앞말이 모음으로 끝난 경우
   (1) 뒷말의 첫소리가 된소리로 나는 것 예 귓병, 샛강
   (2) 뒷말의 첫소리 'ㄴ, ㅁ' 앞에서 'ㄴ' 소리가 덧나는 것 예 제삿날, 훗날
   (3) 뒷말의 첫소리 모음 앞에서 'ㄴㄴ' 소리가 덧나는 것 예 예삿일, 훗일
3. 두 음절로 된 다음 한자어
   곳간(庫間), 셋방(貰房), 숫자(數字), 찻간(車間), 툇간(退間), 횟수(回數)

활동 4 한글 맞춤법 제5장, 띄어쓰기에 관한 것

● 다음 조건을 참고하여, 각 문장의 띄어 써야 할 곳에 ✓ 표시를 해 보자.

- 조사는 그 앞말에 붙여 쓴다.
- 의존 명사는 띄어 쓴다.
- 단위를 나타내는 명사는 띄어 쓴다.

(1) 우리가아는것은그최선의노력뿐이없다는것이다.

(2) 봄이오면진달래개나리등어여쁜꽃들이잔뜩핀다.

(3) 마을에서유명했던김사장이떠난지며칠이흘렀다.

(4) 동생은형에게쌀한자루를꾸려고눈치를살피고있었다.

(5) 나는나대로열심히일하여꿈같은목표를한개라도이루겠다.

제5장은 띄어쓰기에 관한 것이다. 조사, 의존 명사, 단위를 나타내는 명사 및 열거하는 말, 보조 용언, 고유 명사 및 전문 용어 등의 띄어쓰기에 대해 정리하였다.

제41항 조사는 그 앞말에 붙여 쓴다. 예 꽃이, 꽃마저, 꽃밖에, 꽃에서부터
제42항 의존 명사는 띄어 쓴다. 예 아는 것이 힘이다, 나도 할 수 있다.
제43항 단위를 나타내는 명사는 띄어 쓴다. 예 한 개, 차 한 대, 금 서 돈
다만, 순서를 나타내는 경우나 숫자와 어울리어 쓰이는 경우에는 붙여 쓸 수 있다.
예 두시 삼십분 오초, 제일과, 삼학년, 육층

개념 플러스

띄어쓰기
글을 쓸 때, 어문 규범에 따라 어떤 말을 앞말과 띄어 쓰는 일

추가 띄어쓰기 조항
- 제44항 수를 적을 적에는 '만(萬)' 단위로 띄어 쓴다.
- 제45항 두 말을 이어 주거나 열거할 적에 쓰이는 다음의 말들은 띄어 쓴다.
  예 겸, 및, 등
- 제46항 단음절로 된 단어가 연이어 나타날 적에는 붙여 쓸 수 있다.

개념 확인

01 빈칸에 들어갈 알맞은 말을 쓰시오.

(1) 한글 맞춤법은 표준어를 (   )대로 적되 (   )에 맞도록 하며, 문장의 각 (   )은/는 띄어 쓰는 것이 원칙이다.

(2) 한 단어 안에서 뚜렷한 까닭 없이 나는 (   )은/는 다음 음절의 첫소리를 된소리로 적는다.

(3) 어간에 '-이'나 '-음/-ㅁ'이 붙어서 명사가 된 것과 '-이'나 '-히'가 붙어서 부사가 된 단어는 그 어간의 (   )을/를 밝히어 적는다.

(4) 수를 적을 적에는 (   ) 단위로 띄어 쓴다.

02 밑줄 친 단어를 한글 맞춤법에 맞게 고쳐 쓰시오.

(1) 보름날에는 달마지를 하면서 소원을 빌어 보자.
→ ________

(2) 대입 합격율이 높다는 소문이 크게 났다.
→ ________

(3) 얼굴이 해슥한 것이 몹시 피곤해 보였다.
→ ________

(4) 잔디가 가득한 공원에 돋자리를 깔고 누웠다.
→ ________

(5) 갈 길이 멀다며 거름을 재촉하였다.
→ ________

내/신/ 문/제/로/ 다/지/기

활동 ①

01 **〈보기〉의 한글 맞춤법 규정에 대한 이해로 적절하지 않은 것은?**

> ┤ 보기 ├
> **제1항** 한글 맞춤법은 표준어를 소리대로 적되, 어법에 맞도록 함을 원칙으로 한다.
> **제2항** 문장의 각 단어는 띄어 씀을 원칙으로 한다.

① 한글 맞춤법의 기본적인 원칙을 다루고 있다.
② 표준어를 소리대로 적는 것이 원칙인 이유는 한글이 표의 문자이기 때문이다.
③ 제2항을 지키지 않으면 읽는 사람이 문장의 의미를 제대로 이해하지 못하게 된다.
④ 표준어를 소리대로만 적으면 뜻을 파악하기 어려운 경우가 있으므로, 어법에 맞게 적도록 하였다.
⑤ 한글 맞춤법 규정의 목적은 우리말을 한글로 적는 사람들이 원활하게 의사소통할 수 있게 하는 것이다.

활동 ①

02 **〈보기〉의 밑줄 친 ㉠, ㉡과 이를 반영한 표기가 잘못 연결된 것은?**

> ┤ 보기 ├
> **제1항** 한글 맞춤법은 표준어를 ㉠소리대로 적되, ㉡어법에 맞도록 함을 원칙으로 한다.

① ㉠ - 무덤 ② ㉠ - 마중
③ ㉠ - 따님 ④ ㉡ - 숲
⑤ ㉡ - 드러나다

활동 ①+④

03 **〈보기〉에 근거하여 적은 표기로 적절하지 않은 것은?**

> ┤ 보기 ├
> **제2항** 문장의 각 단어는 띄어 씀을 원칙으로 한다.

① 낮인데 달이 떠 있어.
② 아름다운 하늘이 있다.
③ 그 사람은 좋아할 만하다.
④ 손 놓고 지켜만 볼수는 없지.
⑤ '하늘과 바람과 별과 시'를 읽었다.

활동 ②

04 **다음 중 한글 맞춤법에 어긋나는 표기는?**

① 싹뚝 ② 소쩍새
③ 갑자기 ④ 깨끗하다
⑤ 해쓱하다

활동 ②

05 **〈보기〉를 참고하여 단어의 표기를 이해한 내용으로 적절하지 않은 것은?**

> ┤ 보기 ├
> **제6항** 'ㄷ, ㅌ' 받침 뒤에 종속적 관계를 가진 '-이(-)'나 '-히-'가 올 적에는 그 'ㄷ, ㅌ'이 'ㅈ, ㅊ'으로 소리 나더라도 'ㄷ, ㅌ'으로 적는다.

① '끝이'는 [끄치]로 발음해야 한다.
② '해돋이'는 [해도지]로 발음해야 한다.
③ '맏이'는 [마지]로 발음되더라도 '맏이'로 적어야 한다.
④ '묻히다'는 [무티다]로 발음되므로 '무티다'로 적어야 한다.
⑤ '핥이다'는 [할치다]로 발음되더라도 '핥이다'로 적어야 한다.

활동 ②

06 〈보기〉를 참고하여 단어의 발음을 이해한 내용으로 적절하지 않은 것은?

보기

제11항 한자음 '랴, 려, 례, 료, 류, 리'가 단어의 첫머리에 올 적에는, 두음 법칙에 따라 '야, 여, 예, 요, 유, 이'로 적는다.

[붙임 1] 단어의 첫머리 이외의 경우에는 본음대로 적는다.

다만, 모음이나 'ㄴ' 받침 뒤에 이어지는 '렬, 률'은 '열, 율'로 적는다.

① '이별(離別)'은 단어의 첫머리에 한자음 '리'가 왔기 때문에 '이별'이라고 적어야 해.
② '용궁(龍宮)'은 단어의 첫머리에 한자음 '룡'이 왔기 때문에 '용궁'이라고 적어야 해.
③ '차례(次例)'는 단어의 첫머리 이외의 경우에 한자음 '례'가 왔기 때문에 '차례'라고 적어야 해.
④ '쌍룡(雙龍)'은 단어의 첫머리 이외의 경우에 한자음 '룡'이 왔기 때문에 '쌍룡'이라고 적어야 해.
⑤ '출산률(出産律)'은 단어의 첫머리 이외의 경우에 한자음 '률'이 왔기 때문에 '출산률'이라고 적어야 해.

활동 ③

07 〈보기〉의 규정으로 설명되지 않는 표기는?

보기

제19항 어간에 '-이'나 '-음/-ㅁ'이 붙어서 명사로 된 것과 '-이'나 '히'가 붙어서 부사로 된 것은 그 어간의 원형을 밝히어 적는다.

① 먹이 ② 지붕 ③ 얼음
④ 높이 ⑤ 떡볶이

활동 ③ 고난도

08 다음 중 사이시옷을 받치어 적어야 하는 경우가 아닌 것은?

① 후+날 ② 대+가
③ 나무+잎 ④ 머리+기름
⑤ 아래+마을

활동 ④

09 〈보기〉를 참고했을 때 밑줄 친 부분의 띄어쓰기가 잘못된 것은?

보기

제41항 조사는 그 앞말에 붙여 쓴다.
제42항 의존 명사는 띄어 쓴다.

① 할 수 있다.
② 나는 너뿐이야.
③ 꽃을 사러 가자.
④ 하늘 만큼 사랑해.
⑤ 말하는 대로 될 거야.

활동 ④

10 〈보기〉를 참고했을 때 띄어쓰기가 올바르게 된 문장은?

보기

제42항 의존 명사는 띄어 쓴다.
제43항 단위를 나타내는 명사는 띄어 쓴다.

① 그 책을 다 읽는데 삼 일이 걸렸다.
② 그는 그저 하늘을 쳐다볼뿐이었다.
③ 고향을 떠나온 지 벌써 십년이 지났구나.
④ 가을이 되자 사과, 배등 많은 과일이 나왔다.
⑤ 열무 삼십 단을 이고 시장에 간 우리 엄마 안 오시네.

활동 ④ 고난도

11 다음 중 밑줄 친 부분을 띄어 쓰는 근거가 나머지와 다른 것은?

① 믿을 것이 없다.
② 다섯 사람이 학교에 왔다.
③ 의기는 웃고 있을 뿐이었다.
④ 시험을 본 지 이틀이 지났다.
⑤ 아는 대로 설명해 봐, 대영아.

활동 ①+④ 【단답형】

12 〈보기〉의 규정을 참고하여 다음 문장에서 띄어 써야 할 곳에 ✓ 표시를 하시오.

> 차한잔으로도삶에대한잔잔한기쁨과감사를누릴수있을 것이다.

보기

제2항 문장의 각 단어는 띄어 씀을 원칙으로 한다.
제41항 조사는 그 앞말에 붙여 쓴다.
제42항 의존 명사는 띄어 쓴다.
제43항 단위를 나타내는 명사는 띄어 쓴다.

서술형

활동 ①+③ 고난도

13 다음 문장의 의미를 고려하여 두 단어 중 적절한 단어를 고르고, 그 이유를 〈보기〉의 규정을 바탕으로 서술하시오.

> 계란 지단은 일정하면서도 (반드시 / 반듯이) 썰어야 보기에 좋다.

보기

제1장 제1항 한글 맞춤법은 표준어를 소리대로 적되, 어법에 맞도록 함을 원칙으로 한다.
제4장 제19항 어간에 '-이'나 '-음/-ㅁ'이 붙어서 명사로 된 것과 '-이'나 '-히'가 붙어서 부사로 된 것은 그 어간의 원형을 밝히어 적는다.

활동 ❶·❹ | 고1 학평 |

14 〈보기 1〉을 참고하여 〈보기 2〉의 '밖에'를 탐구한 내용으로 적절하지 않은 것은?

보기 1

[한글 맞춤법]
제2항 문장의 각 단어는 띄어 씀을 원칙으로 한다.
제41항 조사는 그 앞말에 붙여 쓴다.

보기 2

(ㄱ) 우리는 웃을 수밖에 없었다.
(ㄴ) 아이들은 잠시 밖에 나가 있어야 했다.

① (ㄱ)의 '밖에'는 조사로 보아야겠군.
② (ㄱ)의 '밖에'를 붙여 쓴 것은 부정을 나타내는 말과 함께 쓰일 때이군.
③ (ㄴ)의 '밖에'는 명사와 조사의 결합으로 보아야겠군.
④ (ㄴ)의 '밖'은 (ㄱ)과 달리 '바깥'과 바꾸어 쓸 수 있겠군.
⑤ (ㄱ)과 (ㄴ) 모두 '밖에'는 '밖'과 '에'의 두 단어로 보아야겠군.

활동 ❸ 고난도 | 고3 모평 |

15 〈보기〉의 1가지 조건으로 적절하지 않은 것은?

보기

'한글 맞춤법'에 따르면, 사이시옷은 아래의 조건 ⓐ~ⓓ가 모두 만족되어야 표기된다. 단, '곳간, 셋방, 숫자, 찻간, 툇간, 횟수'는 예외이다.

○사이시옷 표기에 고려되는 조건
ⓐ 단어 분류상 '합성 명사'일 것.
ⓑ 결합하는 두 말의 어종이 다음 중 하나일 것.
- 고유어+고유어
- 고유어+한자어
- 한자어+고유어

ⓒ 결합하는 두 말 중 앞말이 모음으로 끝날 것.
ⓓ 두 말이 결합하며 발생하는 음운 현상이 다음 중 하나일 것.
- 앞말 끝소리에 'ㄴ' 소리가 덧남.
- 앞말 끝소리와 뒷말 첫소리에 각각 'ㄴ' 소리가 덧남.
- 뒷말 첫소리가 된소리로 바뀜.

㉠~㉤ 각각의 쌍은 위 조건 ⓐ~ⓓ 중 1가지 조건만 차이가 나서 사이시옷 표기 여부가 갈린 예이다.

	사이시옷이 없는 단어	사이시옷이 있는 단어
㉠	도매가격[도매까격]	도맷값[도매깝]
㉡	전세방[전세빵]	아랫방[아래빵]
㉢	버섯국[버섣꾹]	조갯국[조개꾹]
㉣	인사말[인사말]	존댓말[존댄말]
㉤	나무껍질[나무껍찔]	나뭇가지[나무까지]

① ㉠: ⓐ
② ㉡: ⓑ
③ ㉢: ⓒ
④ ㉣: ⓓ
⑤ ㉤: ⓓ

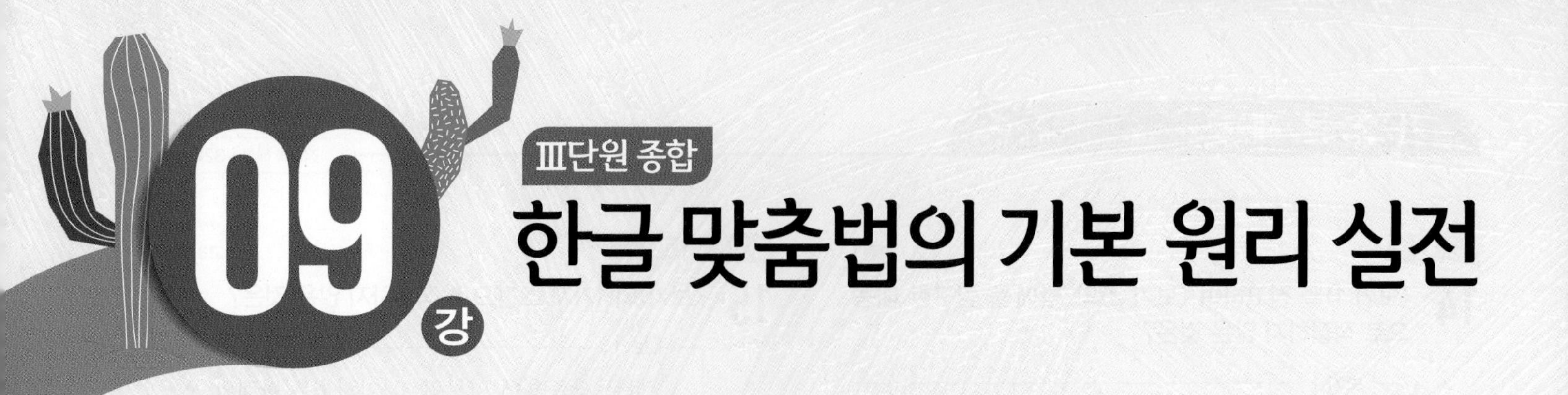

한글 맞춤법의 기본 원리 실전

교/과/서/ 개/념/ 정/리

1 한글 맞춤법 규정

제1장 ① ☐☐	한글 맞춤법의 기본 원리 및 원칙을 제시함. • **제1항** 한글 맞춤법은 표준어를 소리대로 적되, 어법에 맞도록 함을 원칙으로 한다. • **제2항** 문장의 각 ② ☐☐은/는 띄어 씀을 원칙으로 한다.
제2장 자모	한글의 자음, ③ ☐☐의 수와 순서를 제시함.
제3장 ④ ☐☐에 관한 것	된소리, 구개음화, 'ㄷ' 받침 소리, 모음, 두음 법칙, 겹쳐 나는 소리에 대한 규정을 제시함. • **제5항** 한 단어 안에서 뚜렷한 까닭 없이 나는 ⑤ ☐☐☐은/는 다음 음절의 첫소리를 된소리로 적는다. • **제6항** 'ㄷ, ㅌ' 받침 뒤에 종속적 관계를 가진 '-이(-)'나 '-히-'가 올 적에는 그 'ㄷ, ㅌ'이 'ㅈ, ㅊ'으로 소리 나더라도 'ㄷ, ㅌ'으로 적는다. • **제7항** 'ㄷ' 소리로 나는 받침 중에서 'ㄷ'으로 적을 근거가 없는 것은 'ㅅ'으로 적는다. • **제10항** 한자음 '녀, 뇨, 뉴, 니'가 단어 첫머리에 올 적에는, 두음 법칙에 따라 '여, 요, 유, 이'로 적는다. • **제11항** 한자음 '랴, 려, 례, 료, 류, 리'가 단어의 첫머리에 올 적에는, 두음 법칙에 따라 '야, 여, 예, 요, 유, 이'로 적는다. • **제12항** 한자음 '라, 래, 로, 뢰, 루, 르'가 단어의 첫머리에 올 적에는, 두음 법칙에 따라 '나, 내, 노, 뇌, 누, 느'로 적는다.
제4장 형태에 관한 것	체언과 조사, 어간과 어미, 접미사가 붙어서 된 말, 합성어 및 접두사가 붙은 말, 준말에 대한 규정을 제시함. • **제19항** 어간에 '-이'나 '-음/-ㅁ'이 붙어서 명사로 된 것과 '-이'나 '-히'가 붙어서 부사로 된 것은 그 어간의 원형을 밝히어 적는다. • **제30항** ⑥ ☐☐☐☐은/는 다음과 같은 경우에 받치어 적는다. 1. 순우리말로 된 합성어로서 앞말이 모음으로 끝난 경우 2. 순우리말과 한자어로 된 합성어로서 앞말이 모음으로 끝난 경우 3. 두 음절로 된 다음 ⑦ ☐☐☐ 곳간(庫間), 셋방(貰房), 숫자(數字), 찻간(車間), 툇간(退間), 횟수(回數)
제5장 ⑧ ☐☐☐☐	조사, 의존 명사, 단위를 나타내는 명사 및 열거하는 말, 보조 용언, 고유 명사 및 전문 용어의 띄어쓰기에 대한 규정을 제시함. • **제41항** 조사는 그 앞말에 붙여 쓴다. • **제42항** 의존 명사는 띄어 쓴다. • **제43항** 단위를 나타내는 명사는 띄어 쓴다.
제6장 그 밖의 것	부사의 끝음절 '-이/-히', 한자어의 본음과 속음, 예사소리로 적는 어미, 된소리로 적는 접미사, 구별하여 적는 말들에 대한 규정을 제시함.

| 한글 맞춤법의 기본 원리 |

01 다음 중 〈보기〉의 원칙이 모두 지켜진 문장으로 알맞은 것은?

보기

제1항 한글 맞춤법은 표준어를 소리대로 적되, 어법에 맞도록 함을 원칙으로 한다.
제2항 문장의 각 단어는 띄어 씀을 원칙으로 한다.

① 모두가 착한 학생일꺼야.
② 아침마다 심문이 배달된다.
③ 경제발전이 시급한 과제이다.
④ 그것은 네가 해야 하는일 아닐까?
⑤ 선생님이 나를 정말 사랑하시는구나!

| 된소리에 대한 규정 |

02 다음 중 밑줄 친 단어의 표기가 적절하지 않은 것은?

① 우리 오빠는 대학생이야.
② 깍뚜기는 반찬으로 딱이야.
③ 선생님이 몹시 보고 싶었어.
④ 강아지가 자면서 움찔거렸어.
⑤ 면접 전에 살짝 긴장했었던 것 같아.

| 된소리에 대한 규정 |

03 다음 중 〈보기〉를 참고했을 때 표기의 근거가 나머지와 다른 단어는?

보기

제5항 한 단어 안에서 뚜렷한 까닭 없이 나는 된소리는 다음 음절의 첫소리를 된소리로 적는다.
1. 두 모음 사이에서 나는 된소리
2. 'ㄴ, ㄹ, ㅁ, ㅇ' 받침 뒤에서 나는 된소리

① 훨씬 ② 몽땅
③ 담뿍 ④ 기쁘다
⑤ 산뜻하다

| 구개음화에 대한 규정 |

04 다음 중 한글 맞춤법에 어긋나는 단어는?

① 같이[가치] ② 굳이[구지]
③ 걷히다[거치다] ④ 샅사치[삳싸치]
⑤ 붙이다[부치다]

| 두음 법칙에 대한 규정 |

05 다음 중 〈보기〉의 한글 맞춤법에 어긋나는 단어는?

보기

제11항 한자음 '랴, 려, 례, 료, 류, 리'가 단어의 첫머리에 올 적에는 두음 법칙에 따라 '야, 여, 예, 요, 유, 이'로 적는다.
[붙임 1] 단어의 첫머리 이외의 경우에는 본음대로 적는다. 다만, 모음이나 'ㄴ' 받침 뒤에 이어지는 '렬, 률'은 '열, 율'로 적는다.

① 역사(歷史) ② 유행(流行)
③ 양심(良心) ④ 출석률(出席率)
⑤ 백분률(百分率)

| 접미사가 붙어서 된 말에 대한 규정 | 고난도

06 〈보기〉의 ⓐ, ⓑ의 예에 해당하지 않는 것은?

보기

제19항 ⓐ어간에 '-이'나 '-음/-ㅁ'이 붙어서 명사로 된 것과 ⓑ'-이'나 -히'가 붙어서 부사로 된 것은 그 어간의 원형을 밝히어 적는다.

① ⓐ: 꿈 ② ⓐ: 놀이
③ ⓐ: 낱낱이 ④ ⓑ: 익히
⑤ ⓐ, ⓑ: 높이

| 합성어 및 접두사가 붙은 말에 대한 규정 |

07 다음 문장의 밑줄 친 부분의 표기가 틀린 것은?

① 그는 훗날 대통령이 되었다.
② 뱃길을 따라서 여행하고 싶다.
③ 아이들은 비누방울을 좋아한다.
④ 서울의 수돗물은 마셔도 됩니다.
⑤ 순댓국은 한국인들이 좋아하는 음식입니다.

| 합성어 및 접두사가 붙은 말에 대한 규정 | 고난도

08 〈보기〉를 참고하여 단어의 표기를 이해한 내용으로 적절하지 않은 것은?

보기

제30항 사이시옷은 다음과 같은 경우에 받치어 적는다.
1. 순우리말로 된 합성어로서 앞말이 모음으로 끝난 경우
(1) 뒷말의 첫소리가 된소리로 나는 것
(2) 뒷말의 첫소리 'ㄴ, ㅁ' 앞에서 'ㄴ' 소리가 덧나는 것
(3) 뒷말의 첫소리 모음 앞에서 'ㄴㄴ' 소리가 덧나는 것
2. 순우리말과 한자어로 된 합성어로서 앞말이 모음으로 끝난 경우
(1) 뒷말의 첫소리가 된소리로 나는 것
(2) 뒷말의 첫소리 'ㄴ, ㅁ' 앞에서 'ㄴ' 소리가 덧나는 것
(3) 뒷말의 첫소리 모음 앞에서 'ㄴㄴ' 소리가 덧나는 것

① '장마+비'는 뒷말의 첫소리가 된소리로 나므로 '장맛비'라고 적어야 한다.
② '꼭지+점(點)'은 뒷말의 첫소리가 된소리로 나므로 '꼭짓점'이라고 적어야 한다.
③ '전기(電氣)+세(稅)'는 두 어근이 모두 한자인 합성어이므로 '전기세'라고 적어야 한다.
④ '노래+말'은 뒷말의 첫소리 'ㅁ' 앞에서 'ㄴ' 소리가 덧나므로 '노랫말'이라고 적어야 한다.
⑤ '예사(例事)+일'은 뒷말의 첫소리 모음 앞에서 'ㄴ' 소리가 덧나므로 '예삿일'이라고 적어야 한다.

| 띄어쓰기에 대한 규정 |

09 다음 중 〈보기〉의 ⓐ~ⓒ에 해당하는 띄어쓰기의 예가 바르게 연결되지 않은 것은?

보기

제41항 조사는 그 앞말에 붙여 쓴다. ………… ⓐ
제42항 의존 명사는 띄어 쓴다. ……………… ⓑ
제43항 단위를 나타내는 명사는 띄어 쓴다. ‥ ⓒ

① ⓐ: 기대할 것은 성적뿐이었다.
② ⓐ: 소녀의 얼굴빛이 눈같이 하얬다.
③ ⓑ: 두 사람이 서 있는 곳으로 가라.
④ ⓒ: 책 한 권만 사다 줄래?
⑤ ⓒ: 물 한 모금만 마시고 싶어.

| 띄어쓰기에 대한 규정 |

10 띄어쓰기 규정이 지켜지지 않은 문장을 수정한 결과가 적절하지 않은 것은?

① 나 물좀다오. → 나 물∨좀∨다오.
② 나는 찬밥 처럼 방에 담겨 → 나는∨찬밥처럼∨방에∨담겨
③ 나도 그에 동의하는바이다. → 나도∨그에∨동의하는∨바이다.
④ 그 길은 거쳐갈수밖에 없다. → 그∨길은∨거쳐갈∨수∨밖에∨없다.
⑤ 내 일이나 열심히 하는게 좋겠어. → 내∨일이나∨열심히∨하는∨게∨좋겠어.

| 한글 맞춤법의 기본 원리 | 【 단답형 】

11 다음 밑줄 친 단어들이 소리대로 적은 것인지, 어법에 맞도록 적은 것인지 쓰시오.

(1) 산 너머 구름이 예쁘다.

(2) 동생의 울음 소리가 크다.

(3) 믿음이 산산조각 나고 말았다.

| 소리에 대한 규정 | 【 단답형 】

12 한글 맞춤법을 고려하여 다음 문장에서 잘못된 표기를 찾아 올바른 문장으로 고쳐 쓰시오.

> 갑짜기 문이 쾅 닫혔다.

| 합성어 및 접두사가 붙은 말에 대한 규정 | 【 단답형 】

13 다음 단어의 발음을 고려하여 올바른 표기를 적으시오.

(1) 자리+세(稅)[자릳쎄 / 자리쎄]

(2) 뒤+머리[뒨머리]

(3) 고래+기름[고래기름]

서술형

| 접미사가 붙어서 된 말에 대한 규정 |

14 다음 복합어의 올바른 표기를 적고, 그렇게 적어야 하는 이유를 서술하시오.

> 넓-+-이

| 띄어쓰기에 대한 규정 |

15 다음 문장을 올바르게 띄어 쓰고, 이와 같이 띄어쓰기를 해야 하는 이유를 서술하시오.

> 아버지가방에들어가신다.

[16~17] 다음 글을 읽고 물음에 답하시오.

한글 맞춤법 제1장 총칙의 제1항은 '한글 맞춤법은 표준어를 ㉮소리대로 적되, 어법에 맞도록 함을 원칙으로 한다.'이다. 여기서 소리대로 적는다는 것은 '구름'과 같이 표준어를 발음 형태대로 적는 것을 의미한다. 그리고 어법에 맞도록 한다는 것은 한 단어가 다양한 발음 형태로 나타나는 경우에 뜻을 쉽게 파악하기 어려운 점을 고려하여 형태소의 원형을 밝혀 적는 것을 의미한다.

형태소의 원형을 밝히는 경우를 살펴보자. 단어는 형성 방법에 따라 두 개 이상의 어근이 결합되는 합성어와 어근의 앞이나 뒤에 파생 접사가 붙는 파생어가 있다. 이때 합성어와 같이 어근끼리 연결된 경우에는 각 어근의 본래의 뜻이 유지되면 소리대로 적지 않고 끊어적기를 한다.

> 예 '국'+'물' → '국물'(○) / '궁물'(×)

단, '이〔齒〕'가 합성어에서 '니'로 소리가 날 경우에는 어근의 의미 유지와 관계없이 '니'로 적는다.

파생어의 경우에는 어근에 접두사가 붙으면 형태소의 원형을 밝혀 적는다. 그리고 어근에 접미사가 붙을 때에 어근의 본래의 뜻이 유지되면 원형을 밝혀 끊어적기를 한다.

> 예 '먹-'〔食〕+'-이' → '먹이'(○) / '머기'(×)

이처럼 형태소의 원형을 밝혀 적을 것인지에 대한 판단에는 어근이 본래의 뜻을 유지하는가가 중요한 요소이며 이를 토대로 어법에 맞게 적기를 할 수 있는 것이다.

| 한글 맞춤법의 기본 원리 | | 고1 학평 |

16 ㉮에 해당하는 예로 적절한 것은?

① 빛　　② 옷
③ 잎　　④ 바깥
⑤ 하늘

| 한글 맞춤법의 기본 원리 | | 고1 학평 |

17 윗글을 통해 〈보기〉의 ㉠~㉤에 대해 이해한 내용으로 적절하지 않은 것은?

보기

- 사건의 전모가 ㉠드러나다.(들다+나다)
- 집으로 ㉡돌아가다.(돌다+가다)
- 그의 얼굴에 ㉢웃음이 피어났다.(웃다+-음)
- ㉣노름은 절대로 해서는 안 되는 일이었다.(놀다+-음)
- ㉤사랑니를 뺐더니 통증이 한결 나아졌다.(사랑+이〔齒〕)

① ㉠은 어근이 본래 의미에서 멀어져 소리대로 적은 것이겠군.
② ㉡은 어근의 본래 의미가 유지되어 끊어 적은 것이겠군.
③ ㉢은 어근의 본래 의미가 유지되어 끊어 적은 것이겠군.
④ ㉣은 어근이 본래 의미에서 멀어져 소리대로 적은 것이겠군.
⑤ ㉤은 어근이 본래 의미에서 멀어져 소리대로 적은 것이겠군.

| 된소리에 대한 규정 | 고난도 | 고2 학평 |

18 〈보기〉를 바탕으로 한글 맞춤법에 대해 탐구한 내용으로 적절하지 않은 것은?

보기

제5항 한 단어 안에서 뚜렷한 까닭 없이 나는 된소리는 다음 음절의 첫소리를 된소리로 적는다.
1. 두 모음 사이에 나는 된소리 ······ ⓐ
2. 'ㄴ, ㄹ, ㅁ, ㅇ' 받침 뒤에서 나는 된소리 ·· ⓑ
다만, 'ㄱ, ㅂ' 받침 뒤에서 나는 된소리는, 같은 음절이나 비슷한 음절이 겹쳐 나는 경우가 아니면 된소리로 적지 아니한다. ······ ⓒ

① [으뜸]으로 소리 나는 말은 ⓐ에 따라 '으뜸'으로 표기해야겠군.
② [거꾸로]로 소리 나는 말은 ⓐ에 따라 '거꾸로'로 표기해야겠군.
③ [살짝]으로 소리 나는 말은 ⓑ에 따라 '살짝'으로 표기해야겠군.
④ [씩씩]으로 소리 나는 말은 ⓑ에 따라 '씩씩'으로 표기해야겠군.
⑤ [낙찌]로 소리 나는 말은 ⓒ에 따라 '낙지'로 표기해야겠군.

| 접미사가 붙어서 된 말에 대한 규정 | 고1 학평 |

19 다음은 인터넷 게시판의 질문과 답변이다. [가]와 [나]에 들어갈 내용을 바르게 짝지은 것은?

질문
그 일을 해낸 고등학생은 (일찌기, 일찍이) 없었다.
위 문장에서 '일찌기'와 '일찍이' 중 어느 것이 옳은 표기인가요?

답변
한글 맞춤법 제25항을 살펴보면 ㉠'-하다'가 붙을 수 있는 어근에 '-히'나 '-이'가 붙어서 부사가 되는 경우나, ㉡부사에 '-이'가 붙어서 뜻을 더하는 경우에는 그 어근이나 부사의 원형을 밝히어 적는다고 되어 있습니다. 이와 달리 ㉢어근과 접사의 결합체로 분석되지 않는 경우는 소리 나는 대로 적습니다.
따라서 질문하신 단어는 ([가])에 해당하므로 ([나])로 적어야 합니다.

	[가]	[나]
①	㉠	일찍이
②	㉡	일찌기
③	㉡	일찍이
④	㉢	일찌기
⑤	㉢	일찍이

정답과 해설 | 36쪽

❶ 표준 발음법: 우리말의 발음상 규칙과 규범

(1) 제2장 자음과 모음

제5항 'ㅑ, ㅒ, ㅕ, ㅖ, ㅘ, ㅙ, ㅛ, ㅝ, ㅞ, ㅠ, ㅢ'는 이중 모음으로 발음한다.

다만 1. 용언의 활용형에 나타나는 '져, 쪄, 쳐'는 [저, 쩌, 처]로 발음한다.

예) 가지어 → 가져[가저], 다치어 → 다쳐[다처]

다만 2. '예, 례' 이외의 'ㅖ'는 [①]로도 발음한다.

예) 시계[시계/시게], 지혜[지혜/지헤]

다만 3. 자음을 첫소리로 가지고 있는 음절의 'ㅢ'는 [ㅣ]로 발음한다.

예) 희망[히망], 띄어쓰기[띠어쓰기]

다만 4. 단어의 첫 음절 이외의 '의'는 [②](으)로, 조사 '의'는 [③](으)로 발음함도 허용한다.

예) 주의[주의/주이], 우리의[우리의/우리에]

(2) 제4장 받침의 발음

제8항 받침소리로는 'ㄱ, ㄴ, ㄷ, ㄹ, ㅁ, ㅂ, ㅇ'의 7개 자음만 발음한다.

예) 짚[집], 젖[젇], 숱[숟], 마음[마음], 양[양]

제13항 홑받침이나 쌍받침이 모음으로 시작된 조사나 어미, 접미사와 결합되는 경우에는, 제 음가대로 뒤 음절 첫소리로 옮겨 발음한다.

예) 꽃이[④], 있어[이써], 밭에[⑤]

제14항 겹받침이 모음으로 시작된 조사나 어미, 접미사와 결합되는 경우에는, 뒤엣것만을 뒤 음절 첫소리로 옮겨 발음한다.(이 경우, 'ㅅ'은 된소리로 발음함.)

예) 넋이[넉씨], 핥아[⑥], 앉아[안자]

(3) 제5장 음의 동화

제17항 받침 'ㄷ, ㅌ(ㄾ)'이 조사나 접미사의 모음 'ㅣ'와 결합되는 경우에는, [⑦ ,](으)로 바꾸어서 뒤 음절 첫소리로 옮겨 발음한다.

예) 굳이[구지], 미닫이[미다지]

[붙임] 'ㄷ' 뒤에 접미사 '-히'가 결합되어 '티'를 이루는 것은 [⑧](으)로 발음한다.

예) 닫히다[다치다], 묻히다[무치다]

제18항 받침 'ㄱ(ㄲ, ㅋ, ㄳ, ㄺ), ㄷ(ㅅ, ㅆ, ㅈ, ㅊ, ㅌ, ㅎ), ㅂ(ㅍ, ㄼ, ㄿ, ㅄ)'은 'ㄴ, ㅁ' 앞에서 [ㅇ, ㄴ, ㅁ]으로 발음한다.

예) 먹는[멍는], 놓는[논는], 밥물[밤물]

제19항 받침 'ㅁ, ㅇ' 뒤에 연결되는 '⑨ '은/는 [ㄴ]으로 발음한다.

예) 담력[담녁], 침략[침냑], 강릉[강능]

[붙임] 받침 'ㄱ, ㅂ' 뒤에 연결되는 'ㄹ'도 [ㄴ]으로 발음한다.

예) 막론[막논 → 망논], 십리[십니 → 심니]

제20항 'ㄴ'은 'ㄹ'의 앞이나 뒤에서 [ㄹ]로 발음한다.

예) 난로[날로], 신라[실라], 칼날[칼랄], 물난리[물랄리]

[붙임] 첫소리 'ㄴ'이 'ㅀ, ㄾ' 뒤에 연결되는 경우에도 이에 준한다.

예) 닳는[달른], 핥네[할레]

다만, 다음과 같은 단어들은 'ㄹ'을 [ㄴ]으로 발음한다.

예) 의견란[의견난], 구근류[구근뉴], 상견례[상견녜]

(4) 제6장 경음화

제23항 받침 'ㄱ(ㄲ, ㅋ, ㄳ, ㄺ), ㄷ(ㅅ, ㅆ, ㅈ, ㅊ, ㅌ), ㅂ(ㅍ, ㄼ, ㄿ, ㅄ)' 뒤에 연결되는 'ㄱ, ㄷ, ㅂ, ㅅ, ㅈ'은 된소리로 발음한다.

예) 국밥[국빱], 뻗대다[뻗때다], 밥그릇[밥끄륻]

제24항 어간 받침 'ㄴ(ㄵ), ㅁ(ㄻ)' 뒤에 결합되는 어미의 첫소리 'ㄱ, ㄷ, ㅅ, ㅈ'은 ⑩ (으)로 발음한다.

예) 신고[신꼬], 앉고[안꼬], 삼고[삼꼬], 닮고[담꼬]

제25항 어간 받침 'ㄼ, ㄾ' 뒤에 결합되는 어미의 첫소리 'ㄱ, ㄷ, ㅅ, ㅈ'은 된소리로 발음한다.

예) 넓게[널께], 핥다[할따]

제26항 한자어에서, '⑪ ' 받침 뒤에 연결되는 'ㄷ, ㅅ, ㅈ'은 된소리로 발음한다.

예) 갈등[갈뜽], 절도[절또], 갈증[갈쯩], 말살[말쌀]

제27항 관형사형 '-(으)ㄹ' 뒤에 연결되는 'ㄱ, ㄷ, ㅂ, ㅅ, ㅈ'은 된소리로 발음한다.

예) 할 것을[할꺼슬], 할 적에[할쩌게], 만날 사람[만날싸람]

(5) 제7장 음의 첨가

제30항 사이시옷이 붙은 단어는 다음과 같이 발음한다.

1. 'ㄱ, ㄷ, ㅂ, ㅅ, ㅈ'으로 시작하는 단어 앞에 사이시옷이 올 때에는 이들 자음만을 된소리로 발음하는 것을 원칙으로 하되, 사이시옷은 [⑫](으)로 발음하는 것도 허용한다.
   예) 냇가[내까/낻까], 콧등[코뜽/콛뜽], 뱃전[배쩐/밷쩐]
2. 사이시옷 뒤에 'ㄴ, ㅁ'이 결합되는 경우에는 [ㄴ]으로 발음한다.
   예) 콧날[콛날 → 콘날], 아랫니[아랟니 → 아랜니]
3. 사이시옷 뒤에 '이' 음이 결합되는 경우에는 [ㄴㄴ]으로 발음한다.
   예) 베갯잇[베갣닏 → 베갠닏], 깻잎[깯닙 → 깬닙]

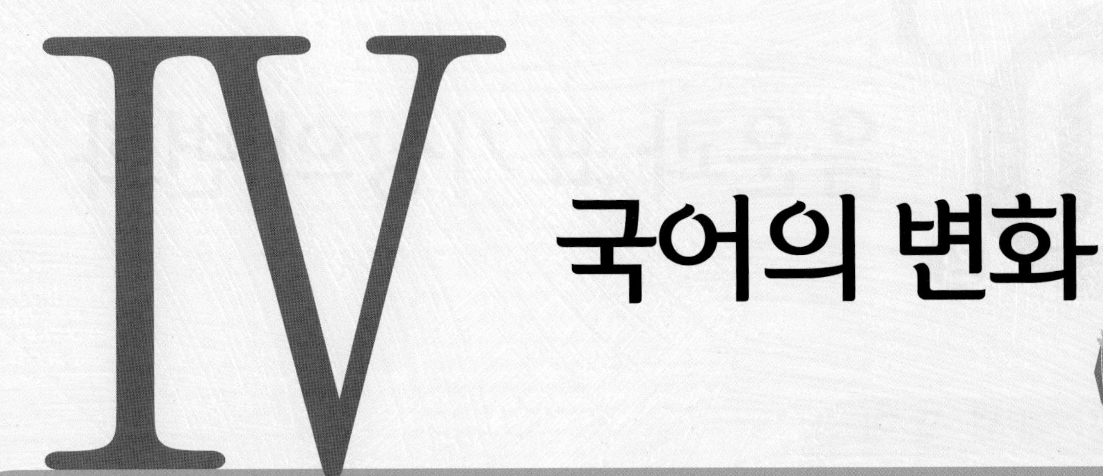

IV 국어의 변화

개념 열기

※ 빈칸을 채우시오.

■ 언어의 역사성(歷史性)

- 언어는 ▢▢의 흐름에 따라 음운이나 문법, 어휘 등에서 변화하며 국어 역시 이러한 변화를 겪으며 오늘날의 현대 국어로 자리 잡게 됨.
  예 빅셩 > 백성 / 어여쁘다: 불쌍하다 > 어여쁘다: ▢▢▢
- 오늘날 우리가 사용하는 국어는 과거 우리 조상의 언어가 변화해 온 결과이며, 지금도 계속 변화하는 과정에 있다고 할 수 있음.

■ 국어사의 시대 구분

국어는 시대별 특징에 따라 일반적으로 고대 국어(삼국 시대부터 통일 신라 시대까지), 중세 국어(고려 건국 이후부터 16세기 말까지), 근대 국어(17세기 초부터 19세기 말까지), 현대 국어(갑오개혁 이후부터 현재까지)로 나뉨.

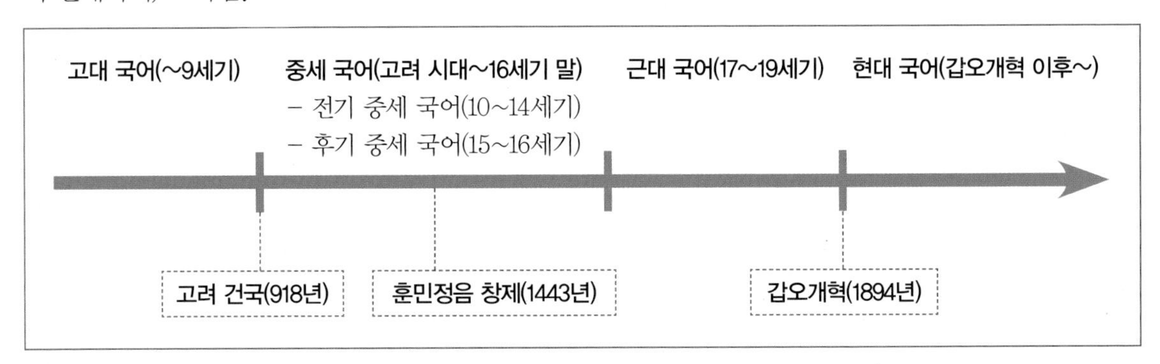

■ 훈민정음(訓民正音)

의미	문자 체계의 명칭	'백성을 가르치는 바른 소리'라는 뜻으로, 1443년에 ▢▢이/가 창제한 우리나라 글자를 이르는 말 → 한글
	책 이름	'훈민정음'에 대한 해설서로, 세종이 훈민정음 창제의 취지를 밝힌 '어제 서문', 자음자와 모음자의 음가와 운용 방법을 설명한 '예의', 훈민정음을 해설한 '해례', '정인지 서'로 되어 있음.
창제 정신	• 당대 문자 사용의 문제점: 우리말과 한자가 서로 통하지 않음. → 자주정신 • 문자 창제의 동기: 제 뜻을 펼치지 못하는 백성들을 위해 새로운 문자를 만듦. → 애민 정신 • 문자 창제의 목적: 모든 사람이 쉽게 익히고 쓸 수 있는 문자를 만들고자 함. → ▢▢ 정신 • 문자 창제의 성격: 새로 스물여덟 글자를 만듦. → 창조 정신	

답 시간 / 예쁘다 / 세종 / 실용

10강 음운과 표기상의 변화

교/과/서/ 개/념/ 알/기

「세종어제훈민정음」
세종 대왕이 훈민정음을 창제한 취지를 밝힌 '어제 서문(御製序文)'과 자모의 음가와 운용 방법을 설명한 '예의(例義)' 편을 한글로 풀이한 것. 『월인석보』의 첫머리에 실렸음.

활동 ① 음운상의 변화

● **다음 중세 국어 자료와 현대어 풀이를 비교하여 활동을 해 보자.**

世·솅宗종御·엉製·졩訓·훈民민正·졍音흠

나·랏:말ᄊᆞ·미中듕國·귁·에달·아文문字·ᄍᆞᆼ·와·로서르ᄉᆞᄆᆞᆺ·디아·니ᄒᆞᆯ·ᄊᆡ·이런젼·ᄎᆞ·로어·린百·ᄇᆡᆨ姓·셩·이니르·고·져·ᄒᆞᇙ·배이·셔·도ᄆᆞ·ᄎᆞᆷ:내제·ᄠᅳ·들시·러펴·디:몯ᄒᆞᇙ·노·미하·니·라·내·이·ᄅᆞᆯ爲·윙·ᄒᆞ·야:어엿·비너·겨·새·로·스·믈여·듧字·ᄍᆞᆼ·ᄅᆞᆯᄆᆡᇰ·ᄀᆞ노·니:사ᄅᆞᆷ:마·다:ᄒᆡ·ᅇᅧ:수·ᄫᅵ니·겨·날·로·ᄡᅮ·메便뼌安안·킈ᄒᆞ·고·져ᄒᆞᇙᄯᆞᄅᆞ·미니·라

[현대어 풀이]

세종어제훈민정음(세종 대왕께서 만드신, 백성을 가르치는 바른 소리)

우리나라 말이 중국과 달라 한자와는 서로 통하지 아니하여서, 이런 까닭으로 어리석은 백성이 이르고자 하는 바가 있어도 마침내 제 뜻을 능히 펴지 못하는 사람이 많다. 내가 이것을 가엾게 생각하여 새로 스물여덟 글자를 만드니, 모든 사람들로 하여금 쉽게 익혀서 날마다 씀에 편하게 하고자 할 따름이다.

– 『월인석보』, 세조 5년(1459)

(1) 위의 중세 국어 자료에서 현대 국어에서는 사용되지 않는 자음과 모음을 찾아보자.

① ( ), ( ), ( ), ( ), ( ), ( ), ( ), ( ), ( )

(2) 위의 중세 국어 자료에 밑줄 친 부분의 현대어 풀이를 쓰고, 현대 국어로 오면서 음운상에 어떠한 변화가 있었는지 정리해 보자.

중세 국어	현대어 풀이		현대어에 나타난 음운상의 변화
서르	② ______	……	③ ( )( ) ( )( )이/가 잘 지켜지지 않음.
니르·고·져	④ ______	……	모음 'ㅣ' 앞에서 '⑤ ( )'이/가 탈락됨.
ᄆᆞ·ᄎᆞᆷ:내	⑥ ______	……	'⑦ ( )'이/가 'ㅏ'나 'ㅣ'로 변함.
·ᄠᅳ·들	⑧ ______	……	⑨ ( )( ) ( )( )( )이/가 된소리로 변함.
펴·디	⑩ ______	……	모음 'ㅣ' 앞에서 '⑪ ( )'이/가 '( )'(으)로 변함.
·스·믈	⑫ ______	……	양순음 'ㅁ' 아래의 '⑬ ( )'이/가 '( )'(으)로 변함.
:수·ᄫᅵ	⑭ ______	……	음운 '⑮ ( )'이/가 사라짐.

이처럼 중세 국어에서는 현대 국어에는 없는 음운과 어두 자음군이 쓰였으며, 두음 법칙과 구개음화, 원순 모음화가 적용되지 않았고, 현대 국어에 비해 모음 조화가 잘 지켜졌다.

개념 플러스…

어두 자음군
단어의 첫머리에 오는 서로 다른 두 개 이상의 자음의 연속체
예 '쌀'의 'ㅄ'

모음 조화
'ㅏ', 'ㅗ' 등의 양성 모음은 양성 모음끼리, 'ㅓ', 'ㅜ' 등의 음성 모음은 음성 모음끼리 어울리는 현상
예 알록달록/얼룩덜룩

원순 모음화
양순음 'ㅂ, ㅃ, ㅍ, ㅁ' 아래의 비원순 모음 'ㅡ/ㆍ'가 원순 모음 'ㅜ/ㅗ'로 바뀌는 현상
예 믈[水]>물

활동 ② 표기상의 변화

● 다음 중세 국어 자료를 보고 현대 국어의 표기와 다른 점을 적어 보자.

❶ 현대 국어와 달리, 중세 국어에서는 ① □□(으)로 글을 썼다.

❷ 현대 국어와 달리, 중세 국어에서는 ② □□□□을/를 하지 않았다.

❸ 현대 국어와 달리, 중세 국어에는 글자의 왼쪽에 표기한 ③ □□을/를 통해 소리의 높낮이를 구분하는 ④ □□이/가 있었다.

❹ 현대 국어에서는 끊어 적기를 하므로 '말씀이'와 같이 표기하지만, 중세 국어에서는 ⑤ □□ □□을/를 하므로 '말ᄊᆞ미'와 같이 표기하였다.

❺ 현대 국어와 달리, 중세 국어에서는 한자음을 중국 원음에 가깝게 표기하는 ⑥ □□□□□ 표기를 하였다. 초성·중성·종성을 갖추어 썼으며, 종성이 없는 경우 음가가 없는 'ㅇ'이나 'ㅱ'을 붙였다. 그러나 현실 한자음과는 거리가 먼 한자음이어서 세조 이후(1485년경) 소멸되었다.

이처럼 중세 국어에서는 세로로 글을 썼고 띄어쓰기를 하지 않았으며, 방점을 사용해 성조를 나타냈다. 또한 이어 적기(연철)의 표기 방식을 사용하였으며, 한자음을 한글로 표기할 때에는 동국정운식 표기법을 사용했다.

개념 플러스

방점과 성조
중세 국어에서는 음절의 왼쪽에 방점을 찍어 소리의 높낮이인 성조를 표시했음. 점이 없으면 평성(平聲: 낮은 소리), 점이 1개면 거성(去聲: 높은 소리), 점이 2개면 상성(上聲: 낮았다 높아지는 소리)이었음.

끊어 적기와 이어 적기
'말씀이'처럼 음절의 끝소리가 뒤 음절에 이어져 발음될 때에도 형태를 밝혀 적는 방법을 끊어 적기(분철), '말ᄊᆞ미(말ᄊᆞᆷ+이)'처럼 소리 나는 대로 음절의 끝소리를 뒤 음절에 이어 적는 방법을 이어 적기(연철)라고 함.

✓ 개념 확인

01 빈칸에 들어갈 알맞은 말을 쓰시오.

(1) (　　　　)은/는 단어의 첫머리에 둘 이상의 서로 다른 자음이 오는 것이다.

(2) '너겨'에서 알 수 있듯 중세 국어에는 (　　　　)이/가 적용되지 않았다.

(3) 중세 국어에서는 소리의 높낮이인 (　　　　)을/를 (　　　　)으로 표시하였다.

(4) 'ᄆᆞᄎᆞᆷ내'에서 알 수 있듯 중세 국어에는 현대 국어에서 쓰지 않는 모음 '(　　　　)'이/가 있었다.

02 다음 설명이 맞으면 ○, 틀리면 ×에 표시하시오.

(1) 중세 국어에서는 구개음화가 적용되었다. (○, ×)

(2) 중세 국어에서는 모음 조화가 잘 지켜졌다. (○, ×)

(3) 중세 국어에서도 필요에 따라 띄어쓰기를 하였다. (○, ×)

(4) '노미(놈+이)'에서 알 수 있듯 중세 국어에서는 이어 적기를 하였다. (○, ×)

(5) 중세 국어의 자음 'ㆁ(옛이응)'은 현대 국어의 자음 'ㅇ'과 쓰임이 동일하다. (○, ×)

내/신/ 문/제/로/ 다/지/기

활동 ①

01 중세 국어의 음운과 그 명칭이 적절히 이어지지 <u>않은</u> 것은?

① ㆍ - 아래아　　② ㆁ - 센이응
③ ㅿ - 반치음　　④ ㆆ - 여린히읗
⑤ ㅸ - 순경음 비읍

활동 ①

02 다음 중 어두 자음군이 포함되어 있는 단어는?

① 히ᅇᅧ　　② 뭘씨
③ 바ᄅᆞ래　　④ ᄆᆞᄎᆞᆷ이니라
⑤ ᄡᆞᄅᆞ미니라

활동 ①

03 다음 중 모음 조화가 지켜지지 <u>않은</u> 것은?

① 서르　　② 몬져
③ 므른(← 믈+은)　　④ 기픈(← 깊-+은)
⑤ ᄀᆞᄆᆞ래(← ᄀᆞᄆᆞᆯ+애)

활동 ②

04 다음 중 중세 국어에서는 이어 적기했으나 현대 국어에서는 끊어 적기한 것에 해당하지 <u>않는</u> 것은?

① 므른 → 물은　　② 시러 → 실어
③ 됴코 → 좋고　　④ 니믈 → 님을
⑤ 거시라 → 것이라

활동 ②

05 중세 국어의 표기상의 특징으로 적절하지 <u>않은</u> 것은?

① 현대 국어와 달리 세로쓰기를 하였다.
② 현대 국어와 달리 띄어쓰기를 하지 않았다.
③ 성조를 표시하는 방점을 글자 왼쪽에 찍었다.
④ 소리 나는 대로 음절의 끝소리를 뒤 음절에 이어 적는 방법을 사용했다.
⑤ 한자음을 중국 원음에 가깝게 표기하는 동국정운식 표기를 사용하였는데, 이 표기법은 현대 국어에도 나타난다.

활동 ①+②

06 중세 국어의 음운상의 특징으로 적절한 것은?

① 현대 국어와 동일한 음운 체계를 가지고 있었다.
② 현대 국어와 같이 모음 조화가 잘 지켜지지 않았다.
③ 소리의 높낮이를 통해 단어의 뜻을 분별하지 않았다.
④ 단어의 첫머리에 두 개 이상의 자음 연속체가 올 수 있었다.
⑤ 양순음 아래의 비원순 모음이 원순 모음으로 바뀌는 현상이 일어났다.

활동 ①+②

07 중세 국어에서 현대 국어로 오며 변화한 내용으로 적절하지 <u>않은</u> 것은?

	중세 국어	현대 국어	변화 내용
①	펴디	펴지	구개음화 현상이 일어난다.
②	ᄠᅳ들	뜻을	어두 자음군이 된소리로 바뀌었다.
③	말ᄊᆞ미	말씀이	이어 적기에서 끊어 적기로 바뀌었다.
④	뼌한킈	편하게	소실된 음운이 있다.
⑤	니르고져	이르고자	두음 법칙이 적용되지 않는다.

[08~10] 다음 글을 읽고 물음에 답하시오.

나·랏:말ᄊᆞ·미中듕國·귁·에달·아文문字·ᄍᆞᆼ·와·로서르 ᄉᆞᄆᆞᆺ·디아·니ᄒᆞᆯ·ᄊᆡ·이런젼·ᄎᆞ·로어·린百·ᄇᆡᆨ姓·셩·이니 르·고·져·ᄒᆞᇙ·배이·셔·도ᄆᆞ·ᄎᆞᆷ:내제<u>·ᄠᅳ·들</u>시·러**펴·디**:몯 ᄒᆞᇙ<u>·노·미</u>하·니·라·내·이·ᄅᆞᆯ爲·윙·ᄒᆞ·야:어엿·비<u>너·겨</u> ·새·로·스·믈여·듧**字·ᄍᆞᆼ·ᄅᆞᆯ**ᄆᆡᇰ·ᄀᆞ노·니:사ᄅᆞᆷ:마·다:ᄒᆡ· ᅇᅧ<u>**:수·ᄫᅵ**</u>니·겨·날·로·ᄡᅮ·메便뼌安한·킈ᄒᆞ·고·져ᄒᆞᇙ<u>ᄯᆞ ᄅᆞ·미니·라</u>

[현대어 풀이] 우리나라 말이 중국과 달라 한자와는 서로 통하지 아니하여서, 이런 까닭으로 어리석은 백성이 이르고자 하는 바가 있어도 마침내 제 뜻을 능히 펴지 못하는 사람이 많다. 내가 이것을 가엾게 생각하여 새로 스물여덟 글자를 만드니, 모든 사람들로 하여금 쉽게 익혀서 날마다 씀에 편하게 하고자 할 따름이다.

– 「세종어제훈민정음」

활동 ②

08 이 글의 밑줄 친 단어들 중 이어 적기 표기에 해당하지 <u>않는</u> 것은?

① ·ᄠᅳ·들
② ·노·미
③ 너·겨
④ :수·ᄫᅵ
⑤ ᄯᆞᄅᆞ·미니·라

활동 ①+②

09 이 글에 대한 설명으로 적절하지 <u>않은</u> 것은?

① 한글을 만든 이유를 설명한 글이다.
② 어두 자음군이 쓰였음을 알 수 있다.
③ 방점을 통해 소리의 높낮이를 표시하였다.
④ 현대 국어에는 존재하지 않는 음운이 사용되었다.
⑤ 현대 국어와 같이 구개음화 현상이 일어나고 있다.

활동 ①+② 고난도

10 이 글을 통해 알 수 있는 중세 국어와 현대 국어의 음운 및 표기상의 차이점에 대한 설명으로 적절하지 <u>않은</u> 것은?

① '나·랏:말ᄊᆞ·미'는 '나라의 말이'라는 뜻으로, 현대 국어와 달리 중세 국어에서는 띄어쓰기를 하지 않았음을 알 수 있다.
② '中듕'은 가운데를 의미하는 '중'으로, 현대 국어와 다른 방식으로 한자음을 표기했음을 알 수 있다.
③ '펴·디'는 '펴지'라는 뜻으로, 현대 국어와 달리 중세 국어에서는 구개음화가 일어나지 않았음을 알 수 있다.
④ '字·ᄍᆞᆼ·ᄅᆞᆯ'은 '자를'이라는 뜻으로, 현대 국어와 마찬가지로 모음 조화가 지켜졌음을 알 수 있다.
⑤ ':수·ᄫᅵ'는 '쉽게'라는 뜻으로, 현대 국어에는 쓰이지 않는 자음이 쓰였음을 알 수 있다.

활동 ①+② 고난도

11 〈보기〉를 통해 알 수 있는 중세 국어의 특징으로 적절하지 <u>않은</u> 것은?

| 보기 |

불·휘기·픈남·ᄀᆞᆫᄇᆞᄅᆞ·매아·니:뮐·ᄊᆡ곶:됴·코여·름·하ᄂᆞ·니

:ᄉᆡ·미기·픈·므·른·ᄀᆞᄆᆞ·래아·니그·츨·ᄊᆡ:내·히이·러바·ᄅᆞ·래·가ᄂᆞ·니

[현대어 풀이] 뿌리가 깊은 나무는 바람에 아니 움직이므로 꽃 좋고 열매 많으니.

샘이 깊은 물은 가뭄에 아니 그치므로 내가 이루어져 바다에 가느니.

– 「용비어천가」 제2장

① 성조를 드러내는 문법 요소가 쓰였다.
② 현대 국어에는 쓰이지 않는 모음이 쓰였다.
③ 띄어쓰기를 하지 않고 소리 나는 대로 적었다.
④ 모음 조화가 파괴되어 제대로 지켜지지 않았다.
⑤ 앞말이 받침으로 끝나고 모음으로 시작하는 말이 이와 결합하면 앞말의 받침을 뒷말로 내려 적었다.

활동 ①+② 고난도

12 〈보기〉를 통해 알 수 있는 중세 국어의 특징으로 적절하지 않은 것은?

보기

孔·공子·ᄌᆡ曾증子·ᄌᆞᄃᆞ·려닐·러ᄀᆞᆯᄋᆞ·샤·ᄃᆡ·몸·이며얼굴·이며머·리털·이·며·ᄉᆞᆯ·ᄒᆞᆫ父·부母:모·ᄭᅴ받ᄌᆞ·온거·시·라敢:감·히헐·워샹ᄒᆡ·오·디아·니:홈·이:효·도·ᄋᆡ비·르·소미·오·몸·을셰·워道:도·를行ᄒᆡᆼ·ᄒᆞ·야일:홈·을後:후世:셰·예:베퍼·ᄡᅥ父·부母:모ᄅᆞᆯ:현·뎌케:홈·이:효·도·ᄋᆡᄆᆞ·ᄎᆞᆷ·이니·라

[현대어 풀이] 공자께서 증자에게 일러 말씀하시기를, 몸과 형체와 머리털과 살은 부모께 받은 것이라. 감히 헐게 하여 상하게 하지 아니함이 효도의 시작이고, 출세하여 도를 행하여 이름을 후세에 날려 이로써 부모를 드러나게 함이 효도의 끝이니라.

–「소학언해」 중

① 끊어 적기와 이어 적기가 혼재되어 쓰였음을 알 수 있다.
② 현대 국어에는 쓰이지 않는 음운이 쓰였음을 알 수 있다.
③ 현대 국어와 달리 띄어쓰기를 하지 않았음을 알 수 있다.
④ 동국정운식 한자음 표기가 완전히 사라졌음을 알 수 있다.
⑤ 현대 국어에는 존재하지 않는 문법 요소로 의미를 변별했음을 알 수 있다.

활동 ② 【 단답형 】

13 다음 문장에서 글자의 왼쪽에 찍힌 점의 기능에 대해 쓰시오.

불·휘기·픈남·ᄀᆞᆫᄇᆞᄅᆞ·매아·니:뮐·ᄊᆡ

활동 ② 【 단답형 】

14 이어 적기에 유의하며 중세 국어 시기의 표기 원칙에 맞게 다음 문장을 고쳐 쓰시오.

몸이며 얼굴이며 머리털이며 ᄉᆞᆯ ᄒᆞᆫ

서술형

활동 ①

15 모음 조화란 무엇인지 다음 단어를 예로 들어 〈조건〉에 맞게 서술하시오.

효도ᄋᆡ(효도+ᄋᆡ)   ᄠᅳ들(ᄠᅳᆮ+을)

조건
• 두 단어를 모두 예로 들어 설명할 것.
• 완결된 문장 형태로 쓸 것.

활동 ② | 고2 학평 |

16 〈보기〉에 제시된 '선생님'의 질문에 대한 답으로 적절한 것은?

보기

선생님: 중세 국어에서는 각 글자의 왼편에 점을 찍어 소리의 높낮이를 표시하였습니다. 점이 없으면 낮은 소리, 점이 한 개면 높은 소리, 점이 두 개면 처음은 낮고 나중이 높은 소리를 나타냈습니다. 가령 ':말ᄊᆞ·미'는 다음과 같이 소리의 높낮이를 표시할 수 있습니다.

:말ᄊᆞ·미 → 말 ᄊᆞ 미

자, 그럼 다음의 밑줄 친 ⓐ는 소리의 높낮이를 어떻게 표시할 수 있을까요?

불·휘기·픈남·ᄀᆞᆫᄇᆞᄅᆞ·매 ⓐ아·니:뮐·ᄊᆡ
– 「용비어천가(龍飛御天歌)」 제2장 중에서

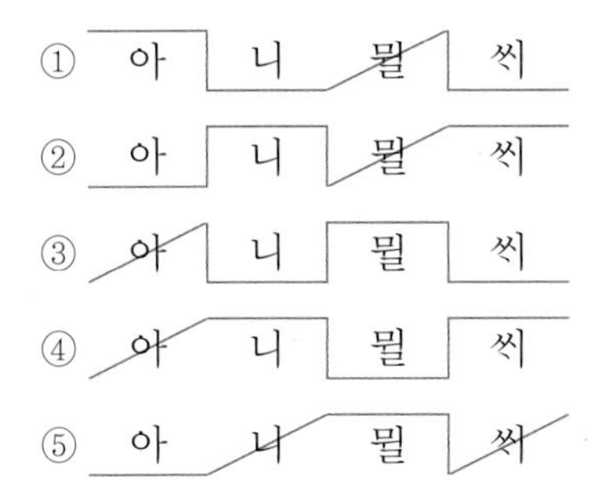

활동 ①+② 고난도 | 고3 모평 |

17 〈보기〉의 중세 국어 자료에 나타나는 특징을 탐구한 내용으로 적절하지 않은 것은?

보기

중세 국어: 뒤헤는 **모딘** 도ᄌᆞᆨ 알ᄑᆡ는 어드ᄫᅳᆫ 길헤 **업던** 번게를 **하ᄂᆞᆯ히** ᄇᆞᆯ기시니
현대어 역: 뒤에는 **모진** 도적 앞에는 어두운 길에 **없던** 번개를 하늘이 밝히시니

중세 국어: 뒤헤는 모딘 즁ᄉᆡᆼ 알ᄑᆡ는 기픈 **모새 열ᄫᅳᆫ** 어르믈 하ᄂᆞᆯ히 구티시니
현대어 역: 뒤에는 모진 짐승 앞에는 깊은 **못에** 엷은 얼음을 하늘이 굳히시니

① '모딘'이 현대 국어의 '모진'에 대응하는 것을 보니 구개음화 현상이 나타나지 않았군.
② '업던'이 현대 국어의 '없던'에 대응하는 것을 보니 이어 적기를 하였군.
③ '하ᄂᆞᆯ히'를 보니 현대 국어에 쓰이지 않는 모음 'ㆍ'가 쓰였군.
④ '모새'가 현대 국어의 '못에'에 대응하는 것을 보니 모음 조화가 지켜졌군.
⑤ '열ᄫᅳᆫ'을 보니 현대 국어에 쓰이지 않는 자음 'ㅸ'이 쓰였군.

11강 문법과 어휘상의 변화

교/과/서/ 개/념/ 알/기

중세 국어의 조사

① 주격 조사
- 자음 뒤: 이
  예) ᄉᆡ미(심+이) 기픈 므른
- 'ㅣ' 이외의 모음 뒤: ㅣ
  예) 부톄(부텨+ㅣ) 니러 나샤
- 'ㅣ' 모음 뒤: ∅(실현 안 됨.)
  예) ᄇᆡ(ᄇᆡ+∅) 업건마ᄅᆞᆫ

② 관형격 조사
- 높임의 대상이 아닌 유정 명사 뒤: ᄋᆡ(양성 모음 뒤) / 의(음성 모음 뒤)
  예) 도ᄌᆞ기(도ᄌᆞᆨ+ᄋᆡ) / 대중의(대중+의)
- 무정 명사 또는 높임의 유정 명사 뒤: ㅅ
  예) 나랏(나라+ㅅ)말ᄊᆞ미

③ 목적격 조사
- 자음 뒤: ᄋᆞᆯ(양성 모음 뒤) / 을(음성 모음 뒤)
  예) 사ᄅᆞᄆᆞᆯ / 法(법)을
- 모음 뒤: ᄅᆞᆯ(양성 모음 뒤) / 를(음성 모음 뒤)
  예) 太子(태자)ᄅᆞᆯ / 거우루를

④ 부사격 조사
- 비교 부사격 조사: 이, 에/애(현대어 '와/과'에 해당)
  예) 고성이 동부ᄒᆞ시니, 듕귁에 달아
- 처소 부사격 조사: 애(양성 모음 뒤) / 에(음성 모음 뒤) / 예('ㅣ' 모음 뒤)
  예) ᄀᆞᄅᆞ매 / 굴허에 / ᄇᆡ예

활동 1 문법상의 변화 _ 조사

● 중세 국어와 현대 국어의 조사 사용의 변화를 탐구해 보자.

㉮ 나·랏:말ᄊᆞ·미中듕國·귁·에달·아文문字·ᄍᆞᆼ·와·로서르ᄉᆞᄆᆞᆺ·디아·니ᄒᆞᆯ·ᄊᆡ

[현대어 풀이] 우리나라의 말이 중국과 달라 한자와는 서로 통하지 아니하여서

－「세종어제훈민정음」 중

㉯ 周國大王(주국 대왕)·이豳谷(빈곡)·애:사ᄅᆞ·샤帝業(제업)·을:여·르시·니
우리始祖(시조)ㅣ慶興(경흥)·에:사ᄅᆞ·샤王業(왕업)·을:여·르시·니

[현대어 풀이] 주국 대왕이 빈곡에 사시어 제업을 여시니.
우리 시조가 경흥에 사시어 왕업을 여시니.

－「용비어천가」 제3장

	중세 국어	현대어 풀이		조사 사용의 차이점
㉮	나·랏:말ᄊᆞᆷ	우리나라① □ 말	➡	'② □'이/가 체언을 관형어로 만드는 관형격 조사로 사용됨.
	中듕國·귁·에달·아	중국③ □ 달라	➡	'④ □'이/가 비교의 뜻을 나타내는 부사격 조사로 사용됨.
㉯	周國大王(주국 대왕)·이	주국 대왕⑤ □	➡	'⑦ □, □'이/가 체언이 행위나 현상의 주체가 되게 하는 주격 조사로 사용됨.
	始祖(시조)ㅣ	시조⑥ □		

이처럼 중세 국어에서는 체언을 관형어로 만드는 관형격 조사로 'ᄋᆡ/의, ㅅ'이, 비교의 뜻을 나타내는 부사격 조사로 '이, 에/애'가, 체언이 행위나 현상의 주체가 되게 하는 주격 조사로 '이, ㅣ, ∅'가 쓰였다.

활동 2 문법상의 변화 _ 명사형 어미

● 중세 국어와 현대 국어의 명사형 어미 사용의 변화를 탐구해 보자.

·날·로·ᄡᅮ·메便뼌安한·킈ᄒᆞ·고·져ᄒᆞᇙᄯᆞᄅᆞ·미니·라

[현대어 풀이] 날마다 씀에 편하게 하고자 할 따름이다.

－「세종어제훈민정음」 중

중세 국어	·뿌·메 (쓰-+-움+에)
현대어 풀이	① ▢▢

⇒

명사형 어미 사용의 차이점
현대 국어에서는 명사형 어미로 '-(으)ㅁ'이 사용되지만, 중세 국어에서는 명사형 어미로 '-옴/-② ▢'이/가 사용됨.

이처럼 중세 국어에서는 용언을 명사처럼 바꾸어, 주어나 목적어 등의 역할을 할 수 있게 하는 명사형 어미로 '-옴/-움'이 쓰였다.

개념 플러스

중세 국어의 명사형 어미
중세 국어에서는 명사형 어미로 '-옴/-움'과 '-기'가 쓰였음. '-옴/-움'의 경우 어간 말음이 양성 모음을 가질 때는 '-옴'이, 음성 모음을 가질 때는 '-움'이 쓰였음. 또한 현대 국어에서와 같이 명사형 어미로 '-기'가 등장하였으나, 활발히 사용되진 않았음.

활동 3 문법상의 변화 _ 높임 표현

● 중세 국어와 현대 국어의 높임 표현 선어말 어미 사용의 변화를 탐구해 보자.

㉮ 海東(해동)六龍(육룡)·이 ᄂᆞᄅᆞ·샤:일:마다天福(천복)·이시·니
古聖(고성)·이同符(동부)·ᄒᆞ시·니

[현대어 풀이] 해동의 여섯 용이 나시어 일마다 하늘의 복이시니.
옛날의 성인과 서로 꼭 들어맞으시니.

– 「용비어천가」 제1장

㉯ 耶양輸슝ㅣ …… (목련ᄃᆞ려) 世·솅尊존ㅅ安한否:불:묻ᄌᆞᆸ·고니ᄅᆞ·샤·ᄃᆡ

[현대어 풀이] 야수가 …… (목련에게) 세존의 안부를 여쭙고 말씀하시기를

– 「석보상절」 권6 중

㉰ ·님·금·하아·ᄅᆞ쇼·셔落水(낙수)·예山行(산행)·가이·셔·하나·빌미·드·니잇·가

[현대어 풀이] 임금이여, 아소서. 낙수에 사냥을 가 있으면서 할아버지만 믿으셨습니까?

– 「용비어천가」 제125장 중

	㉮		㉯	㉰
중세 국어	ᄂᆞᄅᆞ·샤	동부·ᄒᆞ시·니	:묻ᄌᆞᆸ·고	미·드·니잇·가
현대어 풀이	① ______	③ ______	⑤ ______	⑦ ______
무엇을 높였는가?	② 서술의 주체 서술의 대상 청자	④ 서술의 주체 서술의 대상 청자	⑥ 서술의 주체 서술의 대상 청자	⑧ 서술의 주체 서술의 대상 청자
높임 표현 선어말 어미 사용의 차이점	주체 높임의 선어말 어미 '-⑨ ▢/▢-'을/를 사용하여 높임.		객체 높임의 선어말 어미 '-⑩ ▢-'을/를 사용하여 높임.	상대 높임의 선어말 어미 '-⑪ ▢-'을/를 사용하여 높임.

이처럼 중세 국어에서는 주체 높임의 선어말 어미 '-시-/-샤-', 객체 높임의 선어말 어미 '-ᄉᆞᆸ-/-ᄌᆞᆸ-/-ᅀᆞᆸ-', 상대 높임의 선어말 어미 '-이-/-잇-'을 사용하여 높임 표현을 실현하였다.

개념 플러스

중세 국어의 높임 표현
① 주체 높임법
– 자음 어미 앞: -시- 예 가시고
– 모음 어미 앞: -샤-
② 객체 높임법
– 어간의 끝소리가 'ㄱ, ㅂ, ㅅ, ㅎ'일 때: -ᄉᆞᆸ(ᅌᆞᆸ)- 예 업ᄉᆞᆸ던
– 어간의 끝소리가 'ㄷ, ㅌ, ㅈ, ㅊ'일 때: -ᄌᆞᆸ(ᅐᆞᆸ)- 예 듣ᄌᆞᆸ고
– 어간의 끝소리가 유성음일 때: -ᅀᆞᆸ(ᅀᆞᄫᆞ)- 예 보ᅀᆞᄫᆞᆫ(보-+-ᅀᆞᄫᆞ-+-ᆫ)
③ 상대 높임법
– 평서형: -이- 예 ᄒᆞ니이다
– 의문형: -잇- 예 ᄒᆞ니잇가

중세 국어 어휘의 특징

① 고유어들이 많이 쓰였음. 근대 국어에서도 고유어가 많이 사용되었으나, 한자어와 외래어가 계속 들어와 고유어는 점차 사라져 갔음. 중세 국어에서 사용되던 고유어 중 상당수가 한자어로 대체되었음.
예 ᄀᆞᄅᆞᆷ > 강(江), 뫼 > 산(山)

② 중국어, 몽골어, 여진어에서 온 외래어가 존재하였음. 전기 중세 국어에는 몽골어에서 온 외래어가 많았음.
예 중국어: 붇[筆], 먹[墨] / 몽골어: 수라[御飯], 보라매[秋鷹] / 여진어: 투먼[豆萬]

③ 후기 중세 국어 시기에는 한자어가 많이 들어왔고, 개화기 이후에는 서양 문물의 유입으로 인해 서양 외래어가 많이 들어왔으며, 일제 강점기를 거치면서 일본어가 많이 들어왔음.
예 천리경(千里鏡), 우동(うどん)

활동 4 어휘상의 변화

● 중세 국어 어휘들의 의미가 어떻게 변화했는지 파악하고 기준에 따라 분류해 보자.

중세 국어	뜻		현대 국어	뜻
어린	① ________	➡	어린	나이가 적은
말ᄊᆞᆷ	② ________	➡	말씀	남의 말을 높여 이르거나 자기의 말을 낮추어 이르는 말
노미	③ ________	➡	④ □□	남자가, 사람이(낮춤의 의미)
어엿비	⑤ ________		⑥ □□□	예쁘게
젼ᄎᆞ	⑦ ________		–	–

소멸된 어휘	의미가 축소/확장된 어휘	의미가 변한 어휘
⑧ ________	⑨ ________	⑩ ________

이처럼 중세 국어의 어휘상의 특징으로는 첫째, 현대 국어로 오면서 소멸된 어휘가 있다는 점, 둘째, 형태는 유사하지만 현대 국어로 오면서 의미가 확장되거나 축소된 어휘가 있다는 점, 셋째, 형태는 유사하지만 현대 국어로 오면서 전혀 다른 의미로 변한 어휘가 있다는 점이 있다.

✓ 개념 확인

01 다음 빈칸에 들어갈 알맞은 주격 조사를 쓰시오.

(1) 불휘 + (　　　　)
(2) 世尊(세존) + (　　　　)
(3) 蓮花(연화) + (　　　　)

02 다음 빈칸에 들어갈 알맞은 관형격 조사를 쓰시오.

(1) 父母(부모)ㅣ아ᄃᆞᆯ+(　　　　)마ᄅᆞᆯ드르샤
(부모가 아들의 말을 들으시어)

(2) 다ᄉᆞᆺ술위+(　　　　)글워ᄅᆞᆯ닐굴디니라
(다섯 수레의 글을 읽어야 할 것이다.)

03 다음 설명이 맞으면 ○, 틀리면 ×에 표시하시오.

(1) 중세 국어에서는 명사형 어미로 '–(으)ㅁ'이 주로 쓰였다. (○, ×)
(2) 중세 국어에는 상대 높임을 실현하는 선어말 어미가 없었다. (○, ×)
(3) 중세 국어에서는 비교를 의미하는 부사격 조사로 '에'가 쓰였다. (○, ×)

04 다음 주체 높임법의 형태와 실현 환경을 알맞게 연결하시오.

(1) 선어말 어미 '–시–' • 　　　　• ㉠ 자음 어미 앞
(2) 선어말 어미 '–샤–' • 　　　　• ㉡ 모음 어미 앞

활동 ①

01 다음 중 중세 국어에서 사용되지 <u>않은</u> 조사는?

① 의　② 을　③ 에　④ 이　⑤ 가

활동 ①

02 중세 국어의 주격 조사에 대한 설명으로 적절하지 <u>않은</u> 것은?

① 현대 국어에는 없는 형태의 주격 조사가 존재했다.
② 주격 조사 '이'는 자음으로 끝난 체언 뒤에 주로 결합했다.
③ 훈민정음 창제 직후에는 주격 조사 '가'가 나타나지 않았다.
④ 주격 조사 'ㅣ'는 'ㅣ' 모음으로 끝난 체언 뒤에 주로 결합했다.
⑤ 중세 국어 시기에는 형태가 없으면서 격을 실현하는 주격 조사도 존재했다.

활동 ①

03 〈보기〉의 ㉠~㉤의 성격으로 적절하지 <u>않은</u> 것은?

보기

㉮

海東(해동)六龍(육룡)㉠ <u>·이</u>ᄂᆞᄅᆞ·샤:일:마다天福(천복)·이시·니
古聖(고성)㉡ <u>·이</u>同符(동부)·ᄒᆞ시·니

[현대어 풀이] 해동의 여섯 용이 나시어 일마다 하늘의 복이시니.
옛날의 성인과 서로 꼭 들어맞으시니.

－「용비어천가」 제1장

㉯

周國大王(주국 대왕)㉢ <u>·이</u>豳谷(빈곡)㉣ <u>·애</u>:사ᄅᆞ·샤帝業(제업)·을:여·르시·니
우리始祖(시조)ㅣ慶興(경흥)㉤ <u>·에</u>:사ᄅᆞ·샤王業(왕업)·을:여·르시·니

[현대어 풀이] 주국 대왕이 빈곡에 사시어 제업을 여시니.
우리 시조가 경흥에 사시어 왕업을 여시니.

－「용비어천가」 제3장

① ㉠ - 주격 조사　② ㉡ - 주격 조사
③ ㉢ - 주격 조사　④ ㉣ - 부사격 조사
⑤ ㉤ - 부사격 조사

활동 ②

04 〈보기〉의 ⓐ, ⓑ에 대한 설명으로 적절하지 <u>않은</u> 것은?

보기

㉮

·새·로·스·믈여·듧字·ᄍᆞᆼ·ᄅᆞᆯᄆᆡᇰ·ᄀᆞ노·니:사ᄅᆞᆷ:마·다:ᄒᆡ·ᅇᅧ:수·ᄫᅵ니·겨·날·로ⓐ <u>·ᄡᅮ·메</u>便뼌安한·킈ᄒᆞ·고·져ᄒᆞᇙᄯᆞᄅᆞ·미니·라

[현대어 풀이] 새로 스물여덟 글자를 만드니, 모든 사람들로 하여금 쉽게 익혀서 날마다 씀에 편하게 하고자 할 따름이다.

－「세종어제훈민정음」 중

㉯

父·부母:모ᄅᆞᆯ:현·뎌케ⓑ <u>:홈</u>·이:효·도·ᄋᆡᄆᆞ·ᄎᆞᆷ·이니·라

[현대어 풀이] 부모를 드러나게 함이 효도의 끝이니라.

－「소학언해」 중

① ⓐ는 형태소로 분석하면 '쓰-+-움+에'로 분석할 수 있다.
② ⓑ는 형태소로 분석하면 'ᄒᆞ-+-옴'으로 분석할 수 있다.
③ ⓐ의 '-움'과 ⓑ의 '-옴'은 모두 명사형 어미이다.
④ ⓐ의 '-움'에 비해 ⓑ의 '-옴'은 결합할 수 있는 조사가 제한되어 있었다.
⑤ ⓐ의 '-움'과 ⓑ의 '-옴'은 어간 말음의 모음에 따라 구분되어 쓰이는 이형태이다.

[05~06] 다음 글을 읽고 물음에 답하시오.

가

:사ᄅᆞᆷ:마·다:ᄒᆡ·ᅇᅧ:수·ᄫᅵ**니·겨**·날·로·**ᄡᅮ·메**便뼌安한·킈ᄒᆞ·고·져ᄒᆞᇙᄯᆞᄅᆞ·미니·라

[현대어 풀이] 모든 사람들로 하여금 쉽게 익혀서 날마다 씀에 편하게 하고자 할 따름이다.

–「세종어제훈민정음」 중

나

孔·공子·ᄌᆡ曾증子·ᄃᆞ·려닐·러ᄀᆞᆯᄋᆞ·샤·ᄃᆡ·몸·이며얼굴·이며머·리털·이·며·ᄉᆞᆯ·ᄒᆞᆫ父·부母:모·ᄭᅴ받ᄌᆞ·온거·시·라敢:감·히헐·워샹ᄒᆡ·오·디아·니:홈·이:효·도·ᄋᆡ비·르·소미·오·몸·을셰·워道:도·ᄅᆞᆯ行ᅘᆡᇰ·ᄒᆞ·야일:홈·을後:후世:셰·예:베퍼·ᄡᅥ**父·부母:모ᄅᆞᆯ**:현·뎌케:홈·이:효·도·ᄋᆡᄆᆞ·ᄎᆞᆷ·이니·라

[현대어 풀이] 공자께서 증자에게 일러 말씀하시기를, 몸과 형체와 머리털과 살은 부모께 받은 것이라, 감히 헐게 하여 상하게 하지 아니함이 효도의 시작이고, 출세하여 도를 행하여 이름을 후세에 날려 이로써 부모를 드러나게 함이 효도의 끝이니라.

–「소학언해」 중

활동 ②

05 이 글의 밑줄 친 부분 중 명사형 어미 '–옴/–움'이 쓰인 것은?

① :사ᄅᆞᆷ
② ᄯᆞᄅᆞ·미니·라
③ ·몸
④ 비·르·소미·오
⑤ :효·도

활동 ①+② 고난도

06 이 글에서 알 수 있는 중세 국어의 특징에 대한 설명으로 적절하지 않은 것은?

① (가)의 '니겨'에서 중세 국어에서는 두음 법칙이 적용되지 않았음을 알 수 있다.
② (가)의 'ᄡᅮ메'에서는 중세 국어에서 사용된 명사형 어미 '–움'과 부사격 조사 '에'를 확인할 수 있다.
③ (나)의 '공ᄌᆡ'는 '공ᄌᆞ'에 주격 조사 '이'가 붙은 것이다.
④ (나)의 '부모ᄅᆞᆯ'에서 목적격 조사 'ᄅᆞᆯ'이 붙은 이유는 체언이 양성 모음으로 끝났기 때문이다.
⑤ (가)와 (나)를 통해 중세 국어는 띄어쓰기를 하지 않았고, 소리의 높낮이를 표시하는 장치가 있었음을 알 수 있다.

활동 ③

07 다음 중 중세 국어에서 쓰인 높임의 선어말 어미가 아닌 것은?

① –ᄉᆞᆸ–
② –시–
③ –잇–
④ –ᄉᆞᄫᆞ–
⑤ –이–

활동 ③

08 중세 국어의 높임 체계에 대한 설명으로 적절하지 않은 것은?

① 높임의 선어말 어미가 현대 국어보다 분화되어 있었다.
② '–이–'와 '–잇–'은 높임의 단계에 따라 다르게 쓰였다.
③ '–시/샤–'는 선어말 어미 뒤의 음운에 따라 다르게 쓰였다.
④ '–ᄉᆞᆸ–', '–ᄌᆞᆸ–', '–ᅀᆞᆸ–'은 앞말의 끝 음운에 따라 다르게 쓰였다.
⑤ '–ᄉᆞᆸ–/–ᄌᆞᆸ–/–ᅀᆞᆸ–'은 뒤에 결합하는 어미가 모음으로 시작할 때 '–ᄉᆞᄫᆞ–/–ᄌᆞᄫᆞ–/–ᅀᆞᄫᆞ–'으로 바뀌어 쓰였다.

활동 ③ 고난도

09 〈보기〉의 ㉠~㉢에 사용된 높임 표현을 알맞게 연결한 것은?

보기

耶양輸슝ㅣ …… (목련ᄃᆞ려) 世·솅尊존ㅅ安한否:블㉠:묻ᄌᆞᆸ·고㉡니ᄅᆞ·샤·ᄃᆡ므·스므·라㉢·오시·니잇·고

[현대어 풀이] 야수가 …… (목련에게) 세존의 안부를 여쭙고 말씀하시기를 "무슨 일로 오셨습니까?"

–「석보상절」 권6 중

① ㉠ – 상대 높임
② ㉠ – 객체 높임
③ ㉡ – 객체 높임
④ ㉡ – 상대 높임
⑤ ㉢ – 객체 높임

활동 ④

10 다음 중 중세 국어의 어휘 양상에 대한 설명으로 적절하지 않은 것은?

① 후기 중세 국어 시기에는 한자어가 많이 유입되었다.
② 중세 국어에는 현대 국어에는 쓰이지 않는 고유어들이 많았다.
③ 후기 중세 국어 시기에는 일본어와 서양 외래어가 많이 유입되었다.
④ 중세 국어의 어휘는 현대 국어에 와 의미가 축소, 확대, 변화되기도 했다.
⑤ 전기 중세 국어 시기에는 '보라매'와 같이 몽골에서 들어온 말들이 많았다.

[11~12] 다음 글을 읽고 물음에 답하시오.

나·랏㉠**:말ᄊᆞ·미**中듕國·귁㉡·에달·아文문字·ᄍᆞᆼ·와·로**서르**ᄉᆞᄆᆞᆺ·디아·니ᄒᆞᆯ·ᄊᆡ·이런**젼·ᄎᆞ**·로**어·린**百·ᄇᆡᆨ姓·셩·이니르·고·져·홇㉢·배이·셔·도ᄆᆞ·ᄎᆞᆷ:내제㉣·ᄠᅳ·들시·러펴·디:몯홇·노·미하·니·라㉤·내·이·ᄅᆞᆯ爲·윙·ᄒᆞ·야**:어엿·비**너·겨·새·로·스·믈여·듧字·ᄍᆞᆼ·ᄅᆞᆯᄆᆡᇰ·ᄀᆞ노·니:사ᄅᆞᆷ:마·다:ᄒᆡ·ᅇᅧ:수·ᄫᅵ니·겨·날·로·ᄡᅮ·메便뼌安ᅙᅡᆫ·킈ᄒᆞ·고·져홇ᄯᆞᄅᆞ·미니·라

[현대어 풀이] 우리나라의 말이 중국과 달라 한자와는 서로 통하지 아니하여서, 이런 까닭으로 어리석은 백성이 이르고자 하는 바가 있어도 마침내 제 뜻을 능히 펴지 못하는 사람이 많다. 내가 이것을 가엾게 생각하여 새로 스물여덟 글자를 만드니, 모든 사람들로 하여금 쉽게 익혀서 날마다 씀에 편하게 하고자 할 따름이다.

–「세종어제훈민정음」

활동 ④

11 이 글의 어휘에 대한 설명으로 적절하지 않은 것은?

① '말ᄊᆞᆷ'은 본디 '말'이라는 뜻의 어휘로 현대 국어에 와서 의미가 축소되었다.
② '서르'는 '서로'라는 뜻의 어휘로 현대 국어에 와서 표기가 바뀌었다.
③ '젼ᄎᆞ'는 '까닭'이라는 뜻의 어휘로 이후에 소멸되었다.
④ '어린'은 본디 '어리석은'이라는 뜻의 어휘로 현대 국어에 와서 의미가 변하였다.
⑤ '어엿비'는 본디 '불쌍하게'라는 뜻의 어휘로 현대 국어에 와서 의미가 확대되었다.

활동 ① 고난도

12 이 글의 ㉠~㉤에 대한 설명으로 적절하지 않은 것은?

① ㉠: 체언인 앞말의 말음을 조사인 뒷말의 첫소리로 내려 적은 것이다.
② ㉡: 현대 국어의 '와/과'와 같은 비교 부사격 조사로 쓰였다.
③ ㉢: 의존 명사 '바'에 주격 조사가 결합한 형태이다.
④ ㉣: 받침으로 끝난 체언에 목적격 조사가 결합하여 원형을 밝혀 적은 것이다.
⑤ ㉤: 앞말이 모음 'ㅏ'로 끝났기 때문에 주격 조사 'ㅣ'가 결합하였다.

활동 ①·②·③·④ 고난도

13 중세 국어와 현대 국어를 비교한 내용으로 적절하지 않은 것은?

	중세 국어	현대 국어	비교 내용
①	효도ᄋᆡ ᄆᆞᄎᆞᆷ	효도의 끝	중세 국어의 관형격 조사 'ᄋᆡ'는 현대 국어에서 '의'로 바뀜.
②	ᄊᆞ다(뜻: 값이 나가다.)	싸다(뜻: 값이 저렴하다.)	중세 국어의 어휘의 의미가 현대 국어에서는 달라짐.
③	부모ᄭᅴ받ᄌᆞ온거시라	부모께 받은 것이라	중세 국어의 객체 높임 선어말 어미 '-ᄌᆞᆸ-'은 현대 국어에서 '께'로 바뀜.
④	ᄒᆞᆯ배	하는 바가	중세 국어에서는 주격 조사 'ㅣ'가 사용되었고, 현대 국어에서는 '가'가 사용됨.
⑤	날로ᄡᅮ메	날마다 씀에	중세 국어에서는 명사형 어미로 '-움'이 사용되었고, 현대 국어에서는 '-ㅁ'이 사용됨.

활동 ③ 【 단답형 】

14 다음 예문의 밑줄 친 문법 요소의 명칭을 쓰시오.

> 부텨ᄭᅴ묻ᄌᆞᆸ고(부처께 여쭙고)

활동 ④ 【 단답형 】

15 어휘 '놈'의 의미를 시기에 따라 구분해서 쓰고, 어휘의 의미 변동 양상 중 무엇에 해당하는지 쓰시오.

(1) 중세 국어 시기의 의미: ____________________

(2) 현대 국어 시기의 의미: ____________________

(3) 의미 변동 양상: ____________________

서술형

활동 ①

16 다음 중세 국어를 통해 알 수 있는 중세 국어의 문법적 특징을 〈조건〉에 맞게 서술하시오.

> 불휘기픈남ᄀᆞᆫ(뿌리가 깊은 나무)

조건
- 단어별로 문법적 특징을 나누어 설명할 것.
- 완결된 문장 형태로 쓸 것.

____

____

____

활동 ①+②+③ | 고2 학평 |

17 〈보기〉를 바탕으로 현대 국어와 중세 국어의 특징을 비교한 내용으로 적절하지 않은 것은?

보기

- ㉠효도ᄒᆞᆷ과 공슌호ᄆᆞᆯ
  (효도함과 공손함을)
- 兄(형)ㄱ ㉡ᄠᅳ디 일어시ᄂᆞᆯ ㉢聖孫(셩손)ᄋᆞᆯ ㉣내시니이다
  (형의 뜻이 이루어지시매 (하늘이) 성손을 내셨습니다.)
- 世尊(세존)ㅅ 安否(안부) ㉤묻ᄌᆞᆸ고 니르샤ᄃᆡ 므스므라 오시니ᅌᅵㅅ고
  (세존의 안부를 여쭙고 이르시되 무슨 까닭으로 오셨습니까?)

① ㉠을 보니 현대 국어와 달리 명사형 어미 '-옴'이 사용되었군.
② ㉡을 보니 현대 국어와 달리 어두 자음군이 사용되었군.
③ ㉢을 보니 현대 국어와 달리 목적격 조사 'ᄋᆞᆯ'이 사용되었군.
④ ㉣을 보니 현대 국어와 마찬가지로 주체 높임 선어말 어미 '-시-'가 사용되었군.
⑤ ㉤을 보니 현대 국어와 마찬가지로 청자를 높이는 특수 어휘가 사용되었군.

활동 ① 고난도 | 고3 모평 |

18 〈보기 1〉을 참고할 때, 〈보기 2〉의 ㉠~㉢에 들어갈 말로 적절한 것은?

보기 1

중세 국어 체언 중에는 'ㅎ'을 끝소리로 가진 것들이 있다. 이러한 체언을 'ㅎ' 종성 체언이라고 하는데 조사가 뒤따를 경우에 다음과 같이 나타난다.

뒤따르는 조사	'ㅎ' 종성 체언의 실현 양상
모음으로 시작하는 조사	'ㅎ'은 뒤따르는 모음에 이어 적는다. 예 **ᄯᅡ히** (ᄯᅡㅎ+**이**) 즐어늘 (**땅이** 질거늘)
'ㄱ, ㄷ'으로 시작하는 조사	'ㅎ'은 뒤따르는 'ㄱ', 'ㄷ'과 어울려 'ㅋ', 'ㅌ'으로 나타난다. 예 **ᄯᅡ토** (ᄯᅡㅎ+**도**) 뮈더니 (**땅도** 움직이더니)
관형격 조사 'ㅅ'	'ㅎ'은 나타나지 않는다. 예 다ᄅᆞᆫ**ᄯᅡㅅ**(ᄯᅡㅎ+ㅅ) 風俗은 (다른 **땅의** 풍속은)

보기 2

중세 국어	현대 국어
㉠ (나랗+**ᄋᆞᆯ**) 아ᅀᆞ 맛디고	나라를 아우에게 맡기고
㉡ (긿+ㅅ) 네거리예	**길의** 네거리에
㉢ (않+**과**) 밧	**안과** 밖

	㉠	㉡	㉢
①	나라ᄒᆞᆯ	긼	안콰
②	나라ᄒᆞᆯ	긿	안과
③	나라ᄒᆞᆯ	긿	안콰
④	나라ᄋᆞᆯ	긿	안과
⑤	나라ᄋᆞᆯ	긼	안콰

개념 플러스

'ㅎ' 종성 체언

종성에 'ㅎ'이 있는 체언을 의미함. 단독으로 쓰이거나 관형격 조사 'ㅅ' 앞에서는 'ㅎ'이 탈락되고, 모음으로 시작하는 조사 앞에서는 'ㅎ'을 모음에 이어 적으며, 뒤에 'ㄱ, ㄷ, ㅂ'이 오면 그것과 'ㅎ'이 결합하여 'ㅋ, ㅌ, ㅍ'으로 나타남.
예 돌[돌ㅎ], 돌히[돌(ㅎ)+이], 돌콰[돌(ㅎ)+과]

12강

Ⅳ단원 종합

국어의 변화 실전

교과서 개념 정리

1 중세 국어에서 현대 국어로의 변화

	중세 국어	현대 국어	변화된 내용
음운	뼌한킈ᄒᆞ고져	편하게 하고자	'ㆍ, ㅸ, ㆁ, ㆆ' 등의 음운이 사라짐.
	ᄯᆞᄅᆞ미니라	따름이니라	단어의 첫머리에 오는 서로 다른 두 개 이상의 자음이 오는 어두 자음군이 대부분 ①□□□(으)로 바뀜.
	니르고져	이르고자	'ㅣ, ㅑ, ㅕ, ㅛ, ㅠ' 앞의 'ㄹ'과 'ㄴ'은 없어지고, 'ㅏ, ㅗ, ㅜ, ㅡ, ㅐ, ㅚ' 앞의 'ㄹ'은 'ㄴ'으로 변하는 ②□□ □□이/가 적용됨.
	펴디	펴지	치조음 'ㄷ, ㅌ'이 모음 'ㅣ'나 반모음 'ㅣ[j]'로 시작하는 형식 형태소 앞에서 각각 구개음 'ㅈ, ㅊ'으로 바뀌어 발음되는 현상인 ③□□□□이/가 적용됨.
	스믈	스물	양순음 'ㅂ, ㅃ, ㅍ, ㅁ' 다음에서 비원순 모음 'ㅡ/ㆍ'가 원순 모음 'ㅜ/ㅗ'로 바뀌는 현상인 원순 모음화가 ④□□됨.
	윙ᄒᆞ야	위하여	두 음절 이상의 단어에서, 뒤의 모음이 앞 모음의 영향으로 그와 가깝거나 같은 소리로 되는 언어 현상인 ⑤□□ □□이/가 파괴됨.
	곶:됴·코	꽃 좋고	방점을 찍어 표시한 소리의 높낮이인 ⑥□□이/가 사라짐.
표기	불 ·휘	뿌리	⑦□□ 쓰기에서 □□ 쓰기로 바뀜.
	ᄉᆡ미기픈므른	샘이 깊은 물은	⑧□□□□을/를 함.
	사ᄉᆞ미	사슴이	⑨□□ 적기에서 □□ 적기로 바뀜.
	中國(듕귁)	中國(중국)	한자음을 중국의 원음에 가깝게 표기한 동국정운식 한자음 표기가 사라짐.
문법	배(바+ㅣ)	바가	주격 조사 '⑩□'이/가 생김.
	듕귁에	중국과	비교의 뜻을 나타내는 부사격 조사 '⑪□/애'가 '와/과'로 바뀜.
	나랏말ᄊᆞ미	나라의 말씀이	관형격 조사 'ㅅ'이 사라짐.
	ᄡᅮ메(ᄡᅳ-+-움+에)	씀에	⑫□□□ 어미 '-옴/-움'이 '-(으)ㅁ'으로 바뀜.
	니ᄅᆞ샤ᄃᆡ	말씀하시기를	주체 높임의 선어말 어미 체계 '-⑬□-/-□-'이/가 '-(으)시-'로 바뀜.
	묻ᄌᆞᆸ고	여쭙고	⑭□□ 높임의 선어말 어미 '-ᅀᆞᆸ(ᅀᆞᆸ)-/-ᄌᆞᆸ(ᄌᆞᆸ)-/-ᅀᆞᆸ(ᅀᆞᆸ)-'이 사라짐.
	오시니잇고	오셨습니까	⑮□□ 높임의 선어말 어미 '-이-/-잇-'이 사라짐.
어휘	젼ᄎᆞ(까닭)	-	소멸된 어휘가 있음.
	얼굴(형체)	얼굴(안면)	의미가 ⑯□□ 및 확대된 어휘가 있음.
	어리다(어리석다)	어리다(나이가 적다)	의미가 전혀 달라진 어휘가 있음.

⬇

국어가 변화하는 실체임을 보여 줌. → 국어의 역사성

| 중세 국어와 현대 국어의 비교 |

01 중세 국어의 음운상 특징에 대한 설명으로 적절하지 않은 것은?

① 'ㆍ'는 이후에 'ㅏ'나 'ㅡ'로 교체되었다.
② 중세 국어에서는 어두에 서로 다른 둘 이상의 자음이 올 수 있었다.
③ 양성 모음끼리의 결합, 음성 모음끼리의 결합이 현대 국어보다 활발했다.
④ 'ㅺ, ㅼ'과 같은 음운은 현대 국어로 오면서 대부분 된소리로 바뀌어 쓰였다.
⑤ 'ㅸ, ㅿ'과 같은 음운은 현대 국어에 와서 동일한 소리를 가진 다른 음운으로 교체되었다.

| 방점의 특징 |

02 방점에 대한 설명으로 알맞지 않은 것은?

① 소리의 길이를 표시한다.
② 현대 국어 표기에 그 흔적이 남아 있다.
③ 평성, 거성, 상성과 같은 종류가 있었다.
④ 글자의 왼쪽에 쓰는 방식으로 활용되었다.
⑤ 성조를 나타내기 위해 쓰인 문법 요소이다.

[03~04] 다음 글을 읽고 물음에 답하시오.

나·랏:㉠말ᄊᆞ·미中듕國·귁·에달·아文문字·쫑·와·로 서르ᄉᆞᄆᆞᆺ·디아·니ᄒᆞᆯ·ᄊᆡ·이런젼·ᄎᆞ·로어·린百·ᄇᆡᆨ姓·셩·이㉡니르·고·져·홇·배이·셔·도ᄆᆞ·ᄎᆞᆷ:내제㉢·ᄠᅳ·들시·러펴·디:몯홇·노·미하·니·라·내·이·ᄅᆞᆯ㉣爲·윙·ᄒᆞ·야:어엿·비너·겨·새·로·스·믈여·듧字·쫑·ᄅᆞᆯᄆᆡᆼ·ᄀᆞ노·니:사ᄅᆞᆷ:마·다:㉤ᄒᆡ·ᅇᅧ:수·ᄫᅵ니·겨·날·로·ᄡᅮ·메便뼌安한·킈ᄒᆞ·고·져홇ᄯᆞᄅᆞ·미니·라

[현대어 풀이] 우리나라의 말이 중국과 달라 한자와는 서로 통하지 아니하여서, 이런 까닭으로 어리석은 백성이 이르고자 하는 바가 있어도 마침내 제 뜻을 능히 펴지 못하는 사람이 많다. 내가 이것을 가엾게 생각하여 새로 스물여덟 글자를 만드니, 모든 사람들로 하여금 쉽게 익혀서 날마다 씀에 편하게 하고자 할 따름이다.

– 「세종어제훈민정음」

| 중세 국어의 특징 |

03 이 글을 통해 알 수 있는 중세 국어의 특징으로 적절하지 않은 것은?

① 현대 국어보다 더 체계적인 객체 높임 표현이 쓰였다.
② 현대 국어에는 더 이상 쓰이지 않는 형태의 단어들이 존재했다.
③ 중세 국어에서는 현대 국어보다 모음 조화가 엄격히 지켜졌다.
④ 훈민정음 창제 직후 한자음을 우리말로 표기할 때 일련의 원칙이 있었다.
⑤ 체언과 조사가 결합했을 때 앞말의 받침을 뒷말의 첫소리로 내려 적는 방식이 널리 쓰였다.

| 중세 국어의 특징 |

04 이 글의 ㉠~㉤에 대한 설명으로 적절하지 않은 것은?

① ㉠: 이어 적기 표기가 두루 쓰였음을 알 수 있다.
② ㉡: 두음 법칙이 적용되지 않았음을 알 수 있다.
③ ㉢: 어두에 두 개 이상의 자음이 동시에 왔음을 알 수 있다.
④ ㉣: 동국정운식 표기를 위한 종성 'ㅇ'도 실제로 발음되었음을 알 수 있다.
⑤ ㉤: 현대 국어에는 쓰이지 않는 음운이 쓰였음을 알 수 있다.

| 어휘상의 변화 |

05 어휘의 변동 양상을 고려했을 때 현대어 풀이가 적절하지 않은 것은?

① 곶됴코여름하ᄂᆞ니 – 꽃 좋고 열매가 많으니
② 해동육룡이ᄂᆞᄅᆞ샤 – 해동의 여섯 용이 나시어
③ 내히이러바ᄅᆞ래가ᄂᆞ니 – 내가 이루어져 바다에 가느니
④ 불휘기픈남ᄀᆞᆫᄇᆞᄅᆞ매아니뮐ᄊᆡ – 뿌리가 깊은 나무는 바람에 아니 움직이므로
⑤ 감히헐워샹히오디아니홈이효도ᄋᆡ비르소미오 – 감히 헐게 하여 상하게 하지 아니함이 효도의 중함이오

| 중세 국어의 특징 |

06 〈보기〉의 ㉠~㉤에 대한 설명으로 적절하지 않은 것은?

보기

워늬 아바님ᄭᅴ 샹빅

자내 샹해 날㉠ᄃᆞ려 ㉡닐오듸 둘히 머리 세도록 사다가 ㉢ᄒᆞᆷᄭᅴ 죽쟈 ㉣ᄒᆞ시더니 엇디ᄒᆞ야 ㉤나ᄅᆞᆯ 두고 자내 몬져 가시ᄂᆞᆫ

[현대어 풀이] 원이 아버님께 올림.

당신 항상 나에게 이르되 둘이 머리가 세도록 살다가 함께 죽자고 하시더니 어찌하여 나를 두고 당신이 먼저 가셨나요?

– 「이응태 묘 출토 편지」

① ㉠: 현대 국어에는 쓰이지 않는 음운이 쓰였다.
② ㉡: 'ㅣ' 계열 모음 앞의 두음 'ㄴ'에 두음 법칙이 적용되지 않았다.
③ ㉢: 현대 국어와 동일한 방식으로 음운을 배치하여 활용했다.
④ ㉣: 인용된 발언의 주체를 높이는 선어말 어미를 사용했다.
⑤ ㉤: 모음 조화가 지켜진 사례이다.

| 중세 국어와 현대 국어의 비교 |

07 중세 국어와 현대 국어의 차이를 통해 알 수 있는 내용으로 적절하지 않은 것은?

① ᄠᅳᆮ을 > 뜻을: 중세 국어에는 현대 국어와 달리 어두 자음군이 쓰였다.
② 빈곡애 > 빈곡에: 중세 국어는 현대 국어보다 조사의 의미가 다양했다.
③ ᄆᆞᄎᆞᆷ > 마침: 중세 국어에는 현대 국어에서는 쓰이지 않는 모음이 쓰였다.
④ 닐러 > 일러: 중세 국어에서는 현대 국어와 달리 두음 법칙이 일어나지 않았다.
⑤ 字ᄍᆞᆼᄅᆞᆯ > 자를: 중세 국어에는 현대 국어와 달리 동국정운식 한자음 표기가 쓰였다.

| 중세 국어의 특징 | 고난도

08 〈보기〉의 ㉠~㉤에 대한 설명으로 적절하지 않은 것은?

보기

가

周國大王(주국 대왕)·이㉠豳谷(빈곡)·애:사ᄅᆞ·샤㉡帝業(제업)·을㉢:여·르시·니

우리㉣始祖(시조)ㅣ慶興(경흥)·에:사ᄅᆞ·샤王業(왕업)·을:여·르시·니

[현대어 풀이] 주국 대왕이 빈곡에 사시어 제업을 여시니.

우리 시조가 경흥에 사시어 왕업을 여시니.

– 「용비어천가」 제3장

나

孔·공子·ᄌᆡ曾증子·ᄌᆞᄃᆞ·려닐·러ᄀᆞᆯᄋᆞ·샤·ᄃᆡ㉤·몸·이며얼굴·이며머·리털·이·며·ᄉᆞᆯ·ᄒᆞᆫ父·母:모·ᄭᅴ받ᄌᆞ·온거·시·라

[현대어 풀이] 공자께서 증자에게 일러 말씀하시기를, 몸과 형체와 머리털과 살은 부모께 받은 것이라.

– 「소학언해」 중

① ㉠: 현대 국어에는 존재하지 않는 부사격 조사가 쓰였음을 알 수 있다.
② ㉡: 음성 모음으로 끝난 체언 뒤에 음성 모음을 취하는 조사가 결합하였음을 알 수 있다.
③ ㉢: 행위의 주체를 높이는 선어말 어미가 쓰였음을 알 수 있다.
④ ㉣: 'ㅣ'가 아닌 모음으로 끝난 체언 뒤에 결합하는 주격 조사가 존재했음을 알 수 있다.
⑤ ㉤: 체언의 말음을 모음으로 시작하는 뒷말의 첫소리로 내려 적었다.

| 중세 국어의 특징 | 고난도

09 〈보기〉를 통해 알 수 있는 사실로 알맞지 않은 것은?

보기

孔·공子·ᄌᆡ曾증子·ᄌᆞᄃᆞ·려닐·러ᄀᆞᆯᄋᆞ·샤·ᄃᆡ·몸·이며얼굴·이며머·리털·이·며·ᄉᆞᆯ·ᄒᆞᆫ父·부母:모·ᄭᅴ받ᄌᆞ·온거·시·라敢:감·히헐·워샹ᄒᆡ·오·디아·니:홈·이:효·도·ᄋᆡ비·르·소미·오·몸·을셰·워道:도·를行ᄒᆡᆼ·ᄒᆞ·야일:홈·을後:후世:셰·예:베퍼·ᄡᅥ父·부母:모ᄅᆞᆯ:현·뎌케:홈·이:효·도·ᄋᆡᄆᆞ·ᄎᆞᆷ·이니·라

[현대어 풀이] 공자께서 증자에게 일러 말씀하시기를, 몸과 형체와 머리털과 살은 부모께 받은 것이라. 감히 헐게 하여 상하게 하지 아니함이 효도의 시작이고, 출세하여 도를 행하여 이름을 후세에 날려 이로써 부모를 드러나게 함이 효도의 끝이니라.

–「소학언해」 중

① 구개음화가 일어나지 않았음을 알 수 있다.
② 주체를 높이는 선어말 어미가 쓰였음을 알 수 있다.
③ 모음 조화가 파괴되는 경우도 있었음을 알 수 있다.
④ 이어 적기가 예외 없이 철저하게 지켜졌음을 알 수 있다.
⑤ 현대 국어에는 쓰이지 않는 어휘도 사용되었음을 알 수 있다.

| 음운상의 변화 | 【단답형】

10 다음과 같은 변화 과정에서 일어난 음운상의 변화를 쓰시오.

ᄆᆞᄎᆞᆷ내 > 마침내

| 중세 국어의 주격 조사 | 【단답형】

11 중세 국어의 표기 원칙에 근거해 밑줄 친 체언에 어울리는 주격 조사가 결합된 형태를 쓰시오.

<u>여름</u>하ᄂᆞ니(열매가 많으니)

서술형

| 중세 국어의 특징 |

12 다음 중세 국어를 통해 알 수 있는 중세 국어의 음운상, 표기상의 특징을 서술하시오.

수ᄫᅵ니겨(쉽게 익혀서)

| 중세 국어의 문법상의 특징 | 고난도

13 다음 중세 국어를 통해 알 수 있는 중세 국어의 문법적 특징을 〈조건〉에 맞게 서술하시오.

날ᄃᆞ려 닐오ᄃᆡ 둘히 머리 세도록 사다가
(나에게 이르되 둘이 머리가 세도록 살다가)

조건

- 단어별로 문법적 특징을 나누어 설명할 것.
- 완결된 문장 형태로 쓸 것.

| 중세 국어의 특징 | | 고2 학평 |

14 〈보기〉를 바탕으로 중세 국어의 특징을 탐구한 내용으로 적절하지 않은 것은?

| 보기 |

[중세 국어] 잣 ㉠ᄋᆞᇇ ㉡보ᄆᆡ 플와 나모ᄲᅮᆫ
[현대 국어] 성(城) 안의 봄에 풀과 나무만

[중세 국어] 烽火(봉화)ㅣ ㉢석ᄃᆞᄅᆞᆯ ㉣니ᅀᅦ시니
[현대 국어] 봉화가 석 달을 이어지니

[중세 국어] 첫소리ᄅᆞᆯ ㉤ᄡᅳᄂᆞ니라
[현대 국어] 첫소리를 쓰느니라.

① ㉠을 보니 'ㅅ'은 현대 국어의 '의'에 해당하는 관형격 조사로 쓰였군.
② ㉡을 보니 체언과 조사를 구분하여 그 형태를 밝혀 적었군.
③ ㉢을 보니 'ᄃᆞᄅᆞᆯ'은 현대 국어 '달을'과 달리 모음 조화를 지켜 표기하였군.
④ ㉣을 보니 현대 국어에서 쓰이지 않는 자음을 사용하였군.
⑤ ㉤을 보니 첫 음절 초성에 서로 다른 자음을 가로로 나란히 붙여 썼군.

| 중세 국어의 객체 높임 선어말 어미 | 고난도 | 고3 모평 |

15 〈보기〉의 ㉠과 ㉡에 들어갈 말로 바르게 짝지어진 것은?

| 보기 |

중세 국어에서는 객체를 높이기 위해 선어말 어미를 사용했는데, 이 선어말 어미는 음운 조건에 따라 다음과 같이 다양한 형태로 실현되었다.

어간 말음 조건	형태	용례
'ㄱ, ㅂ, ㅅ, ㅎ'일 때	-ᄉᆞᆸ-	돕ᄉᆞᆸ고
'ㄷ, ㅈ, ㅊ'일 때	-ᄌᆞᆸ-	묻ᄌᆞᆸ고
모음이나 'ㄴ, ㅁ, ㄹ'일 때	-ᅀᆞᆸ-	보ᅀᆞᆸ고

객체 높임 선어말 어미 뒤에 모음으로 시작하는 어미가 오면, 객체 높임 선어말 어미는 '-ᄉᆞᄫᆞ-, -ᄌᆞᄫᆞ-, -ᅀᆞᄫᆞ-'으로 실현되었다.

- 아래 문장에서 객체 높임의 대상은 (㉠)이다.
  - 王(왕)이 부텨ᄭᅴ 더옥 敬信(경신)ᄒᆞᆫ ᄆᆞᅀᆞᄆᆞᆯ 내ᅀᆞᄫᅡ
    [왕이 부처께 더욱 공경하고 믿는 마음을 내어]
- 어간 '듣-'과 어미 '-ᄋᆞ며' 사이에 객체 높임 선어말 어미가 결합하면 다음과 같이 활용했다.
  - 내 아래브터 부텨ᄭᅴ 이런 마ᄅᆞᆯ 몯 (㉡)
    [내가 예전부터 부처께 이런 말을 못 들으며]

	㉠	㉡
①	王(왕)	듣ᄌᆞᄫᆞ며
②	王(왕)	듣ᄉᆞᄇᆞ며
③	부텨	듣ᄌᆞᄫᆞ며
④	부텨	듣ᄌᆞᄇᆞ며
⑤	ᄆᆞᅀᆞᆷ	듣ᅀᆞᄫᆞ며

[16~17] 다음 글을 읽고 물음에 답하시오.

현대 국어와 중세 국어는 문법적으로 많은 차이가 있는데, 격 조사의 차이도 그중 하나이다. 현대 국어에서는 주격 조사로 '이/가'를, 목적격 조사로 '을/를'을, 관형격 조사로 '의'를 사용하고 있지만, 중세 국어에서는 음운 환경에 따라 주격 조사, 목적격 조사, 관형격 조사가 오늘날보다 다양하게 사용되었다.

먼저 주격 조사는 '이'만 사용하였는데, 이때 '이'는 음운 환경에 따라 그 형태가 조금씩 달랐다. 앞말이 자음으로 끝나면 '이'를 썼지만, 'ㅣ'를 제외한 모음으로 끝나면 'ㅣ'를 붙여 썼고, 'ㅣ'로 끝나면 주격 조사를 표기하지 않았다. 예를 들어, '사ᄅᆞᆷ'에는 '이'가 붙고, '부텨'에는 'ㅣ'가 붙는다. 그러나 '비'와 같은 경우에는 따로 주격 조사를 붙이지 않는다.

다음으로 목적격 조사는 'ᄋᆞᆯ/을/ᄅᆞᆯ/를'을 사용하였다. 앞말이 자음으로 끝날 경우 'ᄋᆞᆯ/을', 모음으로 끝날 경우 'ᄅᆞᆯ/를'로 표기하였다. 또 앞말의 모음이 양성 모음이면 'ᄋᆞᆯ/ᄅᆞᆯ'로, 음성 모음이면 '을/를'로 표기하였다. 각각의 상황을 예로 들면, 'ᄆᆞᅀᆞᆷ'에는 'ᄋᆞᆯ'이, '구름'에는 '을'이, '나'에는 'ᄅᆞᆯ'이, '너'에는 '를'이 붙는다.

[A] 끝으로 관형격 조사는 단어의 의미와 음운 환경에 따라 'ᄋᆡ/의'와 'ㅅ'을 사용하였다. 'ᄋᆡ/의'는 앞에 오는 명사가 사람이나 동물일 때 사용하였는데, 앞말의 모음이 양성 모음일 때는 'ᄋᆡ'를, 음성 모음일 때는 '의'를 사용하였다. 'ㅅ'은 앞에 오는 명사가 사람이면서 높임의 대상이거나, 사람도 아니고 동물도 아닐 때 사용하였다. 예를 들어, 'ᄂᆞᆷ'은 사람이고 'ㆍ(아래아)'가 양성 모음이기 때문에 'ᄋᆡ'가 붙고, '벌'은 동물이고 'ㅓ'가 음성 모음이기 때문에 '의'가 붙는다. 반면에 '부텨'는 사람이면서 높임의 대상이기 때문에 'ㅅ'이 붙는다.

| 중세 국어의 격 조사 | | 고2 학평 |

16 이 글에 대한 이해로 적절하지 않은 것은?

① 현대 국어의 주격 조사 중에는 중세 국어에서 사용하지 않았던 것이 있다.
② 중세 국어에는 음운 환경에 따라 주격 조사를 표기하지 않는 경우도 있었다.
③ 현대 국어보다 중세 국어에서 사용된 목적격 조사의 형태가 더 다양하였다.
④ 중세 국어에서 앞말이 모음으로 끝나면 예외 없이 주격 조사 'ㅣ'가 사용되었다.
⑤ 중세 국어에서 앞말의 모음이 양성 모음이고 자음으로 끝나면 목적격 조사로 'ᄋᆞᆯ'을 사용하였다.

| 중세 국어의 격 조사 | | 고2 학평 |

17 [A]를 참고할 때, 〈보기〉의 ㉠과 ㉡에 들어갈 조사로 적절한 것은?

보기

[중세 국어] 거붑+㉠ 터리 ᄀᆞᆮ고
[현대 국어] 거북의 털과 같고

[중세 국어] 하ᄂᆞᆯ+㉡ 光明이 믄득 번ᄒᆞ거늘
[현대 국어] 하늘의 광명이 문득 훤하거늘

	㉠	㉡
①	의	ㅅ
②	ᄋᆡ	ᄋᆡ
③	의	ᄋᆡ
④	ᄋᆡ	ㅅ
⑤	의	의

정답과 해설 I 46쪽

❶ 훈민정음의 창제 원리

(1) 초성(자음)의 제자 원리

① ①□□의 원리: 발음 기관의 모양을 본떠 기본자를 만드는 원리

② 가획의 원리: 기본자에 획을 더해 글자를 만드는 원리

③ 이체자: 상형이나 가획의 원리를 따르지 않고 만든 글자

상형	기본자	가획자	이체자
어금닛소리(아음)	ㄱ	ㅋ	ㆁ
혓소리(설음)	ㄴ	ㄷ, ㅌ	ㄹ
입술소리(순음)	ㅁ	ㅂ, ㅍ	
잇소리(치음)	ㅅ	ㅈ, ㅊ	②□
목구멍소리(후음)	ㅇ	ㆆ, ㅎ	

(2) 중성(모음)의 제자 원리

① 상형의 원리: 하늘, 땅, 사람의 모양을 본떠 기본자를 만드는 원리

② ③□□의 원리: 기본자를 합성하여 그 밖의 글자를 만드는 원리

상형	기본자	초출자	재출자
천(天)	·	ㅏ, ㅓ, ㅗ, ㅜ	ㅑ, ㅕ, ㅛ, ㅠ
지(地)	④□		
인(人)	ㅣ		

❷ 훈민정음의 운용 방식

(1) 이어 쓰기(연서, 連書): 주로 입술소리 아래에 'ㅇ'을 이어 쓰면 순경음(입술가벼운소리)이 된다는 규정

예 ㅸ(순경음 비읍)

(2) 나란히 쓰기(병서, 竝書): 초성이나 종성을 합쳐 쓸 때 가로로 나란히 쓴다는 규정

① 각자 병서(各字 竝書): 같은 초성을 나란히 쓰는 것

예 ㄲ, ㄸ, ㅃ, ㅆ

② 합용 병서(合用 竝書): 서로 다른 초성을 나란히 쓰는 것

예 ㅄ, ㅺ, ㄺ, ㅴ

(3) 붙여 쓰기(부서, 附書): 중성을 초성의 아래쪽이나 오른쪽에 놓는 규정

예 ᄀᆞ, 가, 구, 고

❸ 근대 국어의 특징

(1) 표기상의 특징

① ⑤□□□ 표기법: 중세 국어의 8종성 표기법(ㄱ, ㄴ, ㄷ, ㄹ, ㅁ, ㅂ, ㅅ, ㆁ)과 달리 'ㄱ, ㄴ, ㄹ, ㅁ, ㅂ, ㅅ, ㆁ'의 7자만 종성으로 사용함.

② ⑥□□ 적기(분철): 앞말의 받침을 모음으로 시작하는 뒷말의 첫소리로 내려 적지 않고 원형을 밝혀 적음.

예 님을(← 님+을)

③ 거듭 적기(중철, 혼철): 이어 적기(연철)와 끊어 적기의 과도기적 현상으로 나타나기도 했던 표기법임.

예 님믈(← 님+을)

④ 방점의 소멸: 성조가 사라짐에 따라 성조를 드러내는 방점도 소멸됨.

(2) 음운상의 특징

'⑦□'의 소멸	• '⑦□'의 소멸로 7개 단모음 체계가 무너지는 등 모음 체계가 변화함. • '⑦□'은/는 소멸되면서 먼저 둘째 음절 이하에서는 'ㅡ'로 변했고, 이후 첫째 음절에서는 주로 'ㅏ'로 변했음. 예 ᄆᆞᅀᆞᆷ > ᄆᆞ음 > 마음
어두 자음군의 소멸	'ㅄ, ㅴ, ㅺ' 등과 같은 어두 자음군은 대부분 소실되고 ⑧□□□(으)로 변함. 예 ᄡᅳ다 > 쓰다
⑨□□의 소멸	음의 높낮이를 드러내는 ⑨□□이/가 완전히 사라짐.
구개음화의 진행	중세 국어 시기에는 일어나지 않았던 구개음화가 일어나, '⑩□'나 반모음 'ㅣ' 앞의 'ㄷ, ㅌ'이 'ㅈ, ㅊ'으로 바뀜. 예 티다 > 치다
⑪□□ □□□의 진행	양순음 'ㅂ, ㅃ, ㅍ, ㅁ' 다음에 나오는 원순 모음이 아닌 'ㅡ, ·'가 조성인 양순음의 영향을 받아 원순 모음 'ㅗ, ㅜ'로 바뀜. 예 스믈 > 스물

(3) 단어상의 특징

① 조사의 변화

– 중세 국어에는 나타나지 않았던 형태의 주격 조사 '⑫□'이/가 생겨나 '이'와 음운론적 이형태 관계로 쓰였음.

예 아희가

– 관형격 조사 'ㅅ, ᄋᆡ'는 사라지고, '⑬□'이/가 단일 형태의 관형격 조사로 쓰이기 시작함.

예 종의

– 부사격 조사 '애' 등은 사라지고, '에'가 단일 형태로 쓰이기 시작함.

예 굴허에

② 명사형 어미의 변화: 중세 국어에서 명사형 어미로 많이 쓰이던 '–⑭□/–□' 대신 명사형 어미 '–기'가 활발하게 쓰이기 시작함.

예 븕기

부록 · 단어

[개념 알기]

01 형태소와 단어

02 품사

03 용언의 활용

04 단어의 의미

[기출문제로 다지기]

01 형태소와 단어

❶ 형태소

(1) 개념: 의미를 가진 가장 작은 말의 단위

(2) 종류

기준	종류	개념	예시
자립성 여부	자립 형태소	홀로 쓰일 수 있는 형태소	밥, 하늘
	의존 형태소	다른 형태소와 결합해야만 쓰일 수 있는 형태소(조사, 어간, 어미, 접사)	먹-, -었-, -다
실질적 의미 여부	실질 형태소	구체적인 대상이나 상태, 동작을 나타내는 실질적인 의미를 지닌 형태소	밥, 하늘, 먹-
	형식 형태소	문법적인 관계를 나타내거나 형식적인 의미를 더해 주는 형태소(조사, 어미, 접사)	-었-, -다

(3) 이형태: 한 형태소가 특정 환경에 따라 다르게 실현된 모양

① **음운론적 이형태:** 하나의 형태소가 다른 음운 환경에서 다른 형태를 가지는 이형태 ㉠ 이/가, 을/를

② **형태론적 이형태:** 하나의 형태소가 음운 환경이 아닌 특정한 환경에서 다른 형태를 가지는 이형태 ㉠ -였-

❷ 단어

(1) 개념: 자립할 수 있는 말이나, 자립할 수 있는 형태소에 결합하여 쉽게 분리될 수 있는 말

(2) 단어의 구성 요소

어근		단어를 분석할 때 실질적 의미를 나타내는 중심 부분 ㉠ 앞(어근)+뒤(어근)
접사	접두사	어근의 앞에 결합하여 뜻을 더하는 접사 ㉠ 개-(접두사)+살구(어근)
	접미사	어근의 뒤에 결합하여 뜻을 더하거나 품사를 바꾸는 접사 ㉠ 놀-(어근)+-이(접미사)

(3) 단어의 종류

① 단일어: 하나의 어근으로만 이루어진 단어 ㉠ 해, 울다

② 복합어: 둘 이상의 어근이나, 어근과 접사로 이루어진 단어

- 합성어: 둘 이상의 어근이 결합하여 이루어진 단어 ㉠ 밤낮
- 파생어: 어근과 접사로 이루어진 단어 ㉠ 톱질, 풋사랑

❸ 합성어

(1) 개념: 접사 없이 둘 이상의 어근이 결합하여 형성된 단어

(2) 합성 방식에 따른 분류

① 통사적 합성어: 어근의 결합 순서나 방식이 우리말의 일반적인 배열 방식과 일치하는 합성어

합성 명사	명사+명사	㉠ 돌다리, 논밭
	관형사+명사	㉠ 새해, 큰집
	어간+관형사형 어미+명사	㉠ 건널목, 지은이
합성 동사	부사+동사	㉠ 잘되다, 못하다
	명사+동사	㉠ 힘쓰다, 앞서다
	어간+연결 어미+동사	㉠ 돌아가다
합성 형용사	명사+동사	㉠ 맛나다, 힘차다
합성 부사	부사+부사	㉠ 곧잘

② 비통사적 합성어: 어근의 결합 순서나 방식이 우리말의 일반적인 단어 배열법과 같지 않은 특이한 방식으로 결합된 합성어

용언의 어간+체언(관형사형 어미의 생략)	㉠ 덮밥, 늦잠
용언의 어간+용언(연결 어미의 생략)	㉠ 검붉다, 여닫다
부사+체언	㉠ 산들바람, 부슬비
우리말 어순과 다른 한자어	㉠ 급수, 등산

❹ 파생어

(1) 개념: 어근의 앞이나 뒤에 접사가 결합하여 형성된 단어

(2) 접사의 종류에 따른 구분

① 접두 파생어: 접두사가 결합하여 형성된 파생어로, 대개 어근의 품사를 바꾸지 않음. ㉠ 맨발, 짓누르다, 드높다

② 접미 파생어: 접미사가 결합하여 형성된 파생어로, 어근의 품사를 바꾸기도 함.

품사를 바꾸지 않는 경우	㉠ 멋쟁이, 그들
명사 → 동사/형용사/부사	㉠ 공부하다, 가난하다, 정성껏
동사 → 명사/형용사/부사/조사	㉠ 먹이, 미덥다, 마주, 조차
형용사 → 명사/동사/부사/조사	㉠ 넓이, 넓히다, 높이, 같이
부사 → 동사/형용사	㉠ 철렁거리다, 차근차근하다

02 품사

❶ 품사

(1) 개념: 단어를 문법적 성질에 따라 나누어 갈래를 지어 놓은 것

(2) 품사의 분류

형태	기능	의미
가변어	용언	동사
		형용사
	관계언	서술격 조사
불변어		조사
	체언	명사
		대명사
		수사
	수식언	관형사
		부사
	독립언	감탄사

❷ 체언(명사, 대명사, 수사)

(1) 명사: 사물이나 사람의 이름을 가리키는 단어

사용 범위에 따라	고유 명사	특정 대상을 다른 개체와 구별하기 위해 붙인 이름 예 세종, 부산
	보통 명사	어떤 속성을 공통적으로 지닌 모든 사물에 두루 쓰이는 이름 예 강아지, 학교, 산
자립 여부에 따라	자립 명사	혼자 자립적으로 쓰일 수 있는 명사 예 하늘, 봄, 사과
	의존 명사	앞에 꾸며 주는 말을 꼭 필요로 하는 명사 예 것, 수

(2) 대명사: 이름을 대신하여 가리키는 단어

인칭 대명사	1인칭 대명사	화자가 자기 또는 자기의 무리를 가리키는 대명사 예 나, 우리
	2인칭 대명사	청자를 가리키는 대명사 예 너, 너희, 그대
	3인칭 대명사	화자와 청자 이외의 사람을 가리키는 대명사 예 이, 그, 저
	재귀칭 대명사	앞에 나온 대상을 다시 가리킬 때 쓰이는 대명사 예 저, 자기, 당신
	미지칭 대명사	모르는 대상을 가리키는 대명사 예 누구, 어느
	부정칭 대명사	정해지지 않은 대상을 가리키는 대명사 예 아무
지시 대명사	사물	이것, 저것, 그것
	장소	여기, 저기, 거기

(3) 수사: 사물의 수량이나 순서를 가리키는 단어

① 양수사: 수량을 나타내는 수사 예 하나, 둘, 일, 이

② 서수사: 순서를 나타내는 수사 예 첫째, 둘째, 제일

❸ 관계언(조사)

(1) 개념: 주로 체언 뒤에 결합하여 문법적 관계를 나타내거나 의미를 더해 주는 단어

(2) 종류

① 격 조사: 앞의 단어가 문장 안에서 일정한 자격을 갖도록 하는 조사

주격 조사	체언이 행위의 주체가 되게 함.	이/가, 께서, 에서
목적격 조사	체언이 행위의 대상이 되게 함.	을/를
서술격 조사	체언이 서술어가 되게 함.	이다
관형격 조사	체언이 관형어가 되게 함.	의
부사격 조사	체언이 부사어가 되게 함.	에, 에서, (으)로, 와/과, 보다
보격 조사	체언이 서술어 '되다/아니다' 앞에서 보어가 되게 함.	이/가
호격 조사	체언이 부름의 자리에 놓여 독립어가 되게 함.	아, 야, 이여

② 보조사: 앞말에 특별한 뜻을 더해 주는 조사

예 은/는(대조), 만, 뿐(단독), 부터(시작), 마다(낱낱이 모두)

③ 접속 조사: 둘 이상의 단어나 구를 같은 자격으로 이어 주는 조사

예 와/과, (이)랑, 하고

❹ 용언(동사, 형용사)

(1) 동사: 주어의 움직임이나 동작, 작용을 나타내는 단어

① 자동사: 움직임이 주어에만 관련되어 목적어를 필요로 하지 않는 동사

예 뛰다, 놀다, 걷다, 가다

② 타동사: 움직임이 다른 대상에 미치어 목적어를 필요로 하는 동사

예 먹다, 잡다, 누르다, 건지다

(2) 형용사: 주어의 성질이나 상태를 나타내는 단어

① 성상 형용사: 성질이나 상태를 나타내는 형용사

예 검다, 고요하다, 향기롭다

② 지시 형용사: 성질, 시간, 수량 등이 어떠하다는 것을 형식적으로 나타내는 형용사

예 그러하다, 어떠하다

❺ 수식언(관형사, 부사)

(1) **관형사**: 주로 체언 앞에서 체언을 수식하는 단어

① **성상 관형사**: 사물의 성질이나 상태를 꾸미는 관형사
  예 새, 헛

② **지시 관형사**: 어떤 대상을 가리키는 관형사
  예 그, 이런, 다른, 저런

③ **수 관형사**: 수량이나 순서를 나타내는 관형사
  예 두, 첫

(2) **부사**: 용언이나 다른 부사, 문장 등을 수식하는 단어

① **성분 부사**: 문장의 어느 한 성분만 수식하는 부사

성상 부사	모양, 성질, 상태를 꾸며 주는 부사	예 가장, 아주
지시 부사	특정 대상을 한정하여 가리키거나 앞에 나온 사실을 가리키는 부사	예 이리, 내일
부정 부사	용언 앞에서 그 내용을 부정하는 부사	예 못, 안

② **문장 부사**: 뒤에 오는 문장 전체를 꾸미는 부사

양태 부사	심리적 태도를 나타내는 부사	예 제발, 결코
접속 부사	체언과 체언, 문장과 문장을 이어 주는 부사	예 하지만, 또는

❻ 독립언(감탄사)

(1) **개념**: 부름, 대답, 느낌, 놀람 등을 나타내는 데 쓰며, 다른 문장 성분에 얽매이지 않고 자유롭게 쓰는 단어
  예 이봐!(부름), 네(대답), 아(느낌), 에구머니(놀람)

03 용언의 활용

❶ 용언의 구분

(1) **본용언**: 문장의 주체를 주되게 서술하면서 보조 용언의 도움을 받는 것 예 읽어 보아라, 덥지 않다.

(2) **보조 용언**: 혼자 쓰이지 못하고 본용언의 뒤에서 그 의미를 보충해 주는 역할을 함.
  예 읽어 보아라, 덥지 않다.

보조 동사	본용언과 연결되어 그 풀이를 보조하는 동사	예 적어 두다
보조 형용사	본용언과 연결되어 의미를 보충하는 동사	예 먹고 싶다

❷ 용언의 구성

(1) **어간**: 용언이 활용할 때 변하지 않는 부분
  예 잡아라, 잡자, 잡고

(2) **어미**: 용언이 활용할 때 변화하는 부분으로 문법적 의미를 지님
  예 잡아라, 잡자, 잡고

① **어말 어미**: 단어의 끝에 오는 어미

종결 어미	문장을 끝맺는 어미	평서형, 감탄형, 의문형, 명령형, 청유형
연결 어미	대등적 연결 어미: 두 문장을 대등하게 연결하는 어미	-고, -며, -(으)니 예 하늘은 높고 바다는 푸르다.
	종속적 연결 어미: 앞 문장을 뒤 문장에 종속시키는 어미	-아서/-어서, -면 예 비가 와서(오-+-아서) 우산을 챙겼다.
	보조적 연결 어미: 본용언과 보조 용언을 연결하는 어미	-아/-어, -게, -지, -고 예 밥을 먹고 싶다.
전성 어미	명사형 전성 어미: 용언이 명사의 기능을 할 수 있도록 바꾸는 어미	-음, -기 예 공부를 열심히 했음이 자랑스러워.
	관형사형 전성 어미: 용언이 관형사의 기능을 할 수 있도록 바꾸는 어미	-는, -던, -을 예 잡는 이유가 뭐야?
	부사형 전성 어미: 용언이 부사의 기능을 할 수 있도록 바꾸는 어미	-게, -도록 예 눈이 시리도록 춥다.

② **선어말 어미**: 어말 어미 앞에 오는 어미

높임 선어말 어미	주체 높임 선어말 어미: 서술어의 주체를 높이는 어미	-시- 예 할머니께서 오시는 소리가 들려.
	공손 선어말 어미: 상대방에 대한 공손의 뜻을 표시하는 어미	-옵- 예 진지 드시옵소서.
	과거 시제 선어말 어미: 과거를 나타내는 어미	-았-/-었- 예 어제 빵을 먹었어.

시제 선어말 어미	현재 시제 선어말 어미: 현재를 나타내는 어미	-는- 예 저기 가는 학생은 누구야?
	미래 시제 선어말 어미: 미래를 나타내는 어미	-겠- 예 내일은 눈이 오겠다.

❸ 용언의 활용

(1) 개념: 용언의 어간에 다양한 어미가 결합하여 그 기능을 달리하는 현상

(2) 규칙 활용

① 용언이 활용할 때 어간과 어미의 형태가 모두 변하지 않는 활용
예 먹-+-어 → 먹어

② 용언이 활용할 때 어간이나 어미의 형태가 변하더라도 보편적 음운 규칙으로 설명할 수 있는 활용 예 쓰-+-어 → 써

(3) 불규칙 활용

① 어간이 변하는 불규칙 활용

구분	내용	불규칙 활용 예시	규칙 활용 예시
'ㅅ' 불규칙	어간 말음 'ㅅ'이 모음으로 시작하는 어미 앞에서 탈락함.	잇-+-어 → 이어	솟-+-아 → 솟아
'ㄷ' 불규칙	어간 말음 'ㄷ'이 모음으로 시작하는 어미 앞에서 'ㄹ'로 변함.	듣-+-어 → 들어	얻-+-어 → 얻어
'ㅂ' 불규칙	어간 말음 'ㅂ'이 모음으로 시작하는 어미 앞에서 '오/우'로 변함.	줍-+-어 → 주워	잡-+-아 → 잡아
'르' 불규칙	어간 끝음절 '르'가 모음으로 시작하는 어미 앞에서 'ㄹㄹ'로 변함.	흐르-+-어 → 흘러	따르-+-어 → 따라
'우' 불규칙	어간 끝의 '우'가 모음으로 시작하는 어미 앞에서 탈락함.	푸-+-어 → 퍼	누-+-어 → 누어

② 어미가 변하는 불규칙 활용

구분	내용	불규칙 활용 예시	규칙 활용 예시
'여' 불규칙	어간 끝음절 '하-' 뒤의 어미 '-아/-어'가 '-여'로 변함.	사랑하-+-어 → 사랑하여	파-+-아 → 파
'러' 불규칙	어간 끝음절 '르' 뒤의 어미 '-어'가 '-러'로 변함.	푸르-+-어 → 푸르러	치르-+-어 → 치러
'오' 불규칙	'달다(어떤 것을 주도록 요구하다.)'의 명령형 어미가 '-오'로 변함.	달-+-아라 → 다오	주-+-어라 → 주어라

③ 어간과 어미가 모두 변하는 불규칙 활용

구분	내용	불규칙 활용 예시	규칙 활용 예시
'ㅎ' 불규칙	어간 말음 'ㅎ' 뒤에 '-아/-어'로 시작하는 어미가 오면 어간 말음 'ㅎ'이 사라지고 어미도 변함.	하얗-+-아서 → 하얘서	좋-+-아서 → 좋아서

04 단어의 의미

❶ 단어의 의미 종류

(1) 중심적 의미와 주변적 의미

① 중심적 의미: 한 단어의 가장 기본적이고 핵심적인 의미
예 발: 사람이나 동물의 다리 맨 끝부분

② 주변적 의미: 한 단어의 중심적 의미에서 확장된 의미
예 발: 가구 따위의 밑을 받쳐 균형을 잡고 있는, 짧게 도드라진 부분 / '걸음'을 비유적으로 이르는 말

❷ 단어 간의 의미 관계

(1) 유의 관계: 의미가 같거나 비슷한 단어들의 의미 관계로, 어느 경우에나 바꾸어 쓸 수 있는 것은 아님.
예 가난하다 - 빈곤하다 - 어렵다 - 곤궁하다 - 궁핍하다

(2) 반의 관계: 둘 이상의 단어의 의미가 서로 짝을 이루어 대립하는 의미 관계로, 공통적인 의미 요소를 가지면서 한 개의 의미 요소만 대립적이어야 성립함.
예 남자[+사람, +남성] - 여자[+사람, -남성]

(3) 상하 관계: 한 단어가 의미상 다른 단어를 포함하거나 다른 단어에 포함되는 관계

① 상의어: 일반적이고 포괄적인 의미를 지니는 단어

② 하의어: 개별적이고 한정적인 의미를 지니는 단어
예 과일(상의어) - 포도(하의어)

(4) 다의 관계: 하나의 단어가 둘 이상의 의미를 가지는 관계
예 손 「1」 사람의 팔목 끝에 달린 부분
「2」 손가락
「3」 일손

(5) 동음이의 관계: 소리는 같으나 의미상 공통성이 없는 둘 이상의 단어가 가지는 관계
예 밤01 - 해가 져서 어두워진 때부터 다음날 해가 떠서 밝아지기 전까지의 동안
밤02 - 밤나무의 열매

기/출/문/제/로/ 다/지/기

| 형태소의 이해와 적용 | | 고1 학평 |

01 〈보기〉의 설명을 참고할 때, ㉠을 분석한 내용으로 적절하지 않은 것은?

> 보기
>
> '형태소'는 뜻을 가진 말의 가장 작은 단위이다. 형태소는 의미의 유무에 따라 구체적인 대상이나 동작, 상태를 표시하는 실질적인 의미를 지닌 실질 형태소와 문법적인 기능을 수행하는 형식 형태소로 나눌 수 있다. 그리고 자립성의 유무에 따라 다른 말에 기대어 쓰이지 않고 홀로 사용될 수 있는 자립 형태소와 다른 말에 기대어 사용되는 의존 형태소로 나눌 수 있다.
>
> ㉠하늘이 매우 높고 푸르다.

① 자립 형태소는 모두 4개이다.
② 형식 형태소는 모두 3개이다.
③ 의존 형태소는 모두 5개이다.
④ 실질 형태소이면서 의존 형태소는 모두 2개이다.
⑤ 실질 형태소이면서 자립 형태소는 모두 2개이다.

| 합성어의 형성법 | 고난도 | | 고3 모평 |

02 〈보기〉의 ㉠에 해당하는 예로 적절한 것은?

> 보기
>
> 합성어는 어근과 어근이 결합하여 형성되는데, 어근들의 결합 방식에 따라 다음과 같이 둘로 나눌 수 있다.
>
> • 통사적 합성어: 어근들의 결합 방식이 일반적인 문장 구성 방식과 같은 합성어
> • ㉠비통사적 합성어: 어근들의 결합 방식이 일반적인 문장 구성 방식과 다른 합성어

① 아이들이 뛰노는 소리가 밖에서 들렸다.
② 서로 몰라볼 정도로 세월이 많이 흘렀다.
③ 저마다의 타고난 소질을 계발하는 것이 중요하다.
④ 지난달부터 공부를 열심히 했더니 자신감이 생겼다.
⑤ 망치질을 자주 하다 보니 손바닥에 굳은살이 박였다.

| 형태소의 특징 | 고난도 | | 고3 수능 |

03 다음의 (가)에 들어갈 말로 가장 적절한 것은?

> 선생님: 지금까지 형태소의 개념 및 유형 그리고 특성에 대해 공부했지요? 그럼, 다음 자료에서 밑줄 친 말들이 가진 공통점이 무엇인지 한번 찾아보세요.
>
> • 하늘은 맑고 바다는 푸르다.
> • 그의 말은 듣지 말고 내 말을 들어라.
> • 나는 물고기를 잡았지만 놓아주었다.
>
> 학생: 밑줄 친 말들은 모두 (가)

① 단어의 자격을 가지고 반드시 다른 말과 결합하여 쓰이는군요.
② 단어의 자격을 가지고 실질적 의미가 아닌 문법적 의미를 나타내는군요.
③ 반드시 다른 말과 결합하여 쓰이고 음운 환경에 따라 그 형태가 바뀌는군요.
④ 음운 환경에 따라 형태가 바뀌고 실질적 의미가 아닌 문법적 의미를 나타내는군요.
⑤ 실질적 의미가 아닌 문법적 의미를 나타내고 반드시 다른 말과 결합하여 쓰이는군요.

| 품사의 분류 | | 고2 학평 |

04 〈보기〉의 [가]를 바탕으로 [나]를 분석한 내용으로 적절하지 않은 것은?

> 보기
>
> [가] 품사는 단어를 '형태', '기능', '의미'를 기준으로 분류한 것이다. ㉠'형태'에 따라 불변어, 가변어로, ㉡'기능'에 따라 체언, 용언, 수식언, 관계언, 독립언으로 나뉜다. 그리고 ㉢'의미'에 따라 명사, 대명사, 수사, 동사, 형용사, 관형사, 부사, 조사, 감탄사로 나뉜다.
>
> [나] 열에 아홉은 매우 착실한 학생이다.

① ㉠에 따라 나누면 '착실한'과 '이다'는 가변어이다.
② ㉡에 따라 나누면 '열'과 '학생'은 체언이다.
③ ㉡에 따라 나누면 '은'과 '이다'는 관계언이다.
④ ㉢에 따라 나누면 '아홉'과 '학생'은 같은 품사이다.
⑤ ㉢에 따라 나누면 '매우'와 '착실한'은 다른 품사이다.

| 용언의 활용 | | 고1 학평 |

05 〈보기〉는 '용언의 활용'에 대한 설명이다. ㉠의 예로 적절하지 않은 것은?

보기

용언이 활용할 때 어간이나 어미의 기본 형태가 바뀌지 않거나 바뀌어도 일반적인 음운 규칙으로 설명할 수 있는 경우를 '규칙 활용'이라고 한다. 반면, 어간이나 어미의 기본 형태가 바뀌는 것을 일반적인 음운 규칙으로 설명할 수 없는 경우를 ㉠'불규칙 활용'이라고 한다.

(가) 그녀가 모자를 벗는다.
그녀가 모자를 벗으며 방으로 들어간다.
(나) 그는 시골에 집을 짓고 있다.
그는 시골에 집을 지으며 행복해 했다.

(가)는 어간 '벗-' 뒤에 어미 '-으며'가 붙었을 때 어간의 형태가 바뀌지 않는 규칙 활용을 하는 반면, (나)는 어간 '짓-' 뒤에 어미 '-으며'가 붙었을 때 어간의 형태가 '지-'로 바뀌는 불규칙 활용을 한다.

① 그는 우물에서 물을 퍼 먹었다.
② 그는 형의 말을 비밀로 묻어 두었다.
③ 그녀는 음악을 들으면서 공부를 한다.
④ 그녀는 어머니를 도와 집안일을 하였다.
⑤ 그녀는 옥상에 올라 하늘을 바라보았다.

| 단어의 의미 | 고난도 | | 고3 모평 |

06 다음은 '사전 활용하기' 학습 활동을 위한 자료이다. 이에 대해 탐구한 내용으로 적절하지 않은 것은?

굳다 〔굳어, 굳으니, 굳는〕
Ⅰ 동
㉠ 무른 물질이 단단하게 되다. ¶ 시멘트가 굳다.
㉡ 근육이나 뼈마디가 뻣뻣하게 되다. ¶ 허리가 굳다.
Ⅱ 형 흔들리거나 바뀌지 아니할 만큼 힘이나 뜻이 강하다. ¶ 굳은 결심 / 성을 굳게 지키다
반의어 Ⅰ㉠ 녹다 1 ㉡

녹다 〔녹아, 녹으니, 녹는〕 동
1 ㉠ 얼음이나 얼음같이 매우 차가운 것이 열을 받아 액체가 되다. ¶ 얼음이 녹다 / 눈이 녹다
㉡ 고체가 열기나 습기로 말미암아 제 모습을 갖고 있지 못하고 물러지거나 물처럼 되다. ¶ 엿이 녹다
2 【…에】
㉠ 결정체(結晶體) 따위가 액체 속에서 풀어져 섞이다. ¶ 소금이 물에 녹다.
㉡ 어떤 물체나 현상 따위에 스며들거나 동화되다. ¶ 우리 정서에 녹아 든 외국 문화
반의어 1 ㉡ 굳다 Ⅰ㉠

① '굳다'는 '녹다'와 달리 두 개의 품사로 쓰인다.
② '시멘트가 굳다'의 '굳다'와 '엿이 녹다'의 '녹다'는 반의 관계이다.
③ '굳다 Ⅱ'의 용례로 '마음을 굳게 닫다'를 추가할 수 있다.
④ '녹다 2 ㉡'의 용례로 '글에는 글쓴이의 생각이 녹아 있다.'를 추가할 수 있다.
⑤ '초콜릿이 순식간에 녹았다.'의 '녹다'는 '녹다 2 ㉠'에 해당하므로 주어 외에도 다른 문장 성분을 필요로 한다.

[07~08] 다음 글을 읽고 물음에 답하시오.

어근은 파생이나 합성 등 조어(造語) 과정에 참여하는 요소 중 의미상 중심이 되는 부분을 말하며, 어간은 용언이 활용을 할 때 중심이 되는 줄기 부분으로서 활용에서 어미에 선행하는 부분을 말한다. 예를 들어 '맡기다'에서 '맡-'은 어근이며 '맡기-'는 어간이다.

어근이나 어간에 결합하여 특정한 의미나 기능을 부여하는 형태소를 접사라고 한다. 접사는 일반적으로 어근이나 어간과 함께 나타나야 하기 때문에 문장에서 단독으로 쓰이지 않는다. 접사는 기능에 따라 단어 파생에 기여하는 ㉠파생 접사와 활용할 때 어간에 결합하여 문법적인 기능을 표시하는 굴절 접사로 나누기도 한다. 어근의 앞에 위치하는 접두사는 굴절 접사가 없어 모두 파생 접사이고, 어근의 뒤에 위치하는 접미사는 굴절 접사와 파생 접사가 모두 존재한다. 굴절 접사는 흔히 ㉡어미라고 하는데 접사라 하면 일반적으로 파생 접사만을 가리킨다. 결국 접사는 좁은 의미로는 파생 접사만을 의미하고 넓은 의미로는 굴절 접사와 파생 접사를 모두 포함한다.

파생 접사는 새로운 단어를 만들어 내지만, 굴절 접사인 어미는 그렇지 않다. 예를 들면 '구경꾼'은 파생 접사 '-꾼'이 어근 '구경'과 결합하여 만들어진 새로운 단어이고, 이렇게 만들어진 단어는 '구경'과는 별개의 단어로 사전에 표제어로 등재된다. 이에 비해 어간 '먹-'에 어미가 결합한 '먹지, 먹자, 먹어서' 등은 사전에 표제어로 등재되지 않고, 기본형인 '먹다'만 사전에 표제어로 등재된다.

특히 ㉮파생 접사는 어근과 결합하여 새로운 단어를 만들 때 어근의 품사를 바꾸기도 하고 바꾸지 않기도 한다. 예를 들어 '군소리'에서 접두사 '군-'은 '쓸데없는'이라는 뜻으로, 어근인 '소리'가 나타낼 수 있는 뜻을 일부 제한할 뿐 품사를 바꾸지 않는다. 하지만 '놀이'는 동사의 어간 '놀-'을 어근으로 하여 접미사 '-이'가 붙어 만들어진 명사이다. 즉 접미사 '-이'는 새로운 단어를 만들 때 품사를 바꾸는 역할을 한다. 이처럼 '군-'과 같이 어근의 품사를 바꾸지 않는 접사를 한정적 접사라 하고, '-이'와 같이 어근의 품사를 바꾸는 접사를 지배적 접사라 한다.

| 파생어의 형성법 | | 고2 학평 |

07 다음 문장에서 ㉠, ㉡에 해당하는 예를 찾아 이를 설명한 내용으로 적절하지 않은 것은?

> 말썽꾸러기였던 나는 시간이 흐르고 나서야 부모님의 드높은 사랑을 깊이 깨닫게 되었다.

① '드높은'의 '드-'는 ㉠에 해당하는 예로 단어 파생에 기여하는 기능을 하는군.
② '말썽꾸러기'의 '-꾸러기'는 ㉠에 해당하는 예이며, '말썽꾸러기'는 '말썽'과 별개의 단어이겠군.
③ '되었다'의 '-었-'은 ㉡에 해당하는 예로 어간에 결합하여 특정한 기능을 부여하는 형태소이군.
④ '깊이'의 '-이'는 ㉡에 해당하는 예로 문법적인 기능을 표시하는 역할을 하는군.
⑤ '흐르고'의 '-고'는 ㉡에 해당하는 예이며, '흐르다'는 사전에 표제어로 등재되었겠군.

| 파생어의 형성법 | | 고2 학평 |

08 밑줄 친 단어 중 ㉮의 예로 적절하지 않은 것은?

① 그의 친구는 행복하였다.
② 그녀의 머릿결이 찰랑거린다.
③ 나와 그녀의 견해차를 좁혔다.
④ 아름다운 가을 하늘이 높다랗다.
⑤ 열심히 공부한 내가 자랑스럽다.

효과 빠른 약점 처방전

국어 교과서 문법편 E
EASY

정답과 해설

이투스북

교과서 문법편 E

정답과 해설

음운의 변동 I

01강 비음화, 유음화

교/과/서/ 개/념/ 알/기

활동① ① 빋또 ② 빈만 ③ 다르다

활동② ① 군는다 / ㄷ, ㄴ / ㄴ, ㄴ ② 밤물 / ㅂ, ㅁ / ㅁ, ㅁ ③ ㄴ ④ ㅁ ⑤ ㄴ, ㅁ / ㄴ, ㅁ

활동③ ① 실라 / ㄴ, ㄹ / ㄹ, ㄹ ② 칼랄 / ㄹ, ㄴ / ㄹ, ㄹ ③ ㄹ ④ ㄹ ⑤ ㄹ / ㄹ

개념 확인

01 (1) 변동 (2) ㄱ, ㄷ, ㅂ / ㅇ, ㄴ, ㅁ (3) ㄹ (4) 교체
02 (1) 장문 (2) 대괄령 (3) 달림 (4) 암날 (5) 던나기 (6) 할라산

내/신/ 문/제/로/ 다/지/기

01 ② 02 ④ 03 ⑤ 04 ⑤ 05 ⑤ 06 ②
07 ② 08 ④ 09 ① 10 ③ 11 ⑤ 12 ④
13 (1) 닫네, 단네, 음절의 끝소리 규칙, 비음화 (2) 꼳말, 꼰말, 음절의 끝소리 규칙, 비음화 14 한라산, 유음화, [할라산]
15 ※ 해설 참조

01 정답 | ②

정답 풀이

음운 변동 현상에는 교체, 탈락, 축약, 첨가가 있는데 그 종류에 따라 조음 방법 또는 조음 위치에 변화가 생기기도 한다. 환경 변화에 따라 음운의 발음이 달라지는데, 이는 발음을 편리하게 하기 위한 것이다.

02 정답 | ④

정답 풀이

눈물 → [눈물]

➡ 〈보기〉는 음운의 발음이 달라지는 음운 변동 현상에 대한 설명인데, '눈물'은 음운의 변동이 일어나지 않아 [눈물]로 발음된다.

오답 풀이

① 꽃 → [꼳]

➡ 'ㅊ'이 [ㄷ]으로 바뀌어 발음되므로, 음운 변동 중 교체 현상이 일어났다.

② 값 → [갑]

➡ 'ㅄ'에서 'ㅅ'이 없어졌으므로, 음운 변동 중 탈락 현상이 일어났다.

③ 놓는 → [녿는] → [논는]

➡ '놓'의 'ㅎ'이 [ㄷ]으로, [ㄷ]이 [ㄴ]으로 바뀌어 발음되므로, 음운 변동 중 교체 현상이 일어났다.

⑤ 덮밥 → [덥밥] → [덥빱]

➡ '덮'의 'ㅍ'이 [ㅂ]으로 바뀌어 발음되고, '밥'의 'ㅂ'이 [ㅃ]으로 바뀌어 발음되므로, 음운 변동 중 교체 현상이 일어났다.

03 정답 | ⑤

정답 풀이

광한루 → [광할루]
ㄴ+ㄹ → ㄹ+ㄹ

➡ 유음 'ㄹ'의 영향으로 '한'의 'ㄴ'이 [ㄹ]로 바뀌어 발음되는 유음화가 일어났다. 비음화는 일어나지 않았다.

오답 풀이

① 종로 → [종노] ➡ 비음화
ㅇ+ㄹ → ㅇ+ㄴ

② 밥물 → [밤물] ➡ 비음화
ㅂ+ㅁ → ㅁ+ㅁ

③ 강릉 → [강능] ➡ 비음화
ㅇ+ㄹ → ㅇ+ㄴ

④ 임란 → [임난] ➡ 비음화
ㅁ+ㄹ → ㅁ+ㄴ

04 정답 | ⑤

정답 풀이

붓하고 → [붇하고] → [부타고]

➡ 〈보기〉는 비음화에 대해 설명하고 있다. '붓하고'는 '붓'의 받침 'ㅅ'이 음절의 끝소리 규칙에 따라 [ㄷ]으로 발음되고, 'ㄷ'은 뒤의 'ㅎ'을 만나 [ㅌ]으로 축약되어 [부타고]로 발음되는데, 여기에 비음화는 일어나지 않았다.

오답 풀이

① 흙만 → [흑만] → [흥만]
ㄱ+ㅁ → ㅇ+ㅁ(비음화)

➡ 〈보기〉에 따라 '흙'의 받침 'ㄺ'은 [ㄱ]으로 발음되고, 이때 [ㄱ]은 뒤에 오는 'ㅁ'의 영향을 받아 [ㅇ]으로 바뀌어 발음되는 비음화가 일어났다.

② 밟는 → [밥는] → [밤는]
ㅂ+ㄴ → ㅁ+ㄴ(비음화)

➡ 〈보기〉에 따라 '밟'의 받침 'ㄼ'은 [ㅂ]으로 발음되고, 이때 [ㅂ]은 뒤에 오는 'ㄴ'의 영향을 받아 [ㅁ]으로 바뀌어 발음되는 비음화가 일어났다.

③ 긁는 → [극는] → [긍는]
ㄱ+ㄴ → ㅇ+ㄴ(비음화)

➡ 〈보기〉에 따라 '긁'의 받침 'ㄺ'은 [ㄱ]으로 발음되고, 이때 [ㄱ]은 뒤에 오는 'ㄴ'의 영향을 받아 [ㅇ]으로 바뀌어 발음되는 비음화가 일어났다.

④ 뒷날 → [뒫날] → [뒨날]
ㄷ+ㄴ → ㄴ+ㄴ(비음화)

➡ 〈보기〉에 따라 '뒷'의 받침 'ㅅ'은 [ㄷ]으로 발음되고, 이때 [ㄷ]은 뒤에 오는 'ㄴ'의 영향을 받아 [ㄴ]으로 바뀌어 발음되는 비음화가 일어났다.

05 정답 | ⑤

정답 풀이

실내화 → [실래화]
ㄹ+ㄴ → ㄹ+ㄹ(유음화)

➡ 〈보기〉는 'ㄱ, ㄷ, ㅂ + ㄹ → [ㅇ, ㄴ, ㅁ] + [ㄴ]'으로 상호 동화가 일어나는 비음화에 대해 설명하고 있다. '실내화'에서는 유음 'ㄹ'의 영향으로 'ㄴ'이 [ㄹ]로 바뀌어 발음되는 유음화가 일어날 뿐, 비음화는 일어나지 않았다.

오답 풀이

① 섭리 → [섬니] ㅂ+ㄹ → ㅁ+ㄴ(비음화)

➡ '섭'의 받침 'ㅂ' 뒤에서 'ㄹ'은 [ㄴ]으로 발음되고, 그 [ㄴ] 때문에 받침 'ㅂ'은 다시 [ㅁ]으로 역행 동화되어 비음화가 일어났다.

② 독립 → [동닙] ㄱ+ㄹ → ㅇ+ㄴ(비음화)

➡ '독'의 받침 'ㄱ' 뒤에서 'ㄹ'은 [ㄴ]으로 발음되고, 그 [ㄴ] 때문에 받침 'ㄱ'은 다시 [ㅇ]으로 역행 동화되어 비음화가 일어났다.

③ 막론 → [망논] ㄱ+ㄹ → ㅇ+ㄴ(비음화)

➡ '막'의 받침 'ㄱ' 뒤에서 'ㄹ'은 [ㄴ]으로 발음되고, 그 [ㄴ] 때문에 받침 'ㄱ'은 다시 [ㅇ]으로 역행 동화되어 비음화가 일어났다.

④ 박람회 → [방남회] ㄱ+ㄹ → ㅇ+ㄴ(비음화)

➡ '박'의 받침 'ㄱ' 뒤에서 'ㄹ'은 [ㄴ]으로 발음되고, 그 [ㄴ] 때문에 받침 'ㄱ'은 다시 [ㅇ]으로 역행 동화되어 비음화가 일어났다.

06 정답 | ②

정답 풀이

깎는 → [깍는] → [깡는]
음절의 끝소리 규칙(교체) 비음화

➡ 〈보기〉의 내용처럼 쌍받침 'ㄲ'은 음절의 끝소리 규칙으로 인해 대표음 [ㄱ]으로 교체된 후 뒤의 비음 'ㄴ'을 만나 [ㅇ]으로 동화되는 비음화를 겪게 된다. 즉, '깎는'에서는 탈락이 아니라 교체가 일어난 후 비음화가 일어난 것이다.

오답 풀이

① 짓는 → [짇는] → [진는]
음절의 끝소리 규칙(교체) 비음화

➡ '짓'의 받침 'ㅅ'은 음절의 끝소리 규칙에 따라 대표음 [ㄷ]으로 교체되고, [ㄷ]은 뒤의 비음 'ㄴ'을 만나 [ㄴ]으로 동화되는 비음화를 겪는다.

③ 샀는데 → [삳는데] → [산는데]
음절의 끝소리 규칙(교체) 비음화

➡ '샀'의 쌍받침 'ㅆ'은 음절의 끝소리 규칙에 따라 대표음 [ㄷ]으로 교체되고, [ㄷ]은 뒤의 비음 'ㄴ'을 만나 [ㄴ]으로 동화되는 비음화를 겪는다.

④ 키읔만 → [키윽만] → [키응만]
음절의 끝소리 규칙(교체) 비음화

➡ '읔'의 받침 'ㅋ'은 음절의 끝소리 규칙에 따라 대표음 [ㄱ]으로 교체되고, [ㄱ]은 뒤의 비음 'ㅁ'을 만나 [ㅇ]으로 동화되는 비음화를 겪는다.

⑤ 젖멍울 → [젇멍울] → [전멍울]
음절의 끝소리 규칙(교체) 비음화

➡ '젖'의 받침 'ㅈ'은 음절의 끝소리 규칙에 따라 대표음 [ㄷ]으로 교체되고, [ㄷ]은 뒤의 비음 'ㅁ'을 만나 [ㄴ]으로 동화되는 비음화를 겪는다.

07 정답 | ②

정답 풀이

남루 → [남누]
ㅁ+ㄹ → ㅁ+ㄴ

➡ 받침 'ㅁ' 뒤에 오는 '루'의 'ㄹ'이 [ㄴ]으로 바뀌어 발음되는 유음의 비음화가 일어났을 뿐, 유음화는 일어나지 않았다.

오답 풀이

① 달님 → [달림] ➡ 유음화
ㄹ+ㄴ → ㄹ+ㄹ

③ 완력 → [왈력] ➡ 유음화
ㄴ+ㄹ → ㄹ+ㄹ

④ 반려동물 → [발려동물] ➡ 유음화
ㄴ+ㄹ → ㄹ+ㄹ

⑤ 하늘나라 → [하늘라라] ➡ 유음화
ㄹ+ㄴ → ㄹ+ㄹ

08 정답 | ④

정답 풀이

들나물 → [들라물]
순행적 유음화

➡ 앞의 'ㄹ'이 뒤의 'ㄴ'에 영향을 주어 '들나물 → [들라물]'처럼 뒷소리가 앞소리를 닮게 되는 경우를 순행적 유음화라고 하며, 반대로 뒤의 'ㄹ'이 앞의 'ㄴ'에 영향을 주어 앞소리가 뒷소리를 닮게 되는 경우를 역행적 유음화라고 한다.

오답 풀이

① 산림 → [살림]
역행적 유음화

➡ '림'의 'ㄹ'이 '산'의 'ㄴ'에 영향을 주어 [ㄹ]로 바뀌어 발음되는 것으로 보아, 앞소리가 뒷소리를 닮게 되는 역행적 유음화가 일어났음을 알 수 있다.

② 편리 → [펼리]
역행적 유음화

➡ '리'의 'ㄹ'이 '편'의 'ㄴ'에 영향을 주어 [ㄹ]로 바뀌어 발음되는 것으로 보아, 앞소리가 뒷소리를 닮게 되는 역행적 유음화가 일어났음을 알 수 있다.

③ 연령 → [열령]
역행적 유음화

➡ '령'의 'ㄹ'이 '연'의 'ㄴ'에 영향을 주어 [ㄹ]로 바뀌어 발음되는 것으로 보아, 앞소리가 뒷소리를 닮게 되는 역행적 유음화가 일어났음을 알 수 있다.

⑤ 전라도 → [절라도]
역행적 유음화

➡ '라'의 'ㄹ'이 '전'의 'ㄴ'에 영향을 주어 [ㄹ]로 바뀌어 발음되는 것으로 보아, 앞소리가 뒷소리를 닮게 되는 역행적 유음화가 일어났음을 알 수 있다.

09 정답 | ①

정답 풀이

침략 → [침냑] ➡ 비음화
ㅁ+ㄹ → ㅁ+ㄴ

분란 → [불란] ➡ 유음화
ㄴ+ㄹ → ㄹ+ㄹ

오답 풀이

② 선릉 → [설릉] ➡ 유음화 (ㄴ+ㄹ → ㄹ+ㄹ)　　백마 → [뱅마] ➡ 비음화 (ㄱ+ㅁ → ㅇ+ㅁ)

③ 국립 → [궁닙] ➡ 비음화 (ㄱ+ㄹ → ㅇ+ㄴ)　　듣는다 → [든는다] ➡ 비음화 (ㄷ+ㄴ → ㄴ+ㄴ)

④ 굽는 → [굼는] ➡ 비음화 (ㅂ+ㄴ → ㅁ+ㄴ)　　잘리다[잘리다] ➡ 음운 변동 ×

⑤ 신나다[신나다] ➡ 음운 변동 ×　　권력 → [궐력] ➡ 유음화 (ㄴ+ㄹ → ㄹ+ㄹ)

10 정답 | ③

정답 풀이

빻는 → [빧는] → [빤는] (음절의 끝소리 규칙, 역행 동화(비음화))

➡ '빻'의 받침 'ㅎ'은 음절의 끝소리 규칙에 따라 대표음 [ㄷ]으로 교체된 후, 뒤에 오는 'ㄴ'의 영향을 받아 [ㄴ]으로 바뀌어 발음된다. 이는 한쪽만 영향을 받아 바뀐 것이므로 ㉠에 해당한다.

법리 → [범니] ⇒ 상호 동화(비음화) (ㅂ+ㄹ → ㅁ+ㄴ)

➡ 받침 'ㅂ' 뒤에서 'ㄹ'은 [ㄴ]으로 발음되고, 이 [ㄴ]의 영향으로 받침 'ㅂ'은 다시 [ㅁ]으로 동화되어 발음된다. 이는 양쪽 모두가 영향을 받아 바뀐 것이므로 ㉡에 해당한다.

오답 풀이

① 석류 → [성뉴] ⇒ 상호 동화(비음화) (ㄱ+ㄹ → ㅇ+ㄴ)

➡ 받침 'ㄱ' 뒤에서 'ㄹ'은 [ㄴ]으로 발음되고, 이 [ㄴ]의 영향으로 받침 'ㄱ'은 다시 [ㅇ]으로 동화되어 발음된다. 이는 양쪽 모두가 영향을 받아 바뀐 것이므로 ㉡에 해당한다.

담력 → [담녁] ⇒ 순행 동화(비음화)

➡ 받침 'ㅁ' 뒤에서 'ㄹ'은 [ㄴ]으로 발음된다. 이는 한쪽만 영향을 받아 바뀐 것이므로 ㉠에 해당한다.

② 잡는 → [잠는] ⇒ 역행 동화(비음화)

➡ 'ㄴ'의 영향으로 'ㅂ'이 [ㅁ]으로 발음된다. 이는 한쪽만 영향을 받아 바뀐 것이므로 ㉠에 해당한다.

반라 → [발라] ⇒ 역행 동화(유음화)

➡ 'ㄹ'의 영향으로 'ㄴ'이 [ㄹ]로 발음된다. 이는 한쪽만 영향을 받아 바뀐 것이므로 ㉠에 해당한다.

④ 협력 → [혐녁] ⇒ 상호 동화(비음화) (ㅂ+ㄹ → ㅁ+ㄴ)

➡ 받침 'ㅂ' 뒤에서 'ㄹ'은 [ㄴ]으로 발음되고, 이 [ㄴ]의 영향으로 받침 'ㅂ'은 다시 [ㅁ]으로 동화되어 발음된다. 이는 양쪽 모두가 영향을 받아 바뀐 것이므로 ㉡에 해당한다.

앞마당 → [압마당] → [암마당] ⇒ 역행 동화(비음화) (음절의 끝소리 규칙, 비음화)

➡ '앞'의 받침 'ㅍ'은 음절의 끝소리 규칙에 따라 대표음 [ㅂ]으로 교체되고, 이는 뒤에 오는 'ㅁ'의 영향을 받아 [ㅁ]으로 발음된다. 이는 한쪽만 영향을 받아 바뀐 것이므로 ㉠에 해당한다.

⑤ 난로 → [날로] ⇒ 역행 동화(유음화)

➡ 'ㄹ'의 영향으로 'ㄴ'이 [ㄹ]로 발음된다. 이는 한쪽만 영향을 받아 바뀐 것이므로 ㉠에 해당한다.

대통령 → [대통녕] ⇒ 순행 동화(비음화)

➡ 'ㅇ'의 영향으로 'ㄹ'이 [ㄴ]으로 발음된다. 이는 한쪽만 영향을 받아 바뀐 것이므로 ㉠에 해당한다.

11 정답 | ⑤

정답 풀이

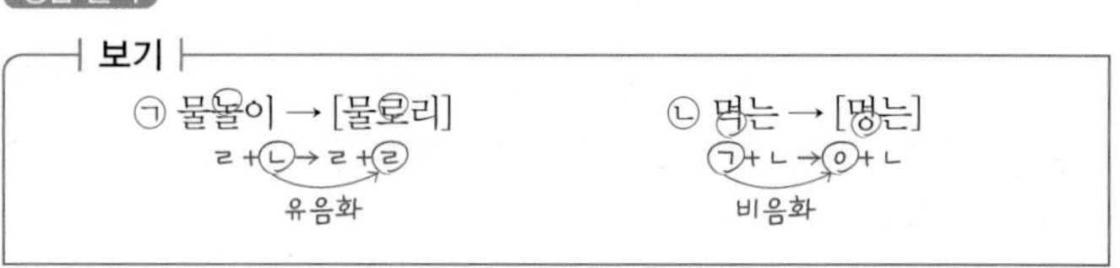

➡ ㉠에서 일어난 음운 변동 현상인 유음화는 유음이 아닌 자음 'ㄴ'이 유음 'ㄹ'의 영향을 받아 [ㄹ]로 바뀌어 발음되는 현상이고, ㉡에서 일어난 음운 변동 현상인 비음화는 비음이 아닌 자음 'ㄱ'이 비음 'ㄴ'의 영향을 받아 비음 [ㅇ]으로 바뀌어 발음되는 현상이다. 이 둘은 모두 자음이 서로 비슷하거나 같은 소리로 바뀌는 자음 동화 현상이며 음운의 변동 중 교체에 해당한다.

오답 풀이

① ㉠은 변동을 통해 '놀'의 'ㄴ'이 [ㄹ]로 바뀌어 발음되는데, 이때 변하는 것은 음운의 조음 위치(잇몸소리)가 아닌 음운의 조음 방법(비음 → 유음)이다.

② ㉠은 변동 후 음운 '놀'의 'ㄴ'이 유음 [ㄹ]로 바뀌어 발음된다.

③ ㉡은 변동 후 '먹'의 'ㄱ'이 [ㅇ]으로 바뀌어 발음되는데, 이는 교체 현상이므로 음운의 수는 줄어들지 않고 그대로다.

④ ㉡은 '먹'의 파열음 'ㄱ'이 비음 'ㄴ'을 만나 비음 [ㅇ]으로 바뀌어 발음된다.

12 정답 | ④

정답 풀이

유음화는 'ㄹ'이 'ㄴ'의 앞에 있든 뒤에 있든 위치에 상관없이 일어나는 현상이다. 예를 들어 '관련'은 뒤의 'ㄹ'이 앞의 'ㄴ'에 영향을 주고, '칼날'은 앞의 'ㄹ'이 뒤의 'ㄴ'에 영향을 주어 유음화가 일어난다. 따라서 'ㄹ'이 'ㄴ' 뒤에 위치해야 유음화가 일어난다는 설명은 적절하지 않다.

오답 풀이

① 비음화와 유음화는 한 음운이 특정 환경에서 다른 음운으로 바뀌는 현상이므로 교체에 해당하고, 말소리가 이어질 때 인접한 두 자음이 같거나 비슷한 소리로 바뀌는 현상이므로 자음 동화에 해당한다.

② 비음화는 파열음 'ㄱ, ㄷ, ㅂ'이 비음 'ㄴ, ㅁ'의 영향을 받아 각각 [ㅇ, ㄴ, ㅁ]으로 바뀌는 현상이다.

③ 학년 → [항년] ➡ 비음화 (ㄱ+ㄴ → ㅇ+ㄴ)

⑤ 관련 → [괄련] ➡ 유음화 (ㄴ+ㄹ → ㄹ+ㄹ)

13 정답 | (1) 닫네, 단네, 음절의 끝소리 규칙, 비음화　(2) 꼳말, 꼰말, 음절의 끝소리 규칙, 비음화

정답 풀이

(1) 닿네 → [닫네] → [단네]
음절의 끝소리 규칙 ㄷ+ㄴ → ㄴ+ㄴ(비음화)
(2) 꽃말 → [꼳말] → [꼰말]
음절의 끝소리 규칙 ㄷ+ㅁ → ㄴ+ㅁ(비음화)

14 정답 | 한라산, 유음화, [할라산]

정답 풀이

보기 1
천리 → [철리] ㄴ+ㄹ → ㄹ+ㄹ 유음화

한라산 → [할라산]
ㄴ+ㄹ → ㄹ+ㄹ
➡ '한라산'은 'ㄹ'이 앞의 'ㄴ'에 영향을 주어 'ㄴ'이 [ㄹ]로 바뀌어 발음되는 유음화 현상에 의해 [할라산]으로 발음된다.

15 정답 | 예 〈보기 2〉의 단어들은 각각 받침에 있는 파열음 'ㅂ, ㄷ, ㄱ'이 뒤에 나오는 비음 'ㄴ'을 만나 같은 조음 위치에 있는 비음인 'ㅁ, ㄴ, ㅇ'으로 바뀌어 발음되는 비음화가 일어났다. 이는 조음 방법이 다른 음운들이 만났을 때 동일한 조음 방법의 음운으로 변하여 발음되는 현상으로, 발음을 편리하게 하기 위해 일어난다.

서술형 해결

STEP 1 〈보기 2〉의 단어들의 받침이 각각 파열음 'ㅂ, ㄷ, ㄱ'임을 파악한다.

STEP 2 〈보기 1〉을 보고 파열음이 비음 'ㄴ'을 만나 동일한 조음 위치의 비음인 [ㅁ, ㄴ, ㅇ]으로 각각 바뀌어 발음되는 것을 파악한다.

STEP 3 두 음운이 만나 동일한 조음 방법의 음운으로 변하여 발음되는 것이 발음을 편리하게 하기 위한 것임을 파악한다.

기/출/문/제/로/ 뛰/어/넘/기

16 ④ 17 ①

16 정답 | ④

정답 풀이

닫는 → [단는]
ㄷ+ㄴ → ㄴ+ㄴ(비음화)
➡ 〈보기〉의 ㉠은 비음화에 대한 설명인데, '닫는[단는]'은 'ㄷ'이 비음 'ㄴ'의 영향으로 [ㄴ]으로 바뀌어 발음되는 비음화이므로 적절하다.

권리 → [궐리]
ㄴ+ㄹ → ㄹ+ㄹ(유음화)
➡ 〈보기〉의 ㉡은 유음화에 대한 설명인데, '권리[궐리]'는 비음 'ㄴ'이 유음 'ㄹ'의 영향으로 [ㄹ]로 바뀌어 발음되는 유음화이므로 적절하다.

오답 풀이

① 먹물 → [멍물]
ㄱ+ㅁ → ㅇ+ㅁ(비음화)
➡ 'ㄱ'이 'ㅁ'의 영향으로 [ㅇ]으로 바뀌어 발음되는 비음화이므로 ㉠의 예로 적절하다.

종력 → [종녁]
ㅇ+ㄹ → ㅇ+ㄴ(비음화)
➡ 'ㄹ'이 'ㅇ'의 영향으로 [ㄴ]으로 바뀌어 발음되는 비음화이므로 ㉡이 아니라 ㉠의 예로 적절하다.

② 국밥 → [국빱]
ㅂ → ㅃ
➡ 'ㅂ'이 [ㅃ]으로 바뀌었을 뿐, 비음화는 일어나지 않았으므로 ㉠의 예로 적절하지 않다.

설날 → [설랄]
ㄹ+ㄴ → ㄹ+ㄹ(유음화)
➡ 'ㄴ'이 'ㄹ'의 영향으로 [ㄹ]로 바뀌어 발음되는 유음화이므로 ㉡의 예로 적절하다.

③ 입는 → [임는]
ㅂ+ㄴ → ㅁ+ㄴ (비음화)
➡ 'ㅂ'이 'ㄴ'의 영향으로 [ㅁ]으로 바뀌어 발음되는 비음화이므로 ㉠의 예로 적절하다.

막내 → [망내]
ㄱ+ㄴ → ㅇ+ㄴ(비음화)
➡ 'ㄱ'이 'ㄴ'의 영향으로 [ㅇ]으로 바뀌어 발음되는 비음화이므로 ㉡이 아니라 ㉠의 예로 적절하다.

⑤ 솜이불 → [솜니불]
ㄴ이 첨가됨.
➡ 'ㄴ'이 새로 생겼을 뿐, 비음화는 일어나지 않았으므로 ㉠의 예로 적절하지 않다.

ㄹ+ㄴ → ㄹ+ㄹ(유음화)
물난리 → [물랄리]
ㄴ+ㄹ → ㄹ+ㄹ(유음화)
➡ 'ㄴ'이 'ㄹ'의 영향으로 [ㄹ]로 바뀌어 발음되는 유음화이므로 ㉡의 예로 적절하다.

17 정답 | ①

정답 풀이

식물 → [싱물]

자음	'식'의 'ㄱ'	'물'의 'ㅁ'		[싱물]의 [ㅇ]
조음 방법	파열음	비음	⇨	비음
조음 위치	연구개음	양순음		연구개음

입는 → [임는]

자음	'입'의 'ㅂ'	'는'의 'ㄴ'		[임는]의 [ㅁ]
조음 방법	파열음	비음	⇨	비음
조음 위치	양순음	치조음		양순음

뜯는 → [뜬는]

자음	'뜯'의 'ㄷ'	'는'의 'ㄴ'		[뜬는]의 [ㄴ]
조음 방법	파열음	비음	⇨	비음
조음 위치	치조음	치조음		치조음

➡ 모두 앞 자음 받침의 조음 방법이 뒤에 오는 'ㄴ'의 조음 방법과 동일하게 바뀌었음을 알 수 있다.

02강 된소리되기, 구개음화, 두음 법칙

교/과/서/ 개/념/ 알/기

활동① ① 먼저 갈께 ② ㄲ ③ 갈뜽 ④ ㄸ ⑤ 국빱 ⑥ ㅃ ⑦ 할 싸람 ⑧ ㅆ ⑨ 엽찝 ⑩ ㅉ ⑪ ㄲ, ㄸ, ㅃ, ㅆ, ㅉ ⑫ 된소리

활동② ① 구지 ② 미다지 ③ 가치 ④ 소치 ⑤ ㅈ, ㅊ ⑥ 고지 ⑦ 고디어 ⑧ 실질

활동③ ① 이익 ② ㄹ, ∅ ③ 내일 ④ ㄹ, ㄴ ⑤ 여자 ⑥ 남녀 ⑦ 이익 ⑧ 유리 ⑨ 내일 ⑩ 미래 ⑪ 첫음

개념 확인

01 (1) 된소리되기 (2) ㅈ, ㅊ (3) 형식 (4) 교체 (5) ㄴ, ㄹ (6) 표기

02 (1) 넘께 (2) 가치고 (3) 발쩐 (4) 양심 (5) 끄치야 (6) 예시 (7) 그럭쩌럭

03 (1) 된소리되기 (2) 구개음화 (3) 된소리되기 (4) 두음 법칙 (5) 구개음화 (6) 두음 법칙 (7) 된소리되기

내/신/ 문/제/로/ 다/지/기

01 ⑤	02 ⑤	03 ⑤	04 ③	05 ④	06 ⑤
07 ⑤	08 ④	09 ①	10 ④	11 ③	12 ①

13 (A) [머리수치], 구개음화 (B) [적따], 된소리되기

14 두음 법칙 (1) 탈락 (2) 교체

15 ※ 해설 참조

01 정답 | ⑤

정답 풀이

바람+과 → [바람과]
체언(어간이 아니므로 된소리되기 ×)

➡ 표준 발음법 제24항에 따라 어간 받침 'ㄴ(ㄵ), ㅁ(ㄻ)' 뒤에 결합되는 어미의 첫소리 'ㄱ, ㄷ, ㅅ, ㅈ'은 된소리로 발음한다. 이는 용언 어간에만 적용되는 규정으로, '바람과'와 같은 체언과 조사의 결합에서는 '신과[신과], 바람도[바람도]'와 같이 된소리되기가 일어나지 않는다.

오답 풀이

① 덮개 → [덥깨] 받침 'ㅂ(ㅍ)'+'ㄱ'

② 국수 → [국쑤] 받침 'ㄱ'+'ㅅ'

③ 옆집 → [엽찝] 받침 'ㅂ(ㅍ)'+'ㅈ'

④ 굳다 → [굳따] 받침 'ㄷ'+'ㄷ'

➡ 표준 발음법 제23항에 따라 받침 'ㄱ(ㄲ, ㅋ, ㄳ, ㄺ), ㄷ(ㅅ, ㅆ, ㅈ, ㅊ, ㅌ), ㅂ(ㅍ, ㄼ, ㄿ, ㅄ)' 뒤에 연결되는 'ㄱ, ㄷ, ㅂ, ㅅ, ㅈ'은 된소리로 발음한다.

02 정답 | ⑤

정답 풀이

보기
책상 → [책쌍] ➡ 된소리되기 받침 'ㄱ'+'ㅅ'

풀떼기 → [풀떼기] ➡ 된소리되기 ×
음운 변동 ×

오답 풀이

① 닫았고 → [다닫꼬]
된소리되기 / 음절의 끝소리 규칙

② 꽃다발 → [꼳따발]
된소리되기 / 음절의 끝소리 규칙

③ 낯설다 → [낟썰다]
된소리되기 / 음절의 끝소리 규칙

④ 옷고름 → [옫꼬름]
된소리되기 / 음절의 끝소리 규칙

➡ 표준 발음법 제23항에 따라 받침 'ㄱ(ㄲ, ㅋ, ㄳ, ㄺ), ㄷ(ㅅ, ㅆ, ㅈ, ㅊ, ㅌ), ㅂ(ㅍ, ㄼ, ㄿ, ㅄ)' 뒤에 연결되는 'ㄱ, ㄷ, ㅂ, ㅅ, ㅈ'은 된소리로 발음한다.

03 정답 | ⑤

정답 풀이

엎고 → [업꼬]
된소리되기 / 음절의 끝소리 규칙

절도(竊盜) → [절또]
된소리되기

➡ '엎고'는 ㉠에 따라 음절의 끝소리 규칙 적용 후 된소리되기가 일어나므로 [업고]가 아닌 [업꼬]로 발음해야 한다. '절도'는 ㉡에 따라 된소리되기가 일어나므로 [절또]로 발음하는 것이 맞다.

오답 풀이

① 〈보기〉의 예시 중 '꺾다 → [꺽따]'가 이 경우에 속한다.
된소리되기 / 음절의 끝소리 규칙(교체)

② ㉡에서 '몇 개의 경우를 제외하고' 된소리되기가 일어난다고 하였으므로 동일한 음운 환경이라도 항상 된소리되기가 적용되는 것은 아니다.

③ 싫다 → [실따]
된소리되기 / 음절의 끝소리 규칙

꽂고 → [꼳꼬]
된소리되기 / 음절의 끝소리 규칙

➡ ㉠에 따라 음절의 끝소리 규칙이 일어난 후 그 뒤에 연결되는 'ㄷ'과 'ㄱ'이 각각 [ㄸ]과 [ㄲ]으로 발음되는 된소리되기가 일어났다.

④ 물질(物質) → [물찔]
된소리되기

발전(發展) → [발쩐]
된소리되기

➡ ㉡에 따라 한자어의 받침 'ㄹ' 뒤에 연결되는 'ㅈ'이 [ㅉ]으로 발음되는 된소리되기가 일어났다.

04 정답 | ③

정답 풀이

여기에 앉아서 쉬어 가세요. → [여기에 안자서 쉬어/쉬여 가세요.]

➡ '앉아서'는 어간 받침이 'ㄴ(ㄵ)'이지만, 뒤에 결합되는 어미의 첫소리가 '아'이므로 된소리되기가 일어나지 않는다.

오답 풀이

① 더듬지 → [더듬찌] (된소리되기)

② 신고 → [신꼬] (된소리되기)

④ 젊다 → [점따] (된소리되기)

⑤ 닮고 → [담꼬] (된소리되기)

➡ 모두 어간 받침 'ㄴ(ㄵ), ㅁ(ㄻ)' 뒤에서 어미 'ㄱ, ㄷ, ㅈ'이 결합했을 때 된소리되기가 일어났다.

05 정답 | ④

정답 풀이

보기
맏이 → [마지] ➡ 구개음화 받침 'ㄷ'+형식 형태소 'ㅣ' → [ㅈ]

미닫이 → [미다지]

받침 'ㄷ'+형식 형태소 'ㅣ' → [ㅈ]

➡ 〈보기〉의 단어는 구개음화가 일어나는 단어이다. '미닫이'는 위와 같이 구개음화가 일어나 [미다지]로 발음된다.

오답 풀이

① 맏형 → [마텽], ③ 국화 → [구콰]

➡ '맏형'과 '국화'는 각각 [마텽], [구콰]로 발음되는데, 이는 'ㄱ, ㄷ, ㅂ, ㅈ'이 'ㅎ'과 결합하여 'ㅋ, ㅌ, ㅍ, ㅊ'으로 바뀌는 거센소리되기가 일어난 것이다.

② 마디[마디]

➡ 음운 변동이 일어나지 않는다.

⑤ 받는다 → [반는다] (비음화)

➡ 받침 'ㄷ'이 뒤의 'ㄴ'의 영향으로 비음 [ㄴ]으로 동화되는 비음화가 일어났다.

06 정답 | ⑤

정답 풀이

등받이 → [등바지]

받침 'ㄷ'+형식 형태소 'ㅣ' → [ㅈ]

➡ 받침 'ㄷ'이 뒤의 형식 형태소 'ㅣ'를 만나 [ㅈ]으로 변하며 구개음화가 일어났으므로 적절하다.

오답 풀이

① 좋다 → [조타]

➡ '좋다'는 'ㄷ'이 'ㅎ'과 만나 [ㅌ]이 되는 거센소리되기로 인해 [조타]라고 발음된다.

② 닦다 → [닥따] (음절의 끝소리 규칙, 된소리되기)

➡ '닦다'는 음절의 끝소리 규칙과 된소리되기가 일어나 [닥따]로 발음된다.

③ 디디다[디디다], ④ 지키다[지키다]

➡ 음운 변동이 일어나지 않는다.

07 정답 | ⑤

정답 풀이

보기
붙- + -이- + -어 → 붙여[부쳐] ➡ 구개음화 받침 'ㅌ'+형식 형태소 'ㅣ' → [ㅊ]

곧이듣다 → [고지듣따] ➡ 구개음화 (받침 'ㄷ'+형식 형태소 'ㅣ' → [ㅈ])

밭이 → [바치] ➡ 구개음화

받침 'ㅌ'+형식 형태소 'ㅣ' → [ㅊ]

➡ 〈보기〉의 '붙여[부쳐]'에서는 구개음화가 일어나고 있다. '곧이듣다'는 받침 'ㄷ'과 형식 형태소 'ㅣ'가 만나 [ㅈ]으로 발음되는 구개음화가 일어나고, '밭이'는 받침 'ㅌ'과 형식 형태소 'ㅣ'가 만나 [ㅊ]으로 발음되는 구개음화가 일어난다.

오답 풀이

① 끝이 → [끄치] ➡ 구개음화

핥다 → [할따] ➡ 된소리되기

② 같이 → [가치] ➡ 구개음화

다치다[다치다] ➡ 음운 변동 ×

③ 땀받이 → [땀바지] ➡ 구개음화

같은[가튼] ➡ 음운 변동 ×

④ 해돋이 → [해도지] ➡ 구개음화

햇볕을 → [해뼈틀/핻뼈틀] ➡ 된소리되기

08 정답 | ④

정답 풀이

닻이[다치]

➡ 〈보기〉는 구개음화에 대한 설명이다. [다치]는 앞 음절의 끝 자음이 모음으로 시작되는 뒤 음절의 초성으로 이어져 소리 나는 연음에 의해 'ㅊ' 받침을 뒤 음절의 초성으로 이어 발음한 것일 뿐, 구개음화는 일어나지 않았다.

오답 풀이

① 벼훑이 → [벼훌치] ➡ 구개음화

받침 'ㅌ(ㄾ)'+ 형식 형태소 'ㅣ' → [ㅊ]

② 굳이 → [구지] ➡ 구개음화

받침 'ㄷ'+ 형식 형태소 'ㅣ' → [ㅈ]

③ 콩밭이다 → [콩바치다] ➡ 구개음화

받침 'ㅌ'+ 형식 형태소 'ㅣ' → [ㅊ]

⑤ 밭이랑 → [바치랑] ➡ 구개음화

받침 'ㅌ'+ 형식 형태소 'ㅣ' → [ㅊ]

09 정답 | ①

정답 풀이

여자(女子) – 남여(男女)

여자 녀

➡ 한글 맞춤법 제10항에 따르면, 한자음 '녀, 뇨, 뉴, 니'가 단어 첫머리에 올 적에는, 두음 법칙에 따라 '여, 요, 유, 이'로 적는다. 단, 단어의 첫머리 이외의 경우에는 본음대로 적는다. 따라서 한자음 '女(여자 녀)'의 표기는 상황에 따라 '여자(女子) – 남녀(男女)'로 하는 것이 맞다.

오답 풀이

② 요소(尿素) – 당뇨(糖尿)
오줌 뇨

③ 유대(紐帶) – 결뉴(結紐)
끈 뉴

④ 익사(溺死) – 탐닉(耽溺)
빠질 닉

⑤ 이승(尼僧) – 비구니(比丘尼)
중 니

➡ 모두 '녀, 뇨, 뉴, 니'로 시작하는 한자어이므로 단어의 첫머리에 올 때에는 두음 법칙을 적용하여 '여, 요, 유, 이'로 적고, 단어의 첫머리 이외의 경우에는 본음대로 적는다.

10 정답 | ④

정답 풀이

년세(年 해 년, 歲 해 세) → 연세

➡ 한자음 '年(해 년)'이 단어의 첫머리에 오면서 두음 법칙이 일어나 '연'으로 적은 경우이다.

오답 풀이

① 녀석, ② 니은, ③ 여기

➡ 셋 다 고유어이므로 두음 법칙과 관련이 없다.

⑤ 유치(乳齒)

➡ '乳(젖 유)'는 원래 음이 '유'이기 때문에 두음 법칙과 관련이 없다.

11 정답 | ③

정답 풀이

쌍룡(雙 쌍 쌍, 龍 용 룡) ➡ 두음 법칙 ×

단어 첫머리가 아님.

➡ 한자음 '龍(용 룡)'이 단어의 첫머리 이외의 경우에 쓰였으므로 두음 법칙이 적용되지 않아 원음대로 '쌍룡'으로 적어야 한다.

오답 풀이

① 량심(良 어질 량, 心 마음 심) → 양심 ➡ 두음 법칙 ○
단어 첫머리

② 류행(流 흐를 류, 行 갈 행) → 유행 ➡ 두음 법칙 ○
단어 첫머리

④ 급류(急 급할 급, 流 흐를 류) ➡ 두음 법칙 ×
단어 첫머리가 아님.

⑤ 혼례(婚 혼인할 혼, 禮 예도 례) ➡ 두음 법칙 ×
단어 첫머리가 아님.

12 정답 | ①

정답 풀이

노인(老 늙을 로, 人 사람 인) → ㉠의 예(두음 법칙 ○)

거래(去 갈 거, 來 올 래) → ㉡의 예(두음 법칙 ×)

➡ '노인(老人)'은 한자음 '老(늙을 로)'가 단어의 첫머리에 쓰였으므로 ㉠에 따라 '노인'이 맞고, '거래(去來)'는 한자음 '來(올 래)'가 단어의 첫머리 이외에 쓰였으므로 ㉡에 따라 '거래'가 맞다.

오답 풀이

② 능묘(陵 큰 언덕 릉, 墓 무덤 묘)
→ ㉠의 예(두음 법칙 ○)
극낙(極 다할 극, 樂 즐길 락)
→ ㉡에 따라 '락'으로 써야 함. (두음 법칙 ×)

③ 태능(泰 클 태, 陵 큰 언덕 릉)
→ ㉡에 따라 '릉'으로 써야 함. (두음 법칙 ×)
낙뢰(落 떨어질 낙, 雷 우레 뢰)
→ ㉡의 예 (두음 법칙 ×)

④ 누각(樓 다락 루, 閣 문설주 각)
→ ㉠의 예 (두음 법칙 ○)
연말(年 해 년, 末 끝 말)
→ '年(해 년)'은 '녀'로 시작하는 한자음으로 첫머리에 올 때는 '연'으로 써야 하는데, ㉠과 ㉡에 모두 해당하지 않음. (두음 법칙 ○)

⑤ 래일(來 올 래, 日 날 일)
→ ㉠에 따라 '내'로 써야 함. (두음 법칙 ○)
광한루(廣 넓을 광, 寒 찰 한, 樓 다락 루)
→ ㉡의 예(두음 법칙 ×)

13 정답 | (A) [머리수치], 구개음화 (B) [적따], 된소리되기

정답 풀이

(A) 머리숱이 → [머리수치] ➡ 구개음화
받침 'ㅌ'+ 형식 형태소 'ㅣ' → [ㅊ]

(B) 적다 → [적따] ➡ 된소리되기
받침 'ㄱ'+'ㄷ' → 'ㄸ'

14 정답 | 두음 법칙 (1) 탈락 (2) 교체

정답 풀이

(1) **닉명(匿 숨을 닉, 名 이름 명) → 익명**

➡ 한자음 '匿(숨을 닉)'이 단어의 첫머리에 오면서 두음 법칙이 일어나 'ㄴ'이 탈락하였다.

(2) **라체(裸 벌거벗을 라, 體 몸 체) → 나체**

➡ 한자음 '裸(벌거벗을 라)'가 단어의 첫머리에 오면서 두음 법칙이 일어나 'ㄹ'이 'ㄴ'으로 교체되었다.

15 정답 | [난나치] / 예 '낱낱이'의 첫음절 '낱'은 음절의 끝소리 규칙에 의해 받침 'ㅌ'이 대표음 [ㄷ]으로 바뀌어 [낟낱이]가 된다. 이후 이 [ㄷ]은 뒤에 오는 '낱'의 첫음절 'ㄴ'의 영향으로 비음화가 일어나 [ㄴ]으로 바뀌어 발음된다. 마지막으로 두 번째 음절의 받침인 'ㅌ'은 뒤의 형식 형태소 'ㅣ'를 만나 [ㅊ]으로 바뀌는 구개음화를 겪고, 이러한 과정을 통해 최종적으로 '낱낱이'는 [난나치]로 발음된다.

서술형 해결

STEP 1 첫음절의 받침 'ㅌ'에 음절의 끝소리 규칙이 적용됨을 파악한다.

STEP 2 [ㄷ]이 'ㄴ'의 영향을 받아 비음화가 일어남을 파악한다.

STEP 3 두 번째 음절 '낱'의 받침 'ㅌ'과 뒤의 형식 형태소 'ㅣ'가 만나 구개음화가 일어남을 파악한다.

기출 문제로 뛰어넘기

16 ② 17 ①

16 정답 | ②

정답 풀이

㉡ 뻗대도 → [뻗때도]
된소리되기

➡ 표준 발음법 제23항에서 받침 'ㄷ' 뒤에 연결되는 'ㄷ'은 된소리로 발음한다고 하였다. 따라서 '뻗대도'는 [뻗때도]로 발음하여야 한다.

오답 풀이

① ㉠ 국밥 → [국빱]
된소리되기

➡ '국밥'은 받침 'ㄱ' 뒤에 'ㅂ'이 온 경우이므로 제23항에 따라 [국빱]으로 발음하는 것이 적절하다.

③ ㉢ 껴안다 → [껴안따]
된소리되기

➡ '껴안다'는 어간 받침 'ㄴ' 뒤에 어미의 첫소리로 'ㄷ'이 온 경우이므로 제24항에 따라 [껴안따]로 발음하는 것이 적절하다.

④ ㉣ 삼고 → [삼꼬]
된소리되기

➡ '삼고'는 어간 받침 'ㅁ' 뒤에 어미의 첫소리로 'ㄱ'이 온 경우이므로 제24항에 따라 [삼꼬]로 발음하는 것이 적절하다.

⑤ ㉤ 갈등 → [갈뜽]
된소리되기

➡ '갈등(葛藤)'은 한자어 'ㄹ' 받침 뒤에 'ㄷ'이 연결된 경우이므로 제26항에 따라 [갈뜽]으로 발음하는 것이 적절하다.

17 정답 | ①

정답 풀이

가마솥을 → [가마소틀]

➡ '가마솥을'은 '가마솥' 뒤에 형식 형태소인 '을'이 결합된 경우이므로 구개음화가 일어나지 않는다. 음절의 끝소리 'ㅌ'이 모음으로 시작하는 형식 형태소 '을'을 만나 대표음으로 바뀌지 않고 뒤 음절의 첫소리가 된 것이므로 [가마소틀]로 발음된다.

물받이 → [물바지]
받침 'ㄷ'+형식 형태소 'ㅣ' → [ㅈ]

➡ '물받이'는 받침 'ㄷ'이 형식 형태소 모음 'ㅣ'와 만나 [ㅈ]으로 바뀌어 발음되는 구개음화가 일어나므로 [물바지]로 발음된다.

03강 모음 탈락, 반모음 첨가, 거센소리되기

교과서 개념 알기

활동① ① ㅡ ② ㅡ ③ ㅏ ④ ㅓ ⑤ ㅡ ⑥ ㅏ, ㅓ

활동② ① 아니요 ② 갇추워 ③ 조와 ④ 모음 ⑤ 모음 ⑥ 반모음

활동③ ① 마텽 / ㄷ, ㅎ, ㅌ ② 구피다 / ㅂ, ㅎ, ㅍ ③ 저치다 / ㅈ, ㅎ, ㅊ ④ ㅌ ⑤ ㅍ ⑥ ㅊ ⑦ 거센 ⑧ ㅎ / ㅌ, ㅍ, ㅊ

개념 확인

01 (1) 모음 탈락 (2) ㅡ (3) 동음 탈락 (4) 반모음 (5) ㅋ, ㅌ, ㅍ, ㅊ

02 (1) ㅡ (2) ㅡ (3) ㅡ (4) ㅏ

03 (1) × (2) ×

04 (1) 배캅 (2) 노치 (3) 발펴서

내신 문제로 다지기

01 ④ 02 ② 03 ① 04 ④ 05 ⑤ 06 ①
07 ⑤ 08 ④ 09 ⑤ 10 ② 11 ③, ④ 12 ④
13 ㅡ, ㅓ, ㅏ 14 ※ 해설 참조

01 정답 | ④

정답 풀이

펴고(펴-+-고)

➡ 〈보기〉는 음운의 탈락 현상에 대한 내용이다. '펴고'는 어간 '펴-'에 어미 '-고'가 결합하였으므로 탈락된 음운이 없다.

오답 풀이

① 자-+-아라 → 자라 ➔ 'ㅏ' 탈락
1개 탈락

② 끄-+-어서 → 꺼서 ➔ 'ㅡ' 탈락
탈락

③ 치르-+-어 → 치러 ➔ 'ㅡ' 탈락
탈락

⑤ 모으-+-아라 → 모아라 ➔ 'ㅡ' 탈락
탈락

02 정답 | ②

정답 풀이

끄-+-어 → 꺼 ➔ 'ㅡ' 탈락
탈락

➡ '끄'의 'ㅡ'가 뒤의 'ㅓ'를 만나 탈락하는 'ㅡ' 탈락 현상이 일어났다.

오답 풀이

① 짜-+-아 → 짜 ➔ 'ㅏ' 탈락
1개 탈락

③ 나- + -아 → 나 ➡ 'ㅏ' 탈락
1개 탈락
④ 곤두서- + -어 → 곤두서 ➡ 'ㅓ' 탈락
1개 탈락
⑤ 파- + -아서 → 파서 ➡ 'ㅏ' 탈락
1개 탈락
➡ 어간 말 모음과 어미 첫 모음이 'ㅏ/ㅓ'로 같아서 하나가 탈락하는 동음 탈락 현상이 일어났다.

03 정답 | ①

정답 풀이

치- + -어 → [치여]
반모음 'ㅣ[j]' 첨가
➡ 모음 'ㅣ'로 끝난 용언 어간에 모음 어미가 결합하며 반모음 'ㅣ[j]'의 첨가가 일어났다.

오답 풀이

② 뜨- + -어서 → [떠서] ➡ 'ㅡ' 탈락
탈락
③ 끼- + -어서 → [껴서]
ㅣ+ㅓ → ㅕ(축약)
④ 주- + -어서 → [줘서]
ㅜ+ㅓ → ㅝ(축약)
⑤ 꾸- + -어서 → [꿔서]
ㅜ+ㅓ → ㅝ(축약)

04 정답 | ④

정답 풀이

좋은(좋- + -은) → [조은]
'ㅎ' 탈락
➡ 'ㅎ'이 'ㄱ, ㄷ, ㅂ, ㅈ'과 만나지 않았으므로 거센소리되기가 일어나지 않는다. 용언의 어간 받침 'ㅎ'이 모음으로 시작하는 어미를 만나면 'ㅎ' 탈락이 일어난다.

오답 풀이

① 낳고 → [나코]
ㅎ+ㄱ → ㅋ(축약)
② 역할 → [여칼]
ㄱ+ㅎ → ㅋ(축약)
③ 좁혀 → [조펴]
ㅂ+ㅎ → ㅍ(축약)
⑤ 그렇지 → [그러치]
ㅎ+ㅈ → ㅊ(축약)
➡ 'ㅎ'과 예사소리 'ㄱ, ㄷ, ㅂ, ㅈ'이 만나면 거센소리 [ㅋ, ㅌ, ㅍ, ㅊ]으로 축약이 일어난다.

05 정답 | ⑤

정답 풀이

하얗게 → [하야케]
ㅎ+ㄱ → ㅋ(거센소리되기)
➡ 'ㅎ'이 'ㄱ'과 결합하여 [ㅋ]으로 줄어드는 거센소리되기만 일어나므로, 축약은 일어나지만 첨가는 일어나지 않는다.

오답 풀이

① 뚜렷하다 → [뚜렫하다] → [뚜려타다]
음절의 끝소리 규칙 ㄷ+ㅎ → ㅌ(거센소리되기)
➡ '뚜렷하다'는 음절의 끝소리 규칙 한 번과 거센소리되기 한 번, 즉 총 두 번의 음운 변동 과정을 거친다.
② 많고 → [만코]
ㅎ+ㄱ → ㅋ(거센소리되기)
➡ '많고'의 받침 'ㄶ'의 'ㅎ'이 뒤의 'ㄱ'과 결합하여 [ㅋ]으로 축약되는 거센소리되기가 일어난다.
③ 숱한 → [숟한] → [수탄]
음절의 끝소리 규칙 ㄷ+ㅎ → ㅌ(거센소리되기)
➡ '숱'은 음절의 끝소리 규칙에 의해 [숟]으로 바뀐 후, 거센소리되기에 의해 [ㄷ]과 'ㅎ'이 [ㅌ]으로 축약되어 [수탄]으로 발음된다.
④ 울긋불긋하다 → [울귿불귿하다] → [울귿불그타다]
음절의 끝소리 규칙 ㄷ+ㅎ → ㅌ(거센소리되기)
➡ '울긋불긋하다'는 음운 교체 현상인 음절의 끝소리 규칙에 의해 [울귿불귿하다]로 바뀐 후, 음운 축약 현상인 거센소리되기에 의해 '귿'의 [ㄷ]과 뒤의 'ㅎ'이 결합하여 [ㅌ]으로 축약되어 [울귿불그타다]로 발음된다.

06 정답 | ①

정답 풀이

닫히다 → [다티다] → [다치다]
ㄷ+ㅎ → ㅌ(거센소리되기) ㅌ+ㅣ → ㅊ+ㅣ(구개음화)
➡ '닫히다'는 'ㄷ'과 'ㅎ'이 만나 거센소리되기를 겪으며 축약된 [ㅌ]이, 뒤의 형식 형태소 'ㅣ'와 결합하며 [ㅊ]으로 바뀌는 구개음화를 겪는다.

오답 풀이

② 달맞이 → [달마지] → 연음(음운 변동 ×)
➡ 앞 음절의 끝 자음이 모음으로 시작되는 뒤 음절의 초성으로 이어져 소리 나는 현상을 연음이라고 한다. 이 현상은 음운이 바뀌지 않기 때문에 음운 변동에 해당하지 않는다. '달맞이'는 '달+맞-+-이'로 분석되는데, '맞-'의 자음 받침 'ㅈ'이 뒤 음절의 초정으로 옮겨 가 '마지'로 발음된다.
③ 같이 → [가치]
ㅌ+ㅣ → ㅊ+ㅣ(구개음화)
➡ '같'의 받침 'ㅌ'이 뒤의 형식 형태소 'ㅣ'를 만나 [ㅊ]으로 바뀌는 구개음화가 일어났을 뿐, 음절의 끝소리 규칙은 일어나지 않았다.
④ 앉히다 → [안치다]
ㅈ+ㅎ → ㅊ(거센소리되기)
➡ '앉'의 'ㅈ'이 뒤의 'ㅎ'과 결합하여 [ㅊ]으로 축약되며 거센소리되기가 일어난다. 음절의 끝소리 규칙과 구개음화는 일어나지 않는다.
⑤ 잊히다 → [이치다]
ㅈ+ㅎ → ㅊ(거센소리되기)
➡ '잊'의 'ㅈ'이 뒤의 'ㅎ'과 결합하여 [ㅊ]으로 축약되며 거센소리되기만 일어난다.

07 정답 | ⑤

정답 풀이

아프- + -아도 → 아파도 ➡ 탈락
탈락

끓고 → [끌코] ➡ 축약
ㅎ+ㄱ → ㅋ(거센소리되기, 축약)

오답 풀이

① 오-+-아 → 와 ➡ 축약
ㅗ+ㅏ → ㅘ(축약)

국물 → [궁물] ➡ 교체
ㄱ+ㅁ → ㅇ+ㅁ (비음화, 교체)

② 만나-+-아 → 만나 ➡ 탈락
1개 탈락

칼날 → [칼랄] ➡ 교체
ㄹ+ㄴ → ㄹ+ㄹ (유음화, 교체)

③ 먹어 → [머거] ➡ 연음(음운 변동 ×)

깎고 → [깍꼬] ➡ 교체
음절의 끝소리 규칙 (교체) 된소리되기(교체)

④ 크-+-어지고 → 커지고 ➡ 탈락
탈락

낳아 → [나아] ➡ 탈락
탈락

08 정답 | ④

정답 풀이

잠그-+-아 → 잠가
탈락

➡ 어간 '잠그-'의 끝 모음인 'ㅡ'가 뒤에 오는 'ㅏ'를 만나 탈락하여 '잠가'가 된다.

오답 풀이

① 파랗다 → [파라타]
ㅎ+ㄷ → ㅌ(거센소리되기)

➡ '랗'의 받침 'ㅎ'과 뒤의 'ㄷ'이 결합하여 [ㅌ]으로 축약되는 거센소리되기 현상이 일어났다.

② 기쁘-+-어서 → 기뻐서
탈락

➡ 어간의 끝 모음인 'ㅡ'가 뒤에 오는 'ㅓ'를 만나 탈락하였다.

③ 사-+-아서 → 사서
1개 탈락

➡ 어간 끝 모음 'ㅏ'와 어미 첫 모음 'ㅏ'가 만나서 하나가 탈락하였다.

⑤ 책이오 → [책이요(허용) / 책이오(원칙)]
반모음 'ㅣ[j]' 첨가

➡ 모음 'ㅣ'와 모음 'ㅗ'가 결합되면서 모음 충돌을 막기 위해 반모음 'ㅣ[j]'가 첨가되는 현상이 일어나기도 한다.

09 정답 | ⑤

정답 풀이

끝나-+-아서 → [끈나서]
1개 탈락

급히 → [그피]
ㅂ+ㅎ → ㅍ(거센소리되기)

➡ '끝나서'는 '끝나-'와 '-아서'가 만나 두 개의 'ㅏ' 중 하나가 탈락하며 음운의 개수가 하나 줄어든다. '급히'는 'ㅂ'과 'ㅎ'이 만나 거센소리 [ㅍ]으로 축약되면서 음운의 개수가 하나 줄어든다.

오답 풀이

① 크-+-어서 → 커서
탈락

앞서-+-어서 → 앞서서
1개 탈락

➡ '커서'에서는 'ㅡ'가 탈락하였고 '앞서서'에서는 'ㅓ'가 한 개 탈락하였다.

② 뜨-+-어서 → 떠서
탈락

➡ 어간의 'ㅡ' 탈락이 표기에 반영되었음을 알 수 있다.

읊-+-어라 → 읊어라[을퍼라]

➡ 음운이 교체, 탈락, 첨가, 축약되지 않았다. 즉 음운 변동이 일어나지 않았다.

③ 백합 → [배캅]
ㄱ+ㅎ → ㅋ(거센소리되기)

➡ 'ㄱ'과 'ㅎ'이 결합하여 [ㅋ]으로 축약되면서 6개의 음운이 5개의 음운으로 줄어들었다.

쓰-+-어라 → 써라
탈락

➡ 어간의 'ㅡ'가 탈락하면서 5개의 음운이 4개의 음운으로 줄어들었다.

④ 모음으로 끝나는 형태소에 또 모음 형태소가 결합할 때 반모음 첨가가 일어날 수 있는데, 그중 '피어[피여]'는 반모음 'ㅣ[j]'가 첨가되었으므로 표준 발음으로 허용하는 사례 중 하나이다. '좋아[조와]'는 반모음 'ㅗ[w]'가 첨가되었으므로 표준 발음으로 허용하는 사례에 속하지 않는다.

10 정답 | ②

정답 풀이

㉠ 거센소리되기

ⓑ 축하 → [추카]
ㄱ+ㅎ → ㅋ(거센소리되기)

ⓓ 않더라도 → [안터라도]
ㅎ+ㄷ → ㅌ(거센소리되기)

㉡ 모음 탈락

ⓐ 가-+-아서 → 가서 ➡ 'ㅏ' 탈락
1개 탈락

ⓒ 담그-+-아 → 담가 ➡ 'ㅡ' 탈락
탈락

㉢ 반모음 첨가

ⓔ 되어 → [되여(허용) / 되어(원칙)]
반모음 'ㅣ[j]' 첨가

11 정답 | ③, ④

정답 풀이

꽃이[꼬치] ➡ 연음(음운 변동 ×)

➡ '꽃'의 자음 받침 'ㅊ'이 뒤 음절의 초성으로 이어져 발음되는 연음 현상이 일어날 뿐, 음운 변동은 일어나지 않았다.

생기-+-었-+-다 → [생겯따]
ㅣ+ㅓ → ㅕ (축약)

➡ 어간 끝 음절 'ㅣ'와 어미의 'ㅓ'가 만나 'ㅕ'로 축약되었다. 반모음 첨가 현상은 일어나지 않았다.

오답 풀이

① 놓기 → [노키] ➡ 거센소리되기
ㅎ+ㄱ → ㅋ

② 못했다 → [몯했다] → [모탣따]
음절의 끝소리 규칙 ㄷ+ㅎ → ㅌ(거센소리되기)

➡ '못'이 음절의 끝소리 규칙에 의해 [몯]으로 바뀌고 이때 [ㄷ]이 뒤의 'ㅎ'를 만나 거센소리되기가 일어난다.

⑤ 지나-+-아 → 지나 ➡ 'ㅏ' 탈락
1개 탈락

➡ 어간 '지나-'의 'ㅏ'와 어미 '-아'의 'ㅏ'가 만나 하나가 탈락하였고, 이는 그대로 표기에 반영되었다.

12 정답 | ④

정답 풀이

ㄱ. 되어 → [되여(허용) / 되어(원칙)]
피어 → [피여(허용) / 피어(원칙)]
아니오 → [아니요(허용) / 아니오(원칙)] ➜ 반모음 첨가

ㄴ. 크-+-어서 → 커서 (탈락)
쓰-+-어서 → 써서 (탈락)
자-+-아서 → 자서 (탈락) ➜ 모음 탈락

ㄷ. 노랗게 → [노라케] (ㅎ+ㄱ → ㅋ)
좁히지 → [조피지] (ㅂ+ㅎ → ㅍ)
옳지는 → [올치는] (ㅎ+ㅈ → ㅊ) ➜ 거센소리되기

지-+-었-+-네 → 졌네 (ㅣ+ㅓ → ㅕ (축약))

➡ '지다'의 어간 '지-'의 'ㅣ'와 어미 '-었-'의 'ㅓ'가 만나 'ㅕ'로 축약되었다. 반모음 첨가나 모음 탈락은 일어나지 않았다.

오답 풀이

① 기어 → [기여(허용) / 기어(원칙)]

➡ '기어'는 어미의 'ㅓ'가 [ㅕ]로 소리 나는 반모음 첨가 현상이 일어나기도 한다.

② 따르-+-아 → 따라 (탈락) ➜ 모음 탈락

③ 암기화 → [암기콰] (ㄱ+ㅎ → ㅋ) ➜ 거센소리되기(축약)

⑤ 맏형이오 → [마텽이요(허용) / 마텽이오(원칙)] (ㄷ+ㅎ → ㅌ (거센소리되기), 반모음 'ㅣ[j]'첨가)

➡ 'ㄷ'과 'ㅎ'이 결합하여 [ㅌ]이 되는 거센소리되기가 일어나고, 'ㅗ'는 'ㅣ'와 만나 [ㅛ]로 발음되는 반모음 첨가가 일어날 수 있다.

13 정답 | ㅡ, ㅓ, ㅏ

정답 풀이

쓰-+-었-+-다 → 썼다 (탈락) ➜ 'ㅡ' 탈락
건너-+-어서 → 건너서 (1개 탈락) ➜ 'ㅓ' 탈락
타-+-아라 → 타라 (1개 탈락) ➜ 'ㅏ' 탈락

14 정답 | 예 '갇히다'는 '갇'의 'ㄷ'이 뒤의 'ㅎ'과 결합하여 [ㅌ]으로 축약되는 거센소리되기를 겪은 후, 그 [ㅌ]이 뒤의 형식 형태소 'ㅣ'를 만나 구개음화를 겪어 [ㅊ]으로 변동하며 [가치다]로 발음된다. '맞히다'는 '맞'의 'ㅈ'이 뒤의 'ㅎ'과 결합하여 [ㅊ]으로 축약되는 거센소리되기를 겪어 [마치다]로 발음된다.

서술형 해결

STEP 1 '갇히다'의 받침 'ㄷ'이 'ㅎ'과 결합하여 거센소리되기가 일어남을 파악한다.

STEP 2 '갇히다'의 받침 'ㄷ'이 'ㅎ'과 결합하여 축약된 [ㅌ]이 형식 형태소 'ㅣ'를 만나면 구개음화가 일어남을 파악한다.

STEP 3 '맞히다'의 받침 'ㅈ'이 'ㅎ'과 결합하여 거센소리되기가 일어남을 파악한다.

기출문제로 뛰어넘기

15 ③ 16 ④

15 정답 | ③

정답 풀이

없단다 → [업단다] → [업딴다] (자음군 단순화, 된소리되기)

➡ '없'의 받침 'ㅄ'은 자음군 단순화에 따라 'ㅅ'이 탈락하여 'ㅂ'만 남고, 제23항 규정에 따라 뒤에 연결되는 '다'의 'ㄷ'과 만나 된소리되기가 일어나 [업딴다]로 발음된다. 겹받침의 뒤엣것을 뒤 음절 첫소리로 옮기는 조항인 제14항에는 해당되지 않는다.

오답 풀이

① 많던 → [만턴] (ㅎ+ㄷ → ㅌ (거센소리되기))

➡ 제12항에 따라 'ㄶ'의 'ㅎ'이 뒤 음절 첫소리 'ㄷ'과 합쳐져서 [ㅌ]으로 축약되어 [만턴]으로 발음된다.

② 젊어[절머]

➡ 제14항에 따라 겹받침의 뒤엣것만 뒤 음절 첫소리로 옮겨 [절머]로 발음한다.

④ 꽃 → [꼳] (음절의 끝소리 규칙)

➡ 제9항에 따라 받침 'ㅊ'이 대표음 [ㄷ]으로 바뀌는 음절의 끝소리 규칙이 일어난다.

⑤ 웃던 → [욷던] → [욷떤] (음절의 끝소리 규칙, 된소리되기)

➡ 제9항에 따라 '웃'의 받침 'ㅅ'이 대표음 [ㄷ]으로 바뀌는 음절의 끝소리 규칙이 일어난다. 또 제23항에 따라 받침 [ㄷ] 뒤의 'ㄷ'이 된소리로 발음되는 된소리되기가 일어난다.

16 정답 | ④

정답 풀이

크-+-어서 → 커서 (탈락)

➡ '크'의 'ㅡ'가 뒤의 'ㅓ'를 만나서 탈락하면서 '커서'가 되는데, 이때 탈락한 'ㅡ'는 모음이므로 ㉡, ㉣에 해당한다.

오답 풀이

① 싫다 → [실타] (ㅎ+ㄷ → ㅌ)

➡ '싫'의 받침 'ㅀ'에서 'ㅎ'이 뒤의 'ㄷ'과 결합하여 [ㅌ]으로 축약된다. 'ㅎ, ㄷ, ㅌ'은 모두 자음이므로 ㉠과 ㉢에 해당한다.

② 좋아요 → [조아요]
탈락
➡ '좋'의 받침 'ㅎ'이 뒤의 모음 어미와 만나면서 탈락하는데 'ㅎ'은 자음이므로 ㉡, ㉢에 해당한다.

③ 울-+-는 → 우는
탈락
➡ '울'의 받침 'ㄹ'이 뒤의 'ㄴ' 앞에서 탈락하였고 'ㄹ'은 자음이므로 ㉡, ㉢에 해당한다.

⑤ 나누-+-었-+-다 → 나눴다
ㅜ+ㅓ → ㅝ(축약)
➡ '나누-'의 'ㅜ'와 '-었-'의 'ㅓ'가 만나 'ㅝ'로 축약되었고 'ㅜ, ㅓ, ㅝ'는 모두 모음이므로 ㉠, ㉣에 해당한다.

04강 음운의 변동 실전

I단원 종합

교과서 개념 정리

❶ ① 음운
❷ ① ㄴ, ㅁ ② 유음화 ③ 된소리 ④ ㅈ, ㅊ ⑤ 모음 ⑥ ㅡ ⑦ 추카 ⑧ 모음

내신 만점 대비

01 ② 02 ④ 03 ② 04 ③ 05 ⑤ 06 ④ 07 ③ 08 ④ 09 ② 10 ① 11 교체, 축약, 탈락, 첨가 12 [중노권], [군는], [짐만], 비음화
13 [그러치 안터라도 추카는 할 꺼야], 거센소리되기, 된소리되기
14 ※ 해설 참조 15 ※ 해설 참조

01 정답 | ②

정답 풀이

산림 → [살림], 관리 → [괄리]
ㄴ+ㄹ → ㄹ+ㄹ ㄴ+ㄹ → ㄹ+ㄹ
➡ 비음화는 비음이 아닌 음운이 비음을 만나 [ㅇ, ㄴ, ㅁ]으로 교체되어 발음되는 현상이다. '산림'과 '관리'는 'ㄹ' 앞의 'ㄴ'이 [ㄹ]로 바뀌는 유음화가 일어나는 단어이다.

오답 풀이

① 대통령 → [대통녕], 국민 → [궁민]
ㅇ+ㄹ → ㅇ+ㄴ(유음의 비음화) ㄱ+ㅁ → ㅇ+ㅁ(비음화)
③ 박나래 → [방나래]
ㄱ+ㄴ → ㅇ+ㄴ(비음화)
④ 맞네 → [맏네] → [만네]
음절의 끝소리 규칙 ㄷ+ㄴ → ㄴ+ㄴ(비음화)
⑤ 첫눈 → [천눈] → [천눈]
음절의 끝소리 규칙 ㄷ+ㄴ → ㄴ+ㄴ(비음화)

02 정답 | ④

정답 풀이

설날 → [설랄]
순행적 유음화
➡ 앞의 'ㄹ'의 영향으로 뒤의 'ㄴ'이 유음 [ㄹ]로 발음되므로 순행 동화이다.

오답 풀이

① 밥물 → [밤물]
역행적 비음화
➡ 뒤의 'ㅁ'의 영향으로 앞의 'ㅂ'이 비음 [ㅁ]으로 발음되므로 역행 동화이다.
② 신라 → [실라]
역행적 유음화
③ 권력 → [궐력]
역행적 유음화
⑤ 한라산 → [할라산]
역행적 유음화

➡ 뒤의 'ㄹ'의 영향으로 앞의 'ㄴ'이 유음 [ㄹ]로 발음되므로 역행 동화이다.

03 정답 | ②

정답 풀이

감기[감기]
어간 받침 ×

➡ '감기'는 체언(명사)으로, '감'의 'ㅁ'은 어간 받침 'ㅁ'이 아니므로 뒤의 'ㄱ'을 된소리로 발음하지 않는다. 따라서 ⓑ의 사례로 볼 수 없다.

오답 풀이

① 밥상 → [밥쌍]
된소리되기

➡ 받침 'ㅂ' 뒤에서 'ㅅ'이 [ㅆ]으로 바뀌어 발음되는 된소리되기가 일어나므로 ⓐ의 사례에 해당된다.

③ 신자 → [신짜]
된소리되기

➡ 어간 '신-'의 받침 'ㄴ' 뒤에서 'ㅈ'이 [ㅉ]으로 바뀌어 발음되는 된소리되기가 일어나므로 ⓑ의 사례에 해당된다.

④ 발전 → [발쩐]
된소리되기

➡ 한자어의 'ㄹ' 받침 뒤에서 'ㅈ'이 [ㅉ]으로 바뀌어 발음되는 된소리되기가 일어나므로 ⓒ의 사례에 해당된다.

된소리되기
⑤ 갈 곳 → [갈 꼿] → [갈 꼳]
음절의 끝소리 규칙

➡ 관형사형 어미 '-(으)ㄹ' 뒤에서 'ㄱ'이 [ㄲ]으로 바뀌어 발음되는 된소리되기가 일어나므로 ⓓ의 사례에 해당된다.

04 정답 | ③

정답 풀이

곧이어 → [고디어]
형식 형태소가 아닌 실질 형태소

➡ 구개음화는 앞말의 받침 'ㄷ, ㅌ'이 'ㅣ'나 반모음 'ㅣ[j]'로 시작하는 형식 형태소 앞에서 [ㅈ, ㅊ]으로 바뀌는 음운 교체 현상이다. '이어'의 'ㅣ'는 형식 형태소가 아니라 실질 형태소이므로 구개음화가 일어나지 않는다.

오답 풀이

조사(형식 형태소)
① 끝이 → [끄치]

조사(형식 형태소)
② 볕이 → [벼치]

접사(형식 형태소)
④ 붙이다 → [부치다]

➡ 앞말의 받침 'ㅌ'이 'ㅣ'로 시작하는 형식 형태소와 만나 [ㅊ]으로 발음되는 구개음화가 일어났다.

접사(형식 형태소)
⑤ 가을걷이 → [가을거지]

➡ 앞말의 받침 'ㄷ'이 'ㅣ'로 시작하는 형식 형태소와 만나 [ㅈ]으로 발음되는 구개음화가 일어났다.

05 정답 | ⑤

정답 풀이

여생(餘 남을 여, 生 날 생)

➡ 두음 법칙은 한자어의 첫머리에 오는 'ㄴ, ㄹ'이 탈락하거나 'ㄹ'이 [ㄴ]으로 바뀌는 현상이다. '餘'는 원음이 '여'이므로 두음 법칙이 일어나지 않는다.

오답 풀이

① 락원(樂 즐길 락, 園 동산 원) → 낙원

➡ 단어 첫머리 '락'의 'ㄹ'이 'ㄴ'으로 바뀌는 두음 법칙이 일어났다.

② 래일(來 올 래, 日 날 일) → 내일

➡ 단어 첫머리 '래'의 'ㄹ'이 'ㄴ'으로 바뀌는 두음 법칙이 일어났다.

③ 류행(流 흐를 류, 行 다닐 행) → 유행

➡ 단어 첫머리 '류'의 'ㄹ'이 탈락하는 두음 법칙이 일어났다.

④ 량심(良 어질 량, 心 마음 심) → 양심

➡ 단어 첫머리 '량'의 'ㄹ'이 탈락하는 두음 법칙이 일어났다.

06 정답 | ④

정답 풀이

쓰- + -어서 → 써서
'ㅡ' 탈락

➡ 어간 말 모음 'ㅡ'가 모음 어미 'ㅓ' 앞에서 탈락하는 'ㅡ' 탈락이 일어났다.

오답 풀이

① 자- + -아라 → 자라
동음 'ㅏ' 탈락

➡ 어간 말 모음 'ㅏ'와 어미 첫 모음 'ㅏ'가 같아서 하나가 탈락하는 동음 탈락이 일어났다.

② 가- + -았- + -다 → 갔다
동음 'ㅏ' 탈락

➡ 어간 말 모음 'ㅏ'와 어미 첫 모음 'ㅏ'가 같아서 하나가 탈락하는 동음 탈락이 일어났다.

③ 서- + -어 → 서
동음 'ㅓ' 탈락

➡ 어간 말 모음 'ㅓ'와 어미 첫 모음 'ㅓ'가 같아서 하나가 탈락하는 동음 탈락이 일어났다.

⑤ 지나- + -아 → 지나
동음 'ㅏ' 탈락

➡ 어간 말 모음 'ㅏ'와 어미 첫 모음 'ㅏ'가 같아서 하나가 탈락하는 동음 탈락이 일어났다.

07 정답 | ③

정답 풀이

빻- + -아 → [빠아]
탈락

➡ '빻아'는 받침 'ㅎ'이 모음 앞에서 탈락하여 [빠아]로 발음된다. 'ㅎ' 뒤에 'ㄱ, ㄷ, ㅂ, ㅈ'이 없어 거센소리되기가 일어나지 않는다.

오답 풀이

① 입히 → [이피]
ㅂ+ㅎ → ㅍ

➡ '입'의 받침 'ㅂ'과 뒤의 'ㅎ'이 만나 [ㅍ]으로 축약되는 거센소리되기가 일어났다.

② 놓고 → [노코]
ㅎ+ㄱ → ㅋ

➡ '놓'의 받침 'ㅎ'과 뒤의 'ㄱ'이 만나 [ㅋ]으로 축약되는 거센소리되기가 일어났다.

④ 잡히다 → [자피다]
ㅂ+ㅎ → ㅍ

➡ '잡'의 받침 'ㅂ'과 뒤의 'ㅎ'이 만나 [ㅍ]으로 축약되는 거센소리되기가 일어났다.

⑤ 이렇지 → [이러치]
ㅎ+ㅈ → ㅊ

➡ '렇'의 받침 'ㅎ'과 뒤의 'ㅈ'이 만나 [ㅊ]으로 축약되는 거센소리되기가 일어났다.

08 정답 | ④

정답 풀이

빼지- + -어 → [빼져]
ㅣ+ㅓ → ㅕ (축약)

➡ '빼지-'의 'ㅣ'와 '-어'의 'ㅓ'가 만나 'ㅕ'로 축약된 것이지 반모음이 첨가된 것은 아니다. 반모음이 첨가되었다면 [빼지여]로 발음되어야 한다.

오답 풀이

① 기- + -어 → [기여(허용) / 기어(원칙)]
반모음 'ㅣ[j]' 첨가

② 피- + -어 → [피여(허용) / 피어(원칙)]
반모음 'ㅣ[j]' 첨가

③ 지- + -어 → [지여(허용) / 지어(원칙)]
반모음 'ㅣ[j]' 첨가

⑤ 무엇- + -이- + -오 → [무어시요(허용) / 무어시오(원칙)]
반모음 'ㅣ[j]' 첨가

➡ 모음과 모음이 이어질 때 반모음이 첨가되어 발음되기도 하는데, 이때 'ㅣ(ㅚ, ㅟ)'로 끝나는 어간에 'ㅓ, ㅗ'로 시작되는 어미가 붙는 경우 반모음 'ㅣ[j]'을 첨가하여 'ㅕ, ㅛ'로 발음하는 것도 허용하고 있다.

09 정답 | ②

정답 풀이

맏이 ㅁ, ㅏ, ㄷ, ㅣ (4개)
교체
[마지] ㅁ, ㅏ, ㅈ, ㅣ (4개)

➡ 교체는 음운의 개수가 변하지 않고 탈락과 축약은 음운의 개수가 줄어든다는 점과, 초성의 'ㅇ'은 음가가 없으므로 음운 개수로 세지 않는다는 점에 유의하여 음운 변동을 분석하여야 한다. '맏이'에서는 받침 'ㄷ'이 형식 형태소 'ㅣ'를 만나 [ㅈ]으로 교체되는 구개음화가 일어나 음운 개수가 그대로이다.

오답 풀이

① 역할 ㅕ, ㄱ, ㅎ, ㅏ, ㄹ (5개)
축약
[여칼] ㅕ, ㅋ, ㅏ, ㄹ (4개)

➡ 받침 'ㄱ'과 뒤의 'ㅎ'이 만나 [ㅋ]으로 축약되는 거센소리되기가 일어나 음운 개수가 하나 줄었다.

③ 법학 ㅂ, ㅓ, ㅂ, ㅎ, ㅏ, ㄱ (6개)
축약
[버팍] ㅂ, ㅓ, ㅍ, ㅏ, ㄱ (5개)

➡ 받침 'ㅂ'과 뒤의 'ㅎ'이 만나 [ㅍ]으로 축약되는 거센소리되기가 일어나 음운 개수가 하나 줄었다.

④ 국문학사 ㄱ, ㅜ, ㄱ, ㅁ, ㅜ, ㄴ, ㅎ, ㅏ, ㄱ, ㅅ, ㅏ (11개)
교체 교체
[궁문학싸] ㄱ, ㅜ, ㅇ, ㅁ, ㅜ, ㄴ, ㅎ, ㅏ, ㄱ, ㅆ, ㅏ (11개)

➡ '국'의 받침 'ㄱ'이 뒤의 'ㅁ'의 영향을 받아 [ㅇ]으로 교체되는 비음화가 일어나고, '사'의 'ㅅ'이 앞의 받침 'ㄱ' 뒤에서 [ㅆ]으로 교체되는 된소리되기가 일어나 음운 개수는 그대로이다.

⑤ 단란하다 ㄷ, ㅏ, ㄴ, ㄹ, ㅏ, ㄴ, ㅎ, ㅏ, ㄷ, ㅏ (10개)
교체
[달란하다] ㄷ, ㅏ, ㄹ, ㄹ, ㅏ, ㄴ, ㅎ, ㅏ, ㄷ, ㅏ (10개)

➡ 'ㄴ'이 뒤의 'ㄹ'의 영향을 받아 [ㄹ]로 교체되는 유음화가 일어나 음운 개수는 그대로이다.

10 정답 | ①

정답 풀이

깎는 → [깍는] → [깡는]
음절의 끝소리 규칙 (교체) / ㄱ+ㄴ → ㅇ+ㄴ (비음화 - 교체)

➡ '깎는'은 받침 'ㄲ'이 [ㄱ]으로 교체되는 음절의 끝소리 규칙과, 그 [ㄱ]이 뒤의 'ㄴ'의 영향을 받아 [ㅇ]으로 교체되는 비음화가 일어난다. 즉 두 번의 교체를 거쳐 [깡는]으로 발음된다.

오답 풀이

② 앞마당 → [압마당] → [암마당]
음절의 끝소리 규칙 (교체) / ㅂ+ㅁ → ㅁ+ㅁ (비음화 - 교체)

➡ '앞마당'은 받침 'ㅍ'이 [ㅂ]으로 교체되는 음절의 끝소리 규칙과, 그 [ㅂ]이 뒤의 'ㅁ'의 영향을 받아 [ㅁ]으로 교체되는 비음화가 일어난다. 즉 두 번의 교체를 거쳐 [암마당]으로 발음된다.

③ 년세(年 해 년, 歲 해 세) → 연세

➡ '년세(年歲)'는 단어 첫머리의 'ㄴ'이 탈락하는 두음 법칙이 한 번 일어나 [연세]로 발음된다.

④ 뚜렷하다 → [뚜렫하다] → [뚜려타다]
음절의 끝소리 규칙 (교체) / ㄷ+ㅎ → ㅌ (거센소리되기 - 축약)

➡ '뚜렷하다'는 '렷'의 받침 'ㅅ'이 [ㄷ]으로 교체되는 음절의 끝소리 규칙이 일어나고, 그 [ㄷ]이 뒤의 'ㅎ'과 결합하여 [ㅌ]으로 축약되는 거센소리되기가 일어난다. 즉 교체와 축약을 차례로 거쳐 [뚜려타다]로 발음된다.

ㅎ+ㄱ → ㅋ(거센소리되기 - 축약) / 된소리되기(교체)

⑤ 좋겠다 → [조켔다] → [조켇다] → [조켇따]
음절의 끝소리 규칙 (교체)

➡ '좋겠다'는 '좋'의 받침 'ㅎ'과 뒤의 'ㄱ'이 결합하여 [ㅋ]으로 축약되는 거센소리되기가 일어난다. 또 '겠'의 받침 'ㅆ'이 [ㄷ]으로 교체되는 음절의 끝소리 규칙이 일어나고, 이 [ㄷ] 뒤에 연결되는 '다'의 'ㄷ'은 [ㄸ]으로 교체되는 된소리되기가 일어난다. 즉 한 번의 축약과 두 번의 교체를 거쳐 [조켇따]로 발음된다.

11 정답 | 교체, 축약, 탈락, 첨가

정답 풀이

음운 변동은 음운이 바뀌는 교체, 두 음운이 만나 하나로 줄어드는 축약, 음운이 없어지는 탈락, 새로운 음운이 생기는 첨가로 구분된다.

12 정답 | [중노권], [군는], [짐만], 비음화

정답 풀이

죽녹원 → [중노권], 굳는 → [군는], 집만 → [짐만]

ㄱ+ㄴ → ㅇ+ㄴ(비음화) ㄷ+ㄴ → ㄴ+ㄴ(비음화) ㅂ+ㅁ → ㅁ+ㅁ(비음화)

➡ 앞말의 받침 'ㄱ, ㄷ, ㅂ'이 뒷말의 첫소리 'ㄴ, ㅁ' 앞에서 [ㅇ, ㄴ, ㅁ]으로 교체되는 비음화가 공통적으로 일어났다.

13 정답 | [그러치 안터라도 추카는 할 꺼야], 거센소리되기, 된소리되기

정답 풀이

그렇지 않더라도 축하는 할 거야

[그러치 안터라도 추카는 할 꺼야] ㄱ → ㄲ ➡ 된소리되기

ㅎ+ㅈ → ㅊ ㅎ+ㄷ → ㅌ ㄱ+ㅎ → ㅋ

➡ 거센소리되기

14 정답 | 학생-교체, 되어-첨가, 가서-탈락, 좋다-축약 / ⓔ '학생'에서는 '학'의 받침 'ㄱ'의 영향으로 뒷말의 첫소리 'ㅅ'이 [ㅆ]으로 바뀌는 된소리되기가 일어나며, 이는 한 음운이 다른 음운으로 바뀌는 교체 현상이다. '되어'에서는 '되'의 모음 'ㅚ' 뒤에 모음 어미 'ㅓ'가 오면서 반모음이 더해져 [되여]로 발음되는 반모음 첨가 현상이 일어나며, 이는 없던 음운이 새로 생기는 첨가 현상이다. '가서'에서는 어간 '가-'의 모음과 어미 '-아서'의 첫 모음이 'ㅏ'로 동일하여 하나가 사라지는 동음 탈락 현상이 일어나며, 이는 음운이 사라지는 탈락 현상이다. '좋다'에서는 '좋'의 'ㅎ'과 '다'의 'ㄷ'이 결합하여 [ㅌ]으로 줄어드는 거센소리되기가 일어나며, 이는 두 음운이 한 음운으로 줄어드는 축약 현상이다.

서술형 해결

STEP 1 각 단어의 음운 환경과 그에 따른 적절한 발음을 파악한다.

STEP 2 음운 변동의 양상을 파악하여 교체, 탈락, 축약, 첨가 중 어디에 해당하는지 파악한다.

STEP 3 교체, 탈락, 축약, 첨가의 개념을 음운 변동 양상을 중심으로 서술한다.

15 정답 | [신발 신꼬] / ⓔ '신발'은 [신발]로 '신고'는 [신꼬]로 발음되는데, '신고'에만 된소리되기가 일어나는 이유는 어간 받침 'ㄴ, ㅁ' 뒤에 오는 'ㄱ, ㄷ, ㅅ, ㅈ'을 된소리로 발음하기 때문이다. '신발'의 '신'은 명사이고, '신고'의 '신-'은 동사 '신다'의 어간이므로 '신고'에서만 된소리되기 현상이 일어나 [신꼬]가 된다.

서술형 해결

STEP 1 '신발 신고'의 적절한 발음을 파악하고, 일어나는 음운 변동 현상을 확인한다.

STEP 2 '신발'의 '신'과 '신고'의 '신-'의 품사 차이에 근거해 음운 변동이 일어난 이유를 파악한다.

수능 1등급 대비

16 ④ 17 ③ 18 ② 19 ⑤

16 정답 | ④

정답 풀이

| 보기 2 |

㉠ 국민 → [궁민]
파열음 → 비음
여린입천장소리 → 여린입천장소리

㉡ 물난리 → [물랄리]
비음 → 유음
잇몸소리 → 잇몸소리

㉢ 굳이 → [구지]
파열음 → 파찰음
잇몸소리 → 센입천장소리

➡ ㉠, ㉡에서 변동된 음운은 조음 위치는 동일하고 조음 방법이 파열음이 비음으로, 비음이 유음으로 바뀌었으므로 적절하다.

오답 풀이

① ㉠은 첫음절 '국'의 받침 파열음 'ㄱ'이 뒤 자음 'ㅁ'의 영향을 받아 비음 [ㅇ]으로 바뀌었다.

② ㉡은 비음인 'ㄴ'이 앞뒤 유음 'ㄹ'의 영향을 받아 유음 [ㄹ]로 바뀌었다.

③ ㉢은 잇몸소리 'ㄷ'이 형식 형태소 모음 'ㅣ'를 만나 센입천장소리 [ㅈ]으로 바뀌었다.

⑤ ㉡에서는 잇몸소리이자 비음인 'ㄴ'이 앞뒤 'ㄹ'의 영향을 받아 잇몸소리이자 유음인 [ㄹ]로 바뀌었다. 즉 조음 위치는 그대로이나 조음 방법만 변한 것이다. ㉢에서는 잇몸소리이자 파열음인 'ㄷ'이 센입천장소리이자 파찰음인 [ㅈ]으로 바뀌었다. 즉 조음 위치와 조음 방법이 다 변한 것이다.

17 정답 | ③

정답 풀이

뜻하다 → [뜯하다] → [뜨타다]

음절의 끝소리 규칙(교체) 거센소리되기(축약)

➡ '뜻'의 받침 'ㅅ'은 음절의 끝소리 규칙에 의해 대표음 [ㄷ]으로 교체되고, 이 [ㄷ]은 뒤의 'ㅎ'과 결합하여 거센소리되기를 겪으며 [ㅌ]으로 축약된다. 즉 '뜻하다'는 교체 후 축약이 일어나는 경우이다.

오답 풀이

① 꽃다발 → [꼳다발] → [꼳따발]

음절의 끝소리 규칙(교체) 된소리되기(교체)

➡ '꽃'의 받침 'ㅊ'은 음절의 끝소리 규칙에 의해 [ㄷ]으로 교체되고, 이 [ㄷ]의 영향으로 뒤의 'ㄷ'은 [ㄸ]으로 발음되는 된소리되기를 겪는다. 즉 '꽃다발'은 교체 후 교체가 일어나는 경우이다.

② 넋두리 → [넉두리] → [넉뚜리]

자음군 단순화(탈락) 된소리되기(교체)

➡ '넋'의 받침 'ㄳ'에서 'ㅅ'이 탈락하여 [ㄱ]이 되는 자음군 단순화가 일어나고, 이 [ㄱ]의 영향으로 뒤의 'ㄷ'은 [ㄸ]으로 발음되는 된소리되기를 겪는다. 즉 '넋두리'는 탈락 후 교체가 일어나는 경우이다.

④ 부엌문 → [부억문] → [부엉문]

음절의 끝소리 규칙(교체) 비음화(교체)

➡ '엌'의 받침 'ㅋ'은 음절의 끝소리 규칙에 의해 [ㄱ]으로 교체되고, 이 [ㄱ]은 뒤의 비음 'ㅁ'의 영향을 받아 비음인 [ㅇ]으로 교체되는 비음화

를 겪는다. 즉 '부엌문'은 교체 후 교체가 일어나는 경우이다.

⑤ 색연필 → [색년필] → [생년필]
('ㄴ' 첨가(첨가), 비음화(교체))

➡ '색연필'은 '색'의 받침 'ㄱ'과 뒤의 'ㅕ'가 만나 [ㄴ]이 첨가되는 'ㄴ' 첨가를 겪고, 이 [ㄴ]의 영향으로 앞의 'ㄱ'은 비음인 [ㅇ]으로 교체되는 비음화를 겪는다. 즉 '색연필'은 첨가 후 교체가 일어나는 경우이다.

18 정답 | ②

정답 풀이

2문단에 따르면 함께 행동하면서 하나의 부류를 형성하는 음들은 공통의 변별적 자질로 표시할 수 있다고 하였다.

오답 풀이

① 1문단에서 변별적 자질은 음운 간의 대립을 체계적으로 설명하기 위한 것이라고 하였으므로 적절하지 않다.
③ 변별적 자질을 통해 음운을 변별하는 데 필요한 음성적 특성을 알고 음운 현상을 체계적으로 이해할 수는 있으나, 해당 음운의 모든 특성을 알 수 있는 것은 아니다.
④ 1문단에 따르면 '+/−'는 어떠한 특성이 있고 없음을 나타낸다고 하였고, 3문단에서 변별적 자질은 일반적으로 +나 −의 양분적인 값을 가진다고 하였으므로 적절하지 않다.
⑤ 3문단에서 양분적인 값의 사용은 한 개의 자질을 선택함으로써 동시에 두 개의 정보를 알려 주는 효과를 가져 정보 전달의 효율성을 극대화할 수 있다고 하였으므로 적절하지 않다.

19 정답 | ⑤

정답 풀이

'국물'에서 ⓜ에 해당하는 음은 'ㅇ'과 'ㅁ'이다. 〈보기〉에 따르면 'ㅇ, ㅁ'은 모두 [+비음성]의 자질을 가진다. 따라서 '국물'에서 ⓜ에 해당하는 음들은 비음성을 기준으로 하나의 부류를 형성할 수 있다.

오답 풀이

① 〈보기〉에 따르면 A에 해당하는 'ㄱ, ㄷ, ㅂ'은 모두 규칙을 적용받기 전의 음이므로 ㉠에 해당하고 이들은 [−비음성]의 자질을 가진다.
② 〈보기〉에 따르면 ㉡에 해당하는 음은 B인 'ㅇ, ㄴ, ㅁ'이다. 이들은 [+비음성]의 자질을 공통적으로 가지며 하나의 부류를 형성한다.
③ 〈보기〉에 따르면 ㉢에 해당하는 음은 C인 'ㄴ, ㅁ'이며 이들은 공통적으로 [+비음성]의 자질을 가진다.
④ '읍내'에서 ㉣에 해당하는 규칙을 적용받기 전의 음은 'ㅂ', 적용받은 후의 음은 'ㅁ'이며 1문단에 따르면 'ㅂ, ㅁ' 모두 [+양순성]을 가진다.

교과서 밖 개념 플러스

① 탈락 ② ㄱ, ㄴ, ㄷ, ㄹ, ㅁ, ㅂ, ㅇ ③ 전설 ④ 이중 모음
⑤ ㅛ ⑥ ㅟ ⑦ 겹받침 ⑧ 받침 ⑨ 용언 ⑩ 모음 ⑪ 받침
⑫ ㄴ ⑬ 합성어 ⑭ 울림소리 ⑮ 모음 ⑯ ㅣ ⑰ 한자어

문법 요소의 특성

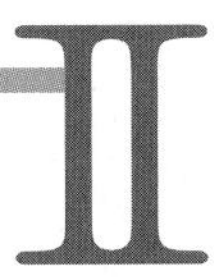

05강 높임 표현, 시간 표현

교과서 개념 알기

활동① ① 께서, 밝으시다 ② 께서, 주무신다
활동② ① 께, 여쭤보았다 ② 모시러
활동③ ① 줘 ② 했어요 ③ 가십시오
활동④ ① 있습니다 ② 강아지 ③ 준비하라고
활동⑤ ① 과거 ② 어제 ③ 겠 ④ 현재
활동⑥ ① 진행상 ② 완료상
활동⑦ ① 추측 ② 가능성 ③ 의지 ④ 완료 지속 ⑤ 미래 확신

개념 확인

01 (1) 시, 께서 (2) 상대 높임법 (3) 추측, 가능성
02 (1) × (2) × (3) ○

내신 문제로 다지기

01 ④	02 ③	03 ③	04 ④	05 ②	06 ①
07 ①	08 ①	09 ⑤	10 ③	11 ①	12 ④

13 주체 높임법, 상대 높임법　14 어제, -ㄴ, -더-
15 ※ 해설 참조

01 정답 | ④

정답 풀이

나무 밑에 할머니께서 앉아 계시네.
(직접 높임(특수 어휘), 직접 높임(조사))

➡ 주격 조사 '께서'와 높임의 특수 어휘 '계시다'를 통해 높임의 대상인 '할머니'를 직접 높이고 있다.

오답 풀이

① 담임 선생님의 키가 크시구나.
(높임 대상, -시-, 높임(간접))

➡ 높임의 대상인 '담임 선생님'을 직접 높이지 않고 '담임 선생님'의 신체 속성인 '키'를 높임으로써 간접적으로 높이고 있다.

② 그새 흰머리가 더 많아지셨군요.
(높임 대상의 신체 속성, -시-+-었-, 높임(간접))

➡ 높임의 대상인 '흰머리가 많아진 누군가(드러나지 않음.)'를 직접 높이지 않고 높임 대상의 신체 속성인 '흰머리'를 높임으로써 간접적으로 높이고 있다.

-으시-+-어-
③ 아버지, 이제 몸은 좀 괜찮으세요?
높임 대상 / 높임(간접)

➡ 높임의 대상인 '아버지'를 직접 높이지 않고 선어말 어미 '-으시-'를 통해 아버지의 신체 일부인 '몸'을 높임으로써 간접적으로 높이고 있다.

-으시-
⑤ 교장 선생님의 훈화가 있으시겠습니다.
높임 대상 / 높임(간접)

➡ 높임의 대상인 '교장 선생님'을 직접 높이지 않고 선어말 어미 '-으시-'를 통해 그의 '훈화(말)'를 높임으로써 간접적으로 높이고 있다.

02 정답 | ③

정답 풀이

㉠ 어머니께서 할아버지께 과일을 드렸다.
주체 / 객체 / 객체 높임

➡ 높임의 특수 어휘인 '드리다'는 목적어가 지시하는 대상, 즉 서술의 객체인 '할아버지'를 높이고 있다.

㉡ 선생님께서는 여전히 그 학교에 계신다.
주체 / 주체 높임

➡ 높임의 특수 어휘인 '계시다'가 주어, 즉 서술의 주체인 '선생님'을 높이고 있다.

㉢ 지영아, 할머니 모시고 큰댁에 좀 다녀올래?
상대, 주체 / 객체 / 객체 높임

➡ 높임의 특수 어휘인 '모시다'가 목적어가 지시하는 대상, 즉 서술의 객체인 '할머니'를 높이고 있다.

㉣ 아버지께서 점심을 잡수셨다.
주체 / 주체 높임

➡ 높임의 특수 어휘인 '잡수시다'가 주어, 즉 서술의 주체인 '아버지'를 높이고 있다.

03 정답 | ③

정답 풀이

ㄱ. 어서 집으로 가렴.
'해라체'(아주 낮춤)

ㄴ. 어서 집으로 가요.
'해요체'(두루높임)

ㄷ. 어서 집으로 가구려.
'하오체'(예사 높임)

ㄹ. 어서 집으로 가십시오.
'하십시오체'(아주높임)

➡ 상대 높임법 중에서 격식체에는 '하십시오체, 하오체, 하게체, 해라체'가 있고, 비격식체에는 '해요체, 해체'가 있다. 동사 '가다'의 명령형에 해당하는 종결 어미를 격식체와 비격식체로 나누면 '해라체'인 ㄱ, '하오체'인 ㄷ, '하십시오체'인 ㄹ은 격식체에 해당하고, '해요체'인 ㄴ은 비격식체에 해당함을 알 수 있다.

04 정답 | ④

정답 풀이

상대 높임(하십시오체) / →-시-+-었-

선생님, (선생님께서는) 그동안 건강하게 지내셨습니까?
청자 / 주체 / 주체 높임(선어말 어미)

➡ 문맥상 '선생님'은 서술의 주체이자 말을 듣는 청자로서, '지내셨습니까'에 사용된 선어말 어미 '-시-'를 통해 주체로 높임을 받고 있는 동시에 종결 어미 '-습니까'를 통해 청자로서도 높임을 받고 있다. 따라서 〈보기〉는 동일한 대상에게 주체 높임법과 상대 높임법을 모두 사용하고 있는 것이다.

오답 풀이

① '-습니까'는 상대 높임을 실현하는 종결 어미 중에서 격식체에 해당하는 '하십시오체'이다. 따라서 격식체를 사용하여 청자인 '선생님'을 높이고 있는 것이다.

② 특수 어휘의 사용은 나타나지 않는다. 주체 높임 선어말 어미 '-시-'와 상대 높임의 종결 어미 '-습니까'를 통해 '선생님'을 높이고 있을 뿐이다.

③ '-습니까'라는 종결 어미를 통해 청자인 선생님을 높이고 있는데, 이는 격식체 중에서 '하십시오체'를 실현하는 종결 어미이다. 격식체는 정중하고 공식적인 느낌을 주지만 친근한 느낌을 주지는 않는다. 친근한 느낌을 주는 상대 높임법은 비격식체인 '해요체'와 '해체'이다.

⑤ '-습니까'라는 종결 어미를 통해 높이고 있는 대상은 표면에 드러나 있는 청자인 '선생님'이다.

05 정답 | ②

정답 풀이

주체 높임(선어말 어미) / →-시-+-었-

옆집 아주머니께서 고구마를 주셨습니다.
주체 / 주체 높임(주격 조사) / 객체 / 드러나지 않은 청자 높임 →상대 높임

➡ 예문의 서술의 주체는 '아주머니'이고, 서술의 객체는 목적어인 '고구마'이다. 그리고 청자는 직접 드러나지 않지만 문맥상 존재한다. 조사 '께서'와 선어말 어미 '-시-'를 통해 주체인 '아주머니'를 높이고 있으며, 종결 어미 '-습니다'를 통해 드러나지 않은 청자를 높이고 있다. 한편 서술의 객체인 '고구마'는 사물이므로 높임의 대상이 아니다.

06 정답 | ①

정답 풀이

주격 조사 / 선어말 어미

할아버지께서는 손이 크시다.
직접 높임→적절 / 간접 높임→적절

➡ 높임의 주격 조사 '께서'를 통해 주체인 '할아버지'를 높이고 있다. 또한 선어말 어미 '-시-'가 할아버지의 신체 일부인 '손'을 높임으로써 할아버지를 간접적으로 높이고 있다.

오답 풀이

특수 어휘 / 선어말 어미 '-시-'

② 선생님 댁 고양이가 예쁘시네요.
간접 높임→적절 / 직접 높임→부적절 / →상대 높임 '해요체'

➡ '선생님 댁'에서 '댁(남의 집이나 가정을 높여 이르는 말)'이라는 특수 어휘를 통해 이미 선생님을 간접적으로 높이고 있다. 따라서 뒤에 나오는 '고양이가 예쁘시다'라는 표현은 선생님과 관계없이 '고양이'를 높이는 것이므로 어법에 맞지 않는다. '선생님 댁 고양이가 예쁘네요.'로 수정해야 한다.

③ 아버지, (아버지께서) 저 오시라고 했다면서요?

➡ 선어말 어미 '-시-'가 높임의 대상인 '아버지'가 아니라 '저'를 높이고 있다. 따라서 '아버지, 저 오라고 하셨다면서요?' 정도로 수정해야 한다.

④ 손님, 이 바지는 면 100%이십니다.

➡ 선어말 어미 '-시-'가 높임의 대상이 될 수 없는 사물인 '바지'를 높이고 있으며, 높임의 대상인 '손님'은 상대 높임 종결 표현 '하십시오체'를 통해 높이고 있다. 따라서 '손님, 이 바지는 면 100%입니다.'로 수정해야 한다.

⑤ 주문하신 커피 한 잔 나오셨습니다.

➡ '나오셨습니다'의 선어말 어미 '-시-'가 높임의 대상이 될 수 없는 사물인 '커피'를 높이고 있다. 높임의 대상인 '커피를 주문한 누군가'는 '주문하신'에서의 '-시-'와 상대 높임 종결 표현 '하십시오체'를 통해 높이고 있다. 따라서 '주문하신 커피 한 잔 나왔습니다.'로 수정해야 한다.

07 정답 | ①

정답 풀이

할머니가 고민이 있는 것 같아.

→ 할머니께서 고민이 계신 것 같아.

➡ 주체인 '할머니'는 직접 높이고 높임 대상의 속성인 '고민'은 간접적으로 높여야 한다. 간접 높임에는 높임의 특수 어휘를 사용하지 않는다. 따라서 주격 조사 '께서'와 선어말 어미 '-으시-'를 사용하여 '할머니께서 고민이 있으신 것 같아.' 정도로 수정해야 한다.

오답 풀이

② 할아버지는 이미 밥을 먹었다.

→ 할아버지께서는 이미 진지를 잡수셨다.

➡ 조사를 '께서'로 바꾸어서 서술의 주체인 '할아버지'를 높이는 것은 적절하다. 또한 '밥'과 '먹었다'를 각각 높임의 특수 어휘인 '진지'와 '잡수셨다'로 바꾸어서 '할아버지'를 높이는 것도 적절하다.

③ 이 계좌로 만 원이 입금되셨습니다.

→ 이 계좌로 만 원이 입금되었습니다.

➡ '입금되셨습니다'의 선어말 어미 '-시-'가 높임의 대상이 될 수 없는 '만 원'을 높이고 있으므로 적절하지 않다. 따라서 선어말 어미 '-시-'를 삭제하여 '입금되었습니다.'로 바꿔야 한다. 여기서 종결 어미 '-습니다(하십시오체)'는 드러나지 않은 청자를 높이고 있다.

④ 원하는 제품이 계시면 말씀해 주세요.

→ 원하는 제품이 있으시면 말씀해 주세요.

➡ 높임의 특수 어휘 '계시다'는 직접 높임에 사용하며, 간접 높임에는 사용할 수 없다. 이 경우는 주체와 관련된 대상 '제품'을 높여 주체를 높이는 간접 높임의 경우이다. 즉 '계시다'를 사용해 제품을 직접 높이는 것이 아니라, 선어말 어미 '-으시-'를 사용하여 주체를 간접적으로 높여야 한다.

⑤ 이 제품의 가격은 이만 오천 원이십니다.

→ 이 제품의 가격은 이만 오천 원입니다.

➡ '원이십니다'의 선어말 어미 '-시-'가 높임의 대상이 될 수 없는 '가격'을 높이고 있으므로 적절하지 않다. 따라서 선어말 어미 '-시-'를 삭제하여 '원입니다'로 수정해야 한다. 여기서 종결 어미 '-ㅂ니다'(하십시오체)는 드러나지 않은 청자를 높이고 있다.

08 정답 | ①

정답 풀이

내가 읽을 책은 단편 소설이다.

➡ 관형사형 어미 '-(으)ㄹ'은 미래 시제를 나타낸다. 따라서 동사 '읽다'의 어간 '읽-'에 관형사형 어미 '-(으)ㄹ'이 결합한 형태인 '읽을'의 시제는 미래이다.

오답 풀이

② 나는 수목원에 가서 꽃을 보았다.

➡ 선어말 어미 '-았-'은 과거 시제를 나타낸다. 따라서 동사 '보다'의 어간 '보-'에 선어말 어미 '-았-'과 종결 어미 '-다'가 결합한 형태인 '보았다'의 시제는 과거이다.

③ 교실에서 시끄럽게 떠든 사람이 누구냐?

➡ 동사 어간에 붙는 관형사형 어미 '-ㄴ'은 과거 시제를 나타낸다. 따라서 동사 '떠들다'의 어간 '떠들-'에 관형사형 어미 '-ㄴ'이 결합한 형태인 '떠든'의 시제는 과거이다.

④ 동생이 먹던 빵은 유통 기한이 지난 것이다.

➡ 관형사형 어미 '-던'은 과거 시제를 나타낸다. 따라서 동사 '먹다'의 어간 '먹-'에 관형사형 어미 '-던'이 결합한 형태인 '먹던'의 시제는 과거이다. 참고로, '지난' 또한 동사 '지나다'의 어간 '지나-'에 관형사형 어미 '-ㄴ'이 결합한 것이므로 과거 시제를 나타낸다.

⑤ 엄마와 함께 보자고 약속한 그 영화가 아니다.

➡ 동사 어간에 붙는 관형사형 어미 '-ㄴ'은 과거 시제를 나타낸다. 따라서 동사 '약속하다'의 어간 '약속하-'에 관형사형 어미 '-ㄴ'이 결합한 형태인 '약속한'의 시제는 과거이다.

09 정답 | ⑤

정답 풀이

오르-+-는 / 보이-+-ㄴ-+-다

저 멀리 산을 오르는 사람들이 한둘 보인다.

관형사형 어미 '-는'(현재) / 선어말 어미 '-ㄴ-'(현재)

➡ 동사와 결합하는 관형사형 어미 '-는'과 선어말 어미 '-ㄴ-'은 현재 시제를 나타낸다. 따라서 사건시와 발화시가 일치함을 알 수 있다.

오답 풀이

① 재민이는 장차 훌륭한 어른이 되겠다.
시간 부사어(미래) / 선어말 어미 '-겠-'(미래)

➡ '장차'는 '미래의 어느 때'를 나타내는 시간 부사어이고 문맥상 선어말 어미 '-겠-'이 미래를 나타내고 있다. 따라서 훌륭한 어른이 되는 상황이 생기는 사건시보다 발화시가 앞선다.

많아지-+-ㄹ+것

② 그때부터 시간이 좀 더 많아질 것이야.
관형사형 어미 '-ㄹ'+의존 명사 '것'(미래)

➡ 관형사형 어미 '-ㄹ'에 의존 명사 '것'이 결합한 '-ㄹ 것'은 미래 시제를 나타낸다. 따라서 시간이 좀 더 많아지는 일이 벌어지는 사건시보다 발화시가 앞선다.

③ 요즈음 기말고사 직전이어서 매우 바쁘다.
시간 부사어(현재) / 형용사의 기본형(현재)

➡ '요즈음'은 현재를 나타내는 시간 부사어이다. 그리고 형용사는 선어말 어미 없이 현재 시제를 표현한다. 따라서 바쁜 상황이 벌어지는 사건시와 발화시가 일치한다.

④ 어릴 적 귀엽던 아이가 벌써 이렇게 크다니.
관형사형 어미 '-던'(과거)

➡ 형용사와 결합하는 관형사형 어미 '-던'은 과거 시제를 나타낸다. 따라서 귀여웠던 상황이 나타난 사건시가 발화시보다 앞선다.

10 정답 | ③

정답 풀이

지수는 음악을 다 들어 버렸다.

보조 용언 '-어 버리다' → 완료상

➡ 지수가 음악을 다 들은 상황을 보조 용언 '-어 버리다'를 통해 나타내었으므로 완료상이다.

오답 풀이

① 창밖에 낙엽이 쌓이고 있어요.
보조 용언 '-고 있다' → 진행상

➡ 낙엽이 쌓이는 상황이 계속되는 모습을 보조 용언 '-고 있다'를 통해 나타내었으므로 진행상이다.

② 날이 더워서 꽃이 시들어 간다.
보조 용언 '-어 가다' → 진행상

➡ 꽃이 더위 때문에 시들어 가는 상황이 계속되는 모습을 보조 용언 '-어 가다'를 통해 나타내었으므로 진행상이다.

④ 지현이가 열심히 올라오고 있다.
보조 용언 '-고 있다' → 진행상

➡ 지현이가 올라오고 있는 상황이 계속되는 모습을 보조 용언 '-고 있다'를 통해 나타내었으므로 진행상이다.

⑤ 현준이가 손을 흔들며 내게 다가오고 있다.
보조 용언 '-고 있다' → 진행상

➡ 현준이가 내게 계속 다가오고 있는 상황을 보조 용언 '-고 있다'를 통해 나타내었으므로 진행상이다.

11 정답 | ①

정답 풀이

→ 선어말 어미 '-었-' → 과거 시제

형이 동생의 간식을 먹어 버렸다.

보조 용언 '-어 버리다' → 완료상

➡ '먹어 버렸다'에서 '-었-'은 과거 시제를 나타내는 선어말 어미이고, '-어 버리다'는 '먹다'라는 동작이 완료되었음을 나타내는 보조 용언이므로 완료상이다.

12 정답 | ④

정답 풀이

곧 대통령 내외분의 입장이 있겠습니다.

시간 부사어(미래) / 미래 시제 선어말 어미

➡ '곧'이라는 시간 부사어를 고려할 때, '있겠습니다'에서의 '-겠-'은 미래의 시제를 나타내고 있음을 알 수 있다.

오답 풀이

추측

① 거긴 지금 춥겠지?
시간 부사어(현재)

➡ '춥겠지'에서의 '-겠-'은 그곳의 현재 날씨가 추울 것이라는 추측을 나타내고 있다. '지금'이라는 시간 부사어를 통해 시제는 현재임을 알 수 있다.

② 이걸 너 혼자 할 수 있겠어?
가능성

➡ '있겠어'에서의 '-겠-'은 문맥상 가능성이나 능력을 함께 나타낸다.

나-+-었-→ 과거 시제

③ 고향에서는 이미 추수를 다 끝냈겠다.
시간 부사어 → 과거 시제 / 추측

➡ '끝냈겠다'에서의 '-겠-'은 추수가 다 끝났을 것이란 추측을 나타내고 있다. 시제는 시간 부사어 '이미'와 선어말 어미 '-었-'을 통해 과거로 나타나고 있다.

⑤ 무슨 일이 있어도 너는 내가 꼭 잡겠다.
화자의 의지

➡ '잡겠다'에서의 '-겠-'은 문맥상 '너'를 잡을 미래 상황에 대한 화자의 의지를 함께 나타낸다.

13 정답 | 주체 높임법, 상대 높임법

정답 풀이

주체 높임 / → -시-+-었-

아버지, 할아버지께서 어머니를 찾는 전화를 여러 번 하셨습니다.

청자 / 주체 / 주격 조사

상대 높임(하십시오체)

➡ '하셨습니다'에서 주체 높임 선어말 어미 '-시-'가 서술의 주체인 '할아버지'를 높이고 있으며, 종결 어미 '-습니다'가 문장의 청자인 '아버지'를 높이고 있다. 따라서 ㉠을 통해 주체 높임법과 상대 높임법이 실현되었다. 그리고 서술의 주체인 할아버지는 조사 '께서'를 통해서도 높이고 있으며, 서술의 객체인 어머니를 높이는 표현은 나타나지 않는다.

14 정답 | 어제, -ㄴ, -더-

정답 풀이

동사 어간에 붙는 관형사형 어미 '-ㄴ'
어제 본 그림이 참 멋있더라.
시간 부사어 / 선어말 어미 '-더-'

➡ '어제 본 그림이 참 멋있더라.'라는 문장은 시간 부사어 '어제', 동사 어간에 붙은 관형사형 어미 '-ㄴ', 선어말 어미 '-더-'를 활용하여 과거 시제를 나타내고 있다.

15 정답 | 예 선생님의 말이 어색한 이유는 선생님이 높임의 특수 어휘인 '여쭈다'를 사용하여 스스로를 높이고 있기 때문이다. 따라서 '여쭤보는구나'를 '물어보는구나'로 수정해야 한다.

정답 풀이

높임 특수 어휘
지연이는 날마다 나에게 여쭤보는구나.
화자, 객체 ← 높임(부적절)

➡ '여쭈다(여쭙다)'는 '웃어른에게 말씀을 올리다.'라는 뜻으로, 〈보기〉의 대화에서 높임의 특수 어휘로 사용되고 있다. 그런데 선생님은 스스로에게 '여쭤보는구나'라는 표현을 사용하여 자기 자신을 높이고 있다. 높임 표현은 아랫사람이 윗사람을 높이는 것이므로 스스로에게 높임 표현을 사용하는 것은 적절하지 않다. 따라서 '지연이는 날마다 나에게 물어보는구나.'라고 수정해야 한다.

서술형 해결

STEP 1 높임의 대상과 높임 표현이 호응하는지를 판단한다.

STEP 2 '여쭈다(여쭙다)'는 자기 자신에게는 사용할 수 없는 말임을 파악한다.

STEP 3 '여쭈다(여쭙다)'를 '나'라는 서술 대상과 호응하게 바꾸면 '묻다'임을 파악한다.

기/출/문/제/로/ 뛰/어/넘/기

16 ⑤ 17 ③

16 정답 | ⑤

정답 풀이

주격 조사 / -으시-+-었-
할머니께서 편찮으셨나 보다.
주체 / 주체 높임

➡ 서술의 주체인 '할머니'를 높이기 위해 주격 조사 '께서'를 사용하고, 서술어 '편찮다'에 주체 높임 선어말 어미 '-으시-'를 붙이고 있으므로 주체 높임에 해당한다.

오답 풀이

부사격 조사
① 제 용돈으로 할머니께 드릴 선물을 사서
객체 / 객체 높임 / → 높임의 특수 어휘

➡ 부사어가 지시하는 대상인 '할머니'를 높이기 위해 부사격 조사 '께'와 객체 높임의 특수 어휘 '드리다'를 사용하고 있으므로 객체 높임에 해당한다.

객체 / 높임의 특수 어휘
② 할머니를 뵙고 왔구나.
객체 높임

➡ 목적어가 지시하는 대상인 '할머니'를 높이기 위해 객체 높임의 특수 어휘 '뵙다'를 사용하고 있으므로 객체 높임에 해당한다.

객체 / 높임의 특수 어휘
③ 아버지께서 할머니를 모시고 병원에 가신 사이에
객체 높임

➡ 목적어가 지시하는 대상인 '할머니'를 높이기 위해 객체 높임의 특수 어휘 '모시다'를 사용하고 있으므로 객체 높임에 해당한다.

객체 / 부사격 조사 / 높임의 특수 어휘
④ 저는 큰아버지께 인사를 드리고 왔어요.
객체 높임

➡ 부사어가 지시하는 대상인 '큰아버지'를 높이기 위해 부사격 조사 '께'와 객체 높임의 특수 어휘 '드리다'를 사용하고 있으므로 객체 높임에 해당한다.

17 정답 | ③

정답 풀이

ㄷ의 '-겠-'은 과거 시제 선어말 어미인 '-었-'과 만나 말하는 사람의 의지가 아니라 설악산에 단풍이 들었을 것이라는 추측의 의미를 나타낸다.

오답 풀이

① ㄱ의 '-겠-'은 내일 비가 올 것이라는 추측의 의미를 나타낸다.
② ㄴ의 '-겠-'은 서울에는 지금쯤 눈이 내릴 것이라는 추측의 의미를 나타낸다.
④ ㄹ의 '-겠-'은 목표를 이루겠다는 의지를 나타내는데, 말하는 사람과 주어가 일치하지 않으면 비문이 되는 것을 알 수 있다.
⑤ ㅁ의 '-겠-'은 어린애도 알거나 할 수 있다는 가능성이나 능력의 의미를 나타낸다.

06강 피동 표현, 인용 표현

교과서 개념 알기

활동 1 ① 영기 / 한다 ② 고양이 / 당한다 ③ 마을이 ④ 경찰에게

활동 2 ① 밟혔다 ② 밝혀졌다 ③ 사육된다

활동 3 ① 대상 ② 주체 ③ 객관성

활동 4 ① 쓰인다 ② 생각한다

활동 5 ① 라고 ② 고

활동 6 ① 감사하다 ② 여기 / 빌려주겠느냐고 ③ 라고 ④ 높임 ⑤ 지시 ⑥ 라

개념 확인

01 (1) 피동 표현 (2) 이, 히, 리, 기, 되다 (3) 라고, 고, 종결
02 (1) × (2) × (3) ○ (4) ×

내신 문제로 다지기

01 ③ 02 ④ 03 ④ 04 ④ 05 ③ 06 ④
07 ④ 08 ③ 09 ② 10 ④
11 걷히면서, 정체되고, 예상됩니다
12 그는 선생님께 "사랑합니다."라고 말했다.
13 ※ 해설 참조

01 정답 | ③

정답 풀이

입학하게 되었다: 입학하-+-게 되-+-었-+-다
'입학하다'의 어간+'-게 되다'

➡ '입학하게 되었다'는 동사 '입학하다'에 '-게 되다'가 붙은 형태로 ㉣에 해당한다.

오답 풀이

① 걸렸다: 걸-+-리-+-었-+-다
동사 '걸다'의 어간+피동 접미사 '-리-'

➡ '걸렸다'는 동사 '걸다'에 피동 접미사 '-리-'가 붙은 형태로 ㉠에 해당한다.

② 증명되었다: 증명+되-+-었-+-다
명사 '증명'+'-되다'

➡ '증명되었다'는 명사 '증명'에 '-되다'가 붙은 형태로 ㉡에 해당한다.

④ 풀어졌다: 풀-+-어지-+-었-+-다
동사 '풀다'의 어간+'-어지다'

➡ '풀어졌다'는 동사 '풀다'의 어간에 '-어지다'가 붙은 형태로 ㉢에 해당한다.

⑤ 지게 되었다: 지-+-게 되-+-었-+-다
동사 '지다'의 어간+'-게 되다'

➡ '지게 되었다'는 동사 '지다'의 어간에 '-게 되다'가 붙은 형태로 ㉣에 해당한다.

02 정답 | ④

정답 풀이

ⓑ 나는(주어) 하늘을(목적어) 보았다.
하늘이(주어) 나에게(부사어) 보였다. (보-+-이-+-었-+-다)

➡ 능동문의 주어를 피동문의 부사어로, 능동문의 목적어를 피동문의 주어로 바꾼 후 능동문의 서술어 '보았다'에 피동 접미사 '-이-'를 붙여 피동사 '보였다'로 바꾼 피동문이다.

ⓓ 우리는(주어) 그를(목적어) 회장으로 뽑았다.
그가(주어) 우리에 의해(부사어) 회장으로 뽑혔다. (뽑-+-히-+-었-+-다)

➡ 능동문의 주어를 피동문의 부사어로, 능동문의 목적어를 피동문의 주어로 바꾼 후 능동문의 서술어 '뽑았다'에 피동 접미사 '-히-'를 붙여 피동사 '뽑혔다'로 바꾼 피동문이다.

ⓔ 학자들이(주어) 그 문제를(목적어) 풀었다.
그 문제가(주어) 학자들에 의해(부사어) 풀렸다. (풀-+-리-+-었-+-다)

➡ 능동문의 주어를 피동문의 부사어로, 능동문의 목적어를 피동문의 주어로 바꾼 후 능동문의 서술어 '풀었다'에 피동 접미사 '-리-'를 붙여 피동사 '풀렸다'로 바꾼 피동문이다.

오답 풀이

ⓐ 사람들이 길을 넓혔다. (넓-+-히-+-었-+-다)
행위의 주체로, 행위를 당하는 대상이 아님.

➡ 사람들이 길을 넓게 하는 행위를 직접 하고 있을 뿐, 어떤 행위를 당하고 있는 것은 아니므로 피동문이 아니다. 참고로 '넓혔다'의 '-히-'는 피동이 아니라 사동의 접미사이다.

ⓒ 빗물이(주어) 운동장을(목적어) 팠다.
운동장이(주어) 빗물에(부사어) 패였다. (파-+-이-+-이-+-었-+-다)

➡ '패였다'는 '파-+-이-+-이-+-었-+-다'의 줄임말이다. 따라서 피동 접미사 '-이-'가 두 번 들어간 이중 피동 표현이므로 적절하지 않다. '패었다'나 '파였다'가 적절한 표현이다.

03 정답 | ④

정답 풀이

능동 표현: 동작이나 행위를 하는 주체를 강조함.
피동 표현: 동작이나 행위를 당하는 대상을 강조함.

➡ 행위를 직접 하는 주체의 의지는 능동 표현에서 강조되고, 피동 표현은 능동 표현에 비해 행위를 직접 하는 주체의 의지가 강조되지 않는다.

오답 풀이

① 피동 표현은 능동 표현에 비해 내용의 객관성을 높이는 효과가 있다.
② 피동 표현을 사용하면 행위를 당하는 대상이 주어가 되므로 대상을 강조하는 효과가 있다.
③ 피동 표현은 행위를 당하는 대상이 중심이므로 행위의 주체를 모르거나 밝힐 필요가 없을 때 사용할 수 있다.

⑤ 주어가 다른 주체에 의해 동작을 당하는 걸 표현하는 것을 피동 표현이라고 한다.

04 정답 | ④

정답 풀이

ⓐ 동생이 컵을 깼어요.
주체 → 주체의 행동

ⓑ 컵이 깨져 있어요.
대상 → 행위의 결과

➡ ⓐ는 주체 '동생'의 행동을 나타내고 있을 뿐 원인을 제시하고 있지 않다. ⓑ는 대상인 '컵'이 '깨져 있다'는 행위의 결과에 초점을 맞추고 있다.

오답 풀이

① ⓐ 사냥꾼이(주어) 사슴을(목적어) 쫓는다.

ⓑ 사슴이(주어) 사냥꾼에게(부사어) 쫓긴다.

➡ ⓐ의 주어 '사냥꾼이'가 ⓑ의 부사어로, ⓐ의 목적어 '사슴을'이 ⓑ의 주어로 바뀌었음을 알 수 있다.

② 사슴이 사냥꾼에게 쫓긴다.
쫓-+-기-+-ㄴ-+-다
→피동 접미사 '-기-'

➡ '쫓긴다'는 '쫓는다'에 피동 접미사 '-기-'를 붙여 피동 표현을 실현한 것이다.

③ ⓐ 사냥꾼이 사슴을 쫓는다.
주어 → 행위의 주체

ⓑ 사슴이 사냥꾼에게 쫓긴다.
주어 → 행위의 대상

➡ ⓐ의 주어인 '사냥꾼이'는 사슴을 쫓는 행위의 주체이고, ⓑ의 주어인 '사슴이'는 사냥꾼이 쫓는 행위의 대상이 된다.

⑤ ⓐ 동생이 컵을 깼어요.
행위의 주체 사실
깨-+-어지어

ⓑ 컵이 깨져 있어요.
행위의 대상(주체는 생략되어 있음.)

➡ ⓐ에는 행위의 주체인 '동생'이 컵을 깼다는 사실이 드러나 있으나, ⓑ에는 이러한 사실이 숨겨져 있으므로 '동생'이 컵을 깬 행위에 대한 책임을 회피하는 효과가 있다.

05 정답 | ③

정답 풀이

명사 '매몰'+피동 접미사 '-되다'

그곳에는 많은 문화재가 매몰되어 있었다.

→ (누군가가) 많은 문화재를 매몰했다. 부자연스러움.

➡ 문화재를 매몰한 주체를 알 수 없으므로, 이 문장은 피동으로 표현하는 것이 더 자연스럽다. 따라서 불필요한 피동이라고 할 수 없다.

오답 풀이

명사 '생각'+피동 접미사 '-되다'

① 아직은 때가 아니라고 생각된다.
가능
→ 아직은 때가 아니라고 생각한다.

➡ 생각은 스스로 하는 것이므로 능동 표현을 사용해야 한다.

번역 투 '-에 의해' 피동 표현 '-어지다'

② 「광장」은 최인훈에 의해 지어졌다.
가능
→ 「광장」은 최인훈이 지었다.

➡ '-에 의해 지어지다'는 번역 투 표현을 사용한 불필요한 피동 표현이므로 능동 표현을 사용해야 한다.

명사 '복원'+피동 접미사 '-되다'

④ 훼손된 건축물은 하루빨리 복원돼야 한다.
가능
→ 훼손된 건축물은 하루빨리 복원해야 한다.

➡ '복원하다' 형태의 능동 표현을 사용할 수 있으므로 불필요한 피동 표현이다. 참고로 '훼손된'은 행위의 주체가 불분명하므로 피동 표현을 사용하는 것이 적절하다.

동사 '다루다'의 어간+'-어지다'

⑤ 오늘 회의에서 다루어질 내용이 무엇인가요?
가능
→ 오늘 회의에서 다룰 내용이 무엇인가요?

➡ '다루다' 형태의 능동 표현을 사용할 수 있으므로 불필요한 피동 표현이다.

06 정답 | ④

정답 풀이

차려져: 차리-+-어지-+-어
'차리다'의 어간+'-어지다'

➡ '차려져'는 기본형이 '차리다'이므로 여기서 '리'는 피동 접미사가 아니라 어간의 일부이다. 따라서 피동의 의미는 '-어지(다)'에서만 사용되었으므로 이중 피동이 아니다.

오답 풀이

① 담겨져서: 담-+-기-+-어지-+-어서
'담다'의 어간+피동 의미 ①+피동 의미 ②

➡ 피동 접미사 '-기-'와 '-어지다'가 결합한 이중 피동 표현이다.

② 모여진: 모(으)-+-이-+-어지-+-ㄴ
'모으다'의 어간+피동 의미 ①+피동 의미 ②

➡ 피동 접미사 '-이-'와 '-어지다'가 결합한 이중 피동 표현이다.

③ 복원되어졌다: 복원+-되-+-어지-+-었-+-다
명사 '복원'+피동 의미 ①+피동 의미 ②

➡ '-되다'와 '-어지다'가 결합한 이중 피동 표현이다.

⑤ 잊혀질: 잊-+-히-+-어지-+-ㄹ
'잊다'의 어간+피동 의미 ①+피동 의미 ②

➡ 피동 접미사 '-히-'와 '-어지다'가 결합한 이중 피동 표현이다.

07 정답 | ④

정답 풀이

보기

(가) 그 사람은 지갑을 찾아 준 내게 "아이구, 정말 감사합니다. 돈도 중요하지만, 그보다 지갑 속의 어머니 사진을 영영 잃어버리는 줄 알았는데 이렇게 찾게 되니 정말 다행입니다."라고 말했다.
큰따옴표 / 조사 '라고' →직접 인용

(나) 그 사람은 지갑을 찾아 준 내게 특히 어머니 사진을 찾게 되어 정말 감사하다고 말했다. →간접 인용
조사 '고'

(다) 그 사람은 지갑을 찾아 준 내게 돈을 찾게 되어 정말 감사하다고 말했다. →간접 인용
조사 '고'

➡ (나)와 (다)는 간접 인용이므로 '그 사람'의 생생한 감정이나 태도 등을 전달하기에 적합하지 않다. '그 사람'의 말을 그대로 옮기는 직접 인용이 감정이나 태도 등을 생생하게 전달하기에 적합하다고 할 수 있다.

오답 풀이

① (가)는 '그 사람'의 말을 그대로 가져왔으므로 현장감이 느껴지는 효과가 있다.
② 간접 인용인 (나)는 '그 사람'의 말을 그대로 전달하여 구어적 특성을 갖는 (가)에 비해 문어적 특성이 두드러진다.
③ (나)는 (가)의 "아이구, 정말~다행입니다."라는 말을 '돈보다도 특히 어머니 사진을 찾게 되어 정말 감사하다'로 요약·수정하여 전달하고 있다.
⑤ (가)의 '그 사람'의 발화 의도는 지갑 속 '어머니 사진'을 찾은 것에 대한 감사의 표현이다. 그러나 (다)는 '그 사람'의 발화 의도를 '어머니 사진'이 아닌 '돈'을 찾은 것에 대한 감사로 왜곡하여 표현하고 있다.

08 정답 | ③

정답 풀이

큰따옴표 사용 → 직접 인용
그는 친구에게 "집에 언제 오냐?"고 물었다. (×)
간접 인용 때 사용
→ 그는 친구에게 "집에 언제 오냐?"라고 물었다. (○)
직접 인용 때 사용
➡ 큰따옴표가 사용되었으므로 직접 인용이다. 따라서 인용격 조사 '고'가 아니라 '라고'를 사용해야 한다.

오답 풀이

조사 '고' → 간접 인용
① 갈릴레이는 지구는 돈다고 중얼거렸다.
➡ 간접 인용이므로 인용격 조사 '고'의 사용은 적절하다.
조사 '고' → 간접 인용
② 친구가 나에게 취미가 무엇이냐고 물었다.
➡ 간접 인용이므로 인용격 조사 '고'의 사용은 적절하다.
조사 '라고' → 직접 인용
④ 엄마가 딸에게 "빨리 학교에 가라."라고 말했다.
큰따옴표 사용 → 직접 인용
➡ 직접 인용이므로 인용격 조사 '라고'의 사용은 적절하다.
동사 '하다' → 직접 인용
⑤ 그녀는 집에 들어서자 "으악!" 하고 소리를 질렀다.
큰따옴표 사용 → 직접 인용
➡ 직접 인용의 경우 상황을 강조하기 위해 '하고'를 사용하기도 하므로 적절한 표현이다. 이때 '하고'는 동사의 활용형이므로 앞말과 띄어 쓴다는 것에 주의해야 한다.

09 정답 | ②

정답 풀이

그는 어제 "오늘이 내 생일이야."라고 말했다.
인칭 대명사 / 종결 어미 / 조사
→ 그는 오늘이 자신의 생일이라고 말했다. (×)
'오늘이' → '어제가' / '명사+이다'의 평서문 종결 어미 '-라'
➡ 직접 인용문에서 '그'가 말한 '오늘'은 어제를 기준으로 한 '오늘'이므로 '그'의 생일은 '어제'이다. 따라서 이를 간접 인용으로 바꾸면 '어제'로 수정해야 한다.

오답 풀이

① 조카가 나에게 "고맙습니다."라고 말했다.
높임 표현 / 조사
→ 조카가 나에게 고맙다고 말했다.
➡ 직접 인용에서 '조카'는 '나'에게 존댓말을 썼지만 간접 인용으로 바뀌면서 상대 높임 표현을 삭제하였고, 조사 '라고'를 '고'로 바꿨으므로 적절하다.
③ 그는 어제 내게 "같이 등산 갈래?"라고 물었습니다.
→ 그는 어제 내게 같이 등산 가겠느냐고 물었습니다.
의문문 종결 어미 '-느냐'+조사 '고'
➡ 의문문을 간접 인용 표현으로 바꿀 때엔 동사에 붙는 종결 어미를 '-느냐'로 바꾸고 간접 인용격 조사 '고'를 붙여야 한다.
④ 여행 간 그는 "이쪽 지방의 날씨가 맘에 들어."라고 말했다.
지시 표현
→ 여행 간 그는 그쪽 지방의 날씨가 맘에 든다고 말했다.
평서문 종결 어미 '-다'+조사 '고'
➡ 직접 인용절에서 그가 언급한 '이쪽'은 청자의 입장에서는 '그쪽'을 의미한다. 그리고 평서문을 간접 인용 표현으로 바꿀 때엔 종결 어미를 '-다'로 바꾸고 간접 인용격 조사 '고'를 붙여야 한다.
⑤ 친구가 나에게 "네가 서 있는 그곳에서 기다려."라고 말했다.
인칭 대명사 / 지시 표현
→ 친구가 나에게 내가 서 있는 이곳에서 기다리라고 말했다.
명령문 종결 어미 '-라'+조사 '고'
➡ 직접 인용절의 '너(네)'는 '간접 인용절'에서 '나(내)'를 의미한다. 또 친구의 입장에서는 '내'가 있는 장소가 '그곳'이지만 '나'의 입장에서는 '이곳'이다. 그리고 명령문을 간접 인용 표현으로 바꿀 때엔 종결 어미를 '-라'로 바꾸고 간접 인용격 조사 '고'를 붙여야 한다.

10 정답 | ④

정답 풀이

그가 나에게 "저랑 같이 갑시다."라고 말했다.
인칭 대명사 / 청유형
→ 그가 나에게 자기와 같이 가라고 말했다. (×)
명령문 종결 어미 '-라'+조사 '고'
→ 그가 나에게 자기와 같이 가자고 말했다. (○)
청유문 종결 어미 '-자'+조사 '고'
➡ '갑시다'는 청유형이므로 명령의 종결 어미 '-라'가 아니라 '-자'를 사용하여 '-자고'로 바꿔야 한다.

오답 풀이

① 혜원이는 "나 오늘 좀 아파."라고 말했다.
인칭 대명사 / 평서문, 형용사 '아프다'
→ 혜원이는 자기가 오늘 좀 아프다고 말했다.
'-다고' 사용
➡ 형용사가 사용된 평서문이므로 '-다고'를 사용해야 한다.
② 철호가 "오늘은 쉬는 날이야."라고 밝혔다.
평서문, 명사 '날'+'이다'
→ 철호가 오늘은 쉬는 날이라고 밝혔다.
'-(이)라고' 사용
➡ '명사+이다'가 사용된 평서문이므로 '-(이)라고'를 사용해야 한다.
③ 아저씨는 나에게 "학생이니?"라고 물었다.
의문문, 명사 '학생'+'이다'
→ 아저씨는 나에게 학생이냐고 물었다.
'-(이)냐고' 사용
➡ '명사+이다'가 사용된 의문문이므로 '-(이)냐고'를 사용한다.

⑤ 선생님께서 영희에게 "어디 가니?"라고 물었다.
의문문, 동사 '가다'
→ 선생님께서 영희에게 어디 가느냐고 물었다.
'-느냐고' 사용
➡ 동사가 사용된 의문문이므로 '-느냐고'를 사용한다.

11 정답 | 걷히면서, 정체되고, 예상됩니다

정답 풀이

구름이 걷히면서
걷-+-히-+-면서
└→ 피동 접미사
➡ 능동사 '걷다'에 피동 접미사 '-히-'가 결합된 피동 표현이다.

도로가 정체되고 있지만
정체+-되-+-고
└→ 피동 접미사 '-되다'
➡ 명사 '정체'에 피동 접미사 '-되다'가 결합된 피동 표현이다.

정체 상황도 풀릴 것으로 예상됩니다.
예상+-되-+-ㅂ니다
└→ 피동 접미사 '-되다'
➡ 명사 '예상'에 피동 접미사 '-되다'가 결합된 피동 표현이다.

오답 풀이

날씨가 맑게 갰습니다.
개-+-었-+-습니다
➡ 날씨가 스스로 개는 것이므로 능동 표현이다.

나들이를 떠나는 차량이 몰리면서
떠나-+-는
➡ 차량이 직접 나들이를 떠나고 있으므로 능동 표현이다.

12 정답 | 그는 선생님께 "사랑합니다."라고 말했다.

정답 풀이

그는 선생님께 사랑한다고 말했다.
높임 표현(상대 높임) 조사
→ 그는 선생님께 "사랑합니다."라고 말했다.
➡ 간접 인용문의 '사랑한다'에 생략된 높임 표현은 직접 인용문에서 실현되어야 하므로 상대 높임 표현을 사용하여 "사랑합니다."로 바꾼다. 또 간접 인용격 조사 '고'를 직접 인용격 조사 '라고'로 바꾸어야 한다.

13 정답 | 예 '나무가 사람들에게(사람들에 의해) 베였다.'로 바꾼다. 이는 능동사 '베다'에 피동 접미사 '-이-'를 결합해 피동 표현을 실현한 것이다. 또는 '나무가 사람들에게(사람들에 의해) 베어졌다.'로 바꾼다. 이는 능동사 '베다'에 '-어지다'를 결합해 피동 표현을 실현한 것이다.

서술형 해결

STEP 1 피동 표현의 실현 요소인 '-이-, -히-, -리-, -기-', '-되다', '-아/-어지다', '-게 되다' 중 어느 것이 서술어 '베다'와 결합할 수 있을지 판단해 본다.

STEP 2 '나무'를 주어로 했을 때 동사인 '베다'에는 '-이-'와 '-어지다'만 결합할 수 있음을 파악한다.

기출문제로 뛰어넘기

14 ① 15 ⑤ 16 ①

14 정답 | ①

정답 풀이

동생에게 사탕을 빼앗기다.
피동 접미사 '-기-'
➡ 생략된 주어가 '동생'에 의해 사탕을 빼앗기는 동작을 당하고 있으므로 피동 표현의 예로 적절하다. '빼앗기다'는 능동사 '빼앗다'에 피동 접미사 '-기-'가 결합된 피동 표현이다.

오답 풀이

② 생략된 주어가 제힘으로 친구를 만나는 것이므로 능동 표현에 해당한다.
③ 주어가 제힘으로 소식을 전하는 동작을 하는 것이므로 능동 표현에 해당한다.
④ '숙이다'는 '앞이나 한쪽으로 기울어지게 하다'라는 의미를 나타내고 있으므로 피동 표현의 예로 적절하지 않다.
⑤ '굽히다'는 '굽게 하다'의 의미를 나타내고 있으므로 피동 표현의 예로 적절하지 않다.

15 정답 | ⑤

정답 풀이

태풍에 건물이 흔들리다
주체 피동 접미사 '-리-'
➡ <보기>에 따르면 피동 표현에는 주체가 남에 의해 어떤 동작을 당하는 것이 나타나 있어야 한다. '태풍에 건물이 흔들리다.'에는 '건물'이라는 주체가 태풍에 의해 흔들리는 동작을 당하는 것이 나타나 있으므로 피동 표현이다. 이는 동사 '흔들다'에 피동 접미사 '-리-'가 결합하여 실현되고 있다.

오답 풀이

① 생략된 주체가 제힘으로 밧줄을 당긴 것이므로 능동 표현이다.
② 생략된 주체가 동생이 머리를 감게 한 것이므로 사동 표현이다.
③ 생략된 주체가 아이가 밥을 먹게 한 것이므로 사동 표현이다.
④ 주체 '후배'가 제힘으로 선배를 놀린 것이므로 능동 표현이다.

16 정답 | ①

정답 풀이

첫 번째 예시문의 인용절에서는 시간 표현과 높임 표현을 바꿔야 한다. 우선 ⓐ에는 '어제' 시점에서의 '내일', 곧 '오늘'이 들어가야 한다. 또한 아들이 아버지에게 말할 때는 '계십시오'라는 높임 표현을 사용했지만, 아버지가 자기 자신을 높일 필요는 없다. 따라서 ⓑ에는 '계십시오'를 평칭의 명령문인 '있으라'로 바꾼 후 간접 인용격 조사 '고'를 붙인 '있으라고'가 들어가야 한다.

두 번째 예시문의 인용절에서는 대명사와 종결 어미를 바꿔야 한다. 언니가 가져오라고 한 것은 자신의 휴대 전화이므로 ⓒ에는 언니 본인을 나타내는 '자기의'라는 3인칭 재귀 대명사가 들어가야 한다. ⓓ에는 '남겨라'라는 직접 명령문을 '남기라'는 간접 명령문으로 바꾼 후 간접 인용격 조사 '고'를 붙인 '남기라고'가 들어가야 한다.

Ⅰ단원 종합

07강 문법 요소의 특성 실전

교/과/서/ 개/념/ 정/리

1 ① 시 ② 목적어 ③ 상대
2 ① 사건시 ② 현재 ③ 진행 ④ 완료
3 ① 주어 ② 피동 접미사 ③ 명사
4 ① 라고 ② 간접

내/신/ 만/점/ 대/비

01 ⑤ **02** ② **03** ③ **04** ⑤ **05** ① **06** ②
07 ② **08** ⑤ **09** ⑤ **10** ④
11 께서, 말씀, -시-, -습니다
12 (1) 과거 시제, 선어말 어미 '-었-' (2) 진행상, 보조 용언 '-고 있다' **13** 문이 바람에 닫히다, 문이 바람에 닫아지다.
14 ※ 해설 참조 **15** ※ 해설 참조

01 정답 | ⑤

정답 풀이

객체 높임 표현은 선어말 어미가 아닌 높임의 부사격 조사 '께', 특수 어휘 '뵙다', '드리다' 등을 통해 실현된다.

오답 풀이

① 주체를 높이는 방법으로는 주격 조사 '께서', 선어말 어미 '-(으)시-', 특수 어휘 '계시다' 등을 사용하는 것이 있으며, 객체를 높이는 방법으로는 부사격 조사 '께'와 특수 어휘 '뵙다', '드리다' 등을 사용하는 것이 있다. 청자를 높이거나 낮추는 상대 높임은 종결 표현을 통해 실현된다.
② 주체 높임 표현은 선어말 어미 '-(으)시-', 특수 어휘 '계시다', 높임의 주격 조사 '께서' 등을 통해 실현된다.
③ 주체 높임, 상대 높임, 객체 높임은 각각 높이려는 대상이 다르기 때문에 한 문장 안에서 동시에 실현될 수 있다.
④ 상대 높임 표현을 실현하는 종결 표현은 '아주높임, 예사 높임, 예사 낮춤, 아주낮춤, 두루높임, 두루낮춤'으로 높임의 등급을 나눌 수 있으며 높임과 낮춤을 모두 포함한다.

02 정답 | ②

정답 풀이

ⓛ 할머니께서는 눈이 밝으시다. ⇒ 주체 높임
(간접 높임 / 주체 / 주격 조사 '께서' / 선어말 어미 '-으시-')

➡ 주격 조사 '께서'와 선어말 어미 '-으시-'를 통해 주체인 '할머니'를 직·간접적으로 높이고 있다. 그러나 높임의 특수 어휘는 사용되지 않았다.

오답 풀이

① ㉠ 아버지께서 책을 읽으신다. ⇒ 주체 높임
(주체 / 주격 조사 '께서' / 선어말 어미 '-으시-')

➡ 주격 조사 '께서'와 선어말 어미 '-으시-'를 사용하여 주체인 '아버지'를 높이고 있다.

③ ㉢ 어머니, 학교 다녀오겠습니다. ⇒ 상대 높임
(청자 / 하십시오체)

➡ 종결 표현인 '하십시오체'(아주높임)를 통해 청자인 '어머니'를 높이고 있다.

④ ㉣ 삼촌, 저는 이쪽으로 갈게요. ⇒ 상대 높임
(청자 / 해요체)

➡ 종결 표현인 '해요체'(두루높임)를 사용하여 청자인 '삼촌'을 높이고 있다.

⑤ ㉤ 형이 할아버지를 뵙고 싶다며 집에 왔다. ⇒ 객체 높임
(객체 / 특수 어휘)

➡ 특수 어휘 '뵙다'를 통해 서술어의 대상이 되는 목적어인 '할아버지'를 높이고 있다.

03 정답 | ③

정답 풀이

ⓑ 교장 선생님께서 훈화 말씀을 하셨다. ⇒ 주체 높임
(주체 / 주격 조사 / 특수 어휘 / 선어말 어미 '-시-')

➡ 주격 조사 '께서', 특수 어휘 '말씀', 선어말 어미 '-시-'를 사용하여 주체인 '교장선생님'을 높이는 주체 높임법이다.

ⓓ 할아버지께서 안방에서 낮잠을 주무신다. ⇒ 주체 높임
(주체 / 주격 조사 / 특수 어휘)

➡ 주격 조사 '께서'와 특수 어휘 '주무시다'를 사용하여 주체인 '할아버지'를 높이는 주체 높임법이다.

오답 풀이

ⓐ 선생님, 정말 감사합니다. ⇒ 상대 높임
(청자 / 하십시오체)

➡ 종결 표현 '하십시오체'를 통해 청자인 '선생님'을 높이는 상대 높임법이다.

ⓒ 동생이 어머니를 모시고 병원에 갔다. ⇒ 객체 높임
(객체 / 특수 어휘)

➡ 특수 어휘 '모시다'를 통해 서술어의 대상이 되는 목적어인 '어머니'를 높이는 객체 높임법이다.

ⓔ 혜진이가 국어 문제를 선생님께 여쭤보았다. ⇒ 객체 높임
(특수 어휘 / 객체 / 부사격 조사)

➡ 부사격 조사 '께'와 특수 어휘 '여쭈다'를 사용하여 서술어의 대상이 되는 부사어인 '선생님'을 높이는 객체 높임법이다.

04 정답 | ⑤

정답 풀이

내일 있을 발표를 준비하려면 오늘 잠은 다 잤다.
(자-+-았-+-다 / 미래에 실현될 것을 확신하는 선어말 어미)

➡ 선어말 어미 '-았-/-었-'은 과거 시제를 나타낼 뿐만 아니라 화자가 확신하는 미래의 일을 표현할 때 쓰이기도 한다.

오답 풀이

① 잎새에 이는 바람에도 나는 괴로워했다.
(괴로워하-+-었-+-다 / 과거 시제를 나타내는 선어말 어미)

② 책을 읽던 수영이의 모습은 정말 예뻤어.
읽-+-던
과거 시제를 나타내는 관형사형 어미
③ 어제 보람이와 먹은 빵은 정말 맛있었다.
먹-+-은
동사 어간과 결합하여 과거 시제를 나타내는 관형사형 어미
④ 내가 어제 간 곳은 정말 특별한 곳이었어.
가-+-ㄴ
동사 어간과 결합하여 과거 시제를 나타내는 관형사형 어미

05 정답 | ①

정답 풀이

내일은 비가 오겠네.
추측의 의미
➡ 선어말 어미 '-겠-'은 미래 시제를 나타낼 뿐만 아니라 추측, 가능성, 의지 등 다양한 의미를 드러내기도 하는데, 여기선 가능성이 아니라 내일 비가 올 것 같다는 추측의 의미로 쓰였다.

오답 풀이

② 벌써 면접이 다 끝났겠다.
면접이 끝났을 것이라는 추측의 의미
③ 그 일을 혼자 다 할 수 있겠어?
혼자 일을 다 할 수 있냐는 가능성의 의미
④ 나한테 주어진 길을 걸어가야겠다.
주어진 길을 걸어가겠다는 의지의 의미
⑤ 이번 과제는 제가 마무리하겠습니다.
과제를 마무리하겠다는 의지의 의미

06 정답 | ②

정답 풀이

과거 시제 선어말 어미 '-었-'
ⓑ 의기는 공부를 하고 있었어.
진행을 의미하는 보조 용언 '-고 있다'
➡ '-고 있다'는 진행상을 드러낼 뿐 시제를 결정하지는 않는다. 시제는 과거 시제 선어말 어미 '-었-'을 통해 드러난다.

오답 풀이

① ⓐ 어느새 꽃이 피어 있었다.
완료를 의미하는 보조 용언 '-어 있다'
동사와 결합하여 과거 시제를 나타내는 관형사형 어미 '-ㄴ'
③ ⓒ 어제 본 영화는 정말 재미있었다.
과거를 의미하는 부사어 / 과거 시제 선어말 어미 '-었-'
미래 시제를 나타내는 표현 '-ㄹ 것'
④ ⓓ 네가 떠날 나라로 곧 따라갈 것이다.
미래 시제 관형사형 어미 '-ㄹ'
⑤ ⓔ 친구가 지금 읽고 있는 책은 소설이다.
현재를 의미하는 부사어 / 현재 시제 관형사형 어미 '-는'

07 정답 | ②

정답 풀이

그들이 화해했다는 것이 믿겨지지 않는다.
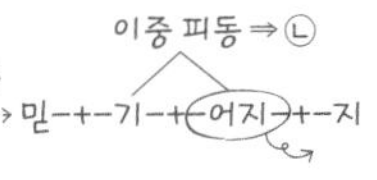

믿기지 않는다.

오답 풀이

① 그 영화는 김 감독에 의해 만들어졌다.
불필요한 피동 표현 ⇒ ㉠
김 감독이 그 영화를 만들었다.

③ 나는 이웃이 어려울 때 돕는 것이 옳은 일이라고 생각되어진다.
불필요한 피동 표현을 없애고 주어 '나는'에 맞는 능동 표현으로 수정함. ⇒ ㉠
생각한다
④ 그 사건은 이미 잊혀진 일이 되었다.
잊-+-히-+-어지-+-ㄴ
잊힌
이중 피동 ⇒ ㉡
⑤ 수익금은 유기견을 위해 유용하게 쓰여질 것으로 보인다.
쓰-+-이-+-어지-+-ㄹ
쓰일
이중 피동 ⇒ ㉡

08 정답 | ⑤

정답 풀이

내가 그 학교에 입학하게 되었다.
입학하-+-게 되-+-었-+-다
피동을 실현하는 표현 '-게 되다' ⇒ 통사적 피동
➡ 피동 표현을 만드는 방법으로는 능동사의 어간에 피동 접미사 '-이-, -히-, -리-, -기-'를 붙이거나 명사에 '-되다'를 붙여 만드는 파생적 피동과 용언의 어간에 '-아/-어지다', '-게 되다'를 붙여 만드는 통사적 피동이 있다. '내가 그 학교에 입학하게 되었다.'는 '-게 되다'를 통해 피동 표현을 만들고 있으므로 통사적 피동이다.

오답 풀이

① 내가 모기에게 물렸다.
물-+-리-+-었-+-다
피동 접미사 '-리-' ⇒ 파생적 피동
② 재희가 술래에게 쫓겼다.
쫓-+-기-+-었-+-다
피동 접미사 '-기-' ⇒ 파생적 피동
③ 단팥빵이 식탁에 놓였다.
놓-+-이-+-었-+-다
피동 접미사 '-이-' ⇒ 파생적 피동
④ 사슴이 호랑이에게 잡혔다.
잡-+-히-+-었-+-다
피동 접미사 '-히-' ⇒ 파생적 피동

09 정답 | ⑤

정답 풀이

나는 오늘 할머니께 내가 무엇을 해야 하느냐고 여쭈었다.
시간 표현 / 인칭 대명사 / 높임 표현, 종결 어미 / 조사
→ 나는 어제 할머니께 "저는 내일 무엇을 해야 해요?"라고 여쭈었다.
→ '오늘'로 바꿔야 함.
➡ '나'가 할머니께 질문한 시간은 '오늘'이므로 직접 인용 표현에서도 '어제'가 아니라 '오늘'이라고 표현해야 한다.

오답 풀이

① 찬호는 자기가 먼저 간다고 말했다.
인칭 대명사 / 시간 표현, 종결 어미 / 조사
→ 찬호는 "내가 먼저 갈게."라고 말했다.
② 문수는 자기가 잘못한 거라고 말했다.
인칭 대명사 / 종결 어미 / 조사
→ 문수는 "내가 잘못한 거야."라고 말했다.
③ 그는 아버지께 자기도 가야 하냐고 물었다.
인칭 대명사 / 높임 표현, 종결 어미 / 조사
→ 그는 아버지께 "저도 가야 합니까?"라고 물었다.

④ 선아는 자기 오빠가 드디어 귀국했다고 말했다.
인칭 대명사 / 종결 어미 / 조사
→ 선아는 "우리 오빠가 드디어 귀국했어."라고 말했다.

10 정답 | ④

정답 풀이

보기
함께 소풍을 가기로 한 친구가 나에게 오늘 하늘이 맑냐고 물어보았다. → (직접 인용) 함께 소풍을 가기로 한 친구가 나에게 "오늘 하늘이 맑니?"라고 물어보았다.

➡ 간접 인용 표현을 직접 인용 표현으로 바꾸려면 조사 '고' 대신 '라고'를 사용해야 한다.

오답 풀이

① 친구가 질문한 내용을 간접적으로 인용하고 있다.
② '오늘 하늘이 맑냐고'에서 조사 '고'를 사용하여 간접 인용 표현을 실현하고 있음을 알 수 있다.
③ 간접적으로 인용된 친구의 질문을 직접 인용 표현으로 바꾸려면 "오늘 하늘이 맑니?"와 같이 큰따옴표를 사용해야 한다.
⑤ 〈보기〉의 인용된 문장에서는 형용사의 의문형 종결 어미인 '-냐'가 붙었으나, 이를 직접 인용 표현으로 바꾸면 종결 어미가 '-니' 등으로 달라질 수 있다.

11 정답 | 께서, 말씀, -시-, -습니다

정답 풀이

엄마께서는 선생님의 가르침을 받으라고 말씀하셨습니다.
께서: 주격 조사 → 주체 높임 / 말씀: 특수 어휘 → 주체 높임 / -시-: 선어말 어미 → 주체 높임 / -습니다: 종결 어미 → 상대 높임

➡ 주체 높임은 특수 어휘 '말씀', 주격 조사 '께서', 선어말 어미 '-시-'를 통해 실현되고, 상대 높임은 '-습니다'와 같은 종결 어미를 통해 실현된다.

12 정답 | (1) 과거 시제, 선어말 어미 '-었-' (2) 진행상, 보조 용언 '-고 있다'

정답 풀이

흰 눈이 펑펑 내리고 있었다.
-었-: 선어말 어미 '-었-' → 과거 시제 / 고 있: 보조 용언 '-고 있다' → 진행상

➡ 선어말 어미 '-었-'을 통해 과거 시제임을, 보조 용언 '-고 있다'를 통해 진행상임을 알 수 있다.

13 정답 | 문이 바람에 닫히다, 문이 바람에 닫아지다.

정답 풀이

(바람이) 문을 닫다 → 문이 바람에 〈 닫히다 / 닫아지다
(바람이): 주어, 문을: 목적어 → 문이: 주어, 바람에: 부사어
닫히다: 피동 접미사 '-히-' ⇒ 파생적 피동문
닫아지다: 피동 표현 '-아지다' ⇒ 통사적 피동문

➡ 파생적 피동문은 '-이-, -히-, -리-, -기-'와 같은 피동 접미사를 통해 실현되고, 통사적 피동문은 '-아/-어지다', '-게 되다' 등의 피동 표현을 통해 실현된다.

14 정답 | 예 '있다'를 '있으시다'로 고친다. 삼촌과 관련된 대상인 '걱정'을 높임으로써 높여야 할 대상인 삼촌을 간접적으로 높일 수 있기 때문이다.

서술형 해결

STEP 1 '걱정'이 '삼촌'과 관련된 대상이므로, '걱정'을 높이면 주체인 '삼촌'을 간접적으로 높일 수 있음을 파악한다.
STEP 2 '걱정'을 높이기 위해서는 선어말 어미 '-으시-'를 사용해야 함을 파악한다.

15 정답 | 예 성주는 "노란 은행잎이 정말 예뻐!"라고 말했다. 직접 인용 표현은 간접 인용 표현에 비해 생동감이 있고, 말한 사람의 감정을 더 잘 드러낼 수 있다.

서술형 해결

STEP 1 간접 인용 표현을 직접 인용 표현으로 바꾸면 조사와 종결 어미가 바뀌고 큰따옴표가 붙는다는 것을 파악한다.
STEP 2 간접 인용 표현을 직접 인용 표현으로 바꾸면 말한 사람의 말을 그대로 인용한다는 점에서 생동감을 주고 말한 사람의 감정을 더 잘 드러낼 수 있다는 것을 파악한다.

수/능/ 1/등/급/ 대/비

16 ④ 17 ② 18 ② 19 ③

16 정답 | ④

정답 풀이

ⓑ A: **소풍날 날씨는 괜찮았어?**
B: **아주 나빴어.** 나쁘-+-았-+-어 (-았-: 과거임을 의미)

➡ '소풍날'의 날씨가 나빴다고 이야기하는 것이므로 과거에 일어난 사건의 결과 상태가 현재까지 지속되고 있음을 나타내는 것(ⓑ)이 아니라, 사건이나 상태가 과거의 것임을 나타내는 것(ⓐ)이다. 또한 〈보기〉에서 ⓑ의 경우 '-았-/-었-'을 보조 용언 구성 '-아/-어 있-'이나 '-고 있-'으로 교체하여도 의미가 달라지지 않는다고 하였는데, '아주 나빠 있어.'라고 하면 의미가 달라지므로 ⓑ에 해당하지 않음을 알 수 있다.

오답 풀이

① ⓐ A: 어제 뭐 했니?
B: 하루 종일 텔레비전만 보았어.
보-+-았-+-어
'어제' 텔레비전을 본 과거의 사건을 나타냄.

② ⓐ A: 너 아까 집에 없더라.
B: 할머니 생신 선물 사러 갔어.
가-+-았-+-어
'아까' 할머니 생신 선물을 사러 간 과거의 사건을 나타냄.

③ ⓑ A: 감기 걸렸다며?
B: 응, 그래서인지 아직도 목이 잠겼어.
잠기-+-었-+-어
목이 잠긴 과거의 상태가 아직까지 지속되고 있음을 나타냄.

➡ '아직도' 목이 잠겼다고 하였으므로 목이 잠긴 과거의 상태가 지속되고 있음을 알 수 있다. 또한 '아직도 목이 잠겨 있어.'로 바꾸어도 의미가 달라지지 않는다는 것을 통해서도 확인할 수 있다.

⑤ ⓒ A: 너 오늘도 바빠?
B: 응, 과제 준비하려면 오늘도 잠은 다 잤어.
자- + -았- + -어
미래의 일을 확정적인 사실로 받아들임을 나타냄.

➡ '오늘도 잠을 자기는 어렵겠다.'라는 의미이므로, 미래의 일을 확정적인 사실로 받아들이고 있음을 알 수 있다.

17 정답 | ②

정답 풀이

마을이 폭풍에 휩쓸리다. (피동문)
주어 부사어 피동사
폭풍이 마을을 휩쓸다. (능동문)
주어 목적어 능동사

➡ '마을이 폭풍에 휩쓸리다.'를 능동문으로 바꾸면 '폭풍이 마을을 휩쓸다.'가 된다. 따라서 ㄱ을 능동문으로 바꾸려면 피동문의 부사어 '폭풍에'가 능동문의 주어 '폭풍이'로 되어야 한다.

오답 풀이

① 휩쓸리다: 휩쓸- + -리- + -다
피동 접미사 '-리-'

➡ '휩쓸리다'는 동사 '휩쓸다'에 피동 접미사 '-리-'가 결합된 피동 표현이다.

③ 도둑이 경찰에게 잡히다. (피동문)
주어 부사어 피동사
경찰이 도둑을 잡다. (능동문)
주어 목적어 능동사

➡ '도둑이 경찰에게 잡히다.'를 능동문으로 바꾸면 '경찰이'가 주어가 되므로 행위의 주체가 '도둑'에서 '경찰'로 바뀌게 된다.

④ 잡혀지다: 잡- + -히- + -어지다
피동 의미 ① + 피동 의미 ②

➡ '잡혀지다'는 동사 '잡다'에 피동 접미사 '-히-'와 피동의 뜻을 가지는 '-어지다'가 두 번 쓰인 이중 피동 표현이다.

⑤ 풀리다: 풀- + -리- + -다
피동 접미사 '-리-'

➡ '풀리다'는 동사 '풀다'에 피동 접미사 '-리-'가 결합된 파생적 피동 표현이다. '풀다'에 피동의 뜻을 가지는 '-어지다'를 결합하면 통사적 피동 표현이 된다.

18 정답 | ②

정답 풀이

간접 높임
교수님께서는 책이 많으시다. ⇒ 주체 높임
주격 조사 선어말 어미

➡ '교수님'의 소유물인 '책'을 선어말 어미 '-으시-'를 사용하여 높임으로써 높여야 할 대상인 '교수님'을 간접적으로 높이고 있다. 한편 주격 조사 '께서'는 주체인 '교수님'을 직접적으로 높이고 있다.

오답 풀이

① 아버지께서 요리를 하셨다. ⇒ 주체 높임
주격 조사
하- + -시- + -었- + -다
선어말 어미

➡ 주격 조사 '께서'와 선어말 어미 '-시-'를 통해 주체인 '아버지'를 직접 높이고 있다.

③ 어머니께서 음악회에 가셨다. ⇒ 주체 높임
주격 조사
가- + -시- + -었- + -다
선어말 어미

➡ 주격 조사 '께서'와 선어말 어미 '-시-'를 통해 주체인 '어머니'를 직접 높이고 있다.

④ 선생님께서 우리의 이름을 부르신다. ⇒ 주체 높임
주격 조사
부르- + -시- + -ㄴ- + -다
선어말 어미

➡ 주격 조사 '께서'와 선어말 어미 '-시-'를 통해 주체인 '선생님'을 직접 높이고 있다.

⑤ 할아버지께서는 마을 이장이 되셨다. ⇒ 주체 높임
주격 조사
되- + -시- + -었- + -다
선어말 어미

➡ 주격 조사 '께서'와 선어말 어미 '-시-'를 통해 주체인 '할아버지'를 직접 높이고 있다.

19 정답 | ③

정답 풀이

ⓒ 네가 선생님을 직접 뵙고, ⇒ 객체 높임
객체 특수 어휘

➡ 특수 어휘 '뵙다'를 통해 서술어의 대상이 되는 목적어인 '선생님'을 높이고 있다.

오답 풀이

① ⓐ 선생님께서 발표 자료 가져 오라고 하셨어. ⇒ 주체 높임
주격 조사
하- + -시- + -었- + -어
선어말 어미

➡ 주격 조사 '께서'와 선어말 어미 '-시-'를 통해 주체인 '선생님'을 높이고 있다.

② ⓑ 선생님께 자료 드리기 어려운데, ⇒ 객체 높임
부사격 조사 특수 어휘

➡ 부사격 조사 '께'와 특수 어휘 '드리다'를 통해 서술어의 대상이 되는 부사어인 '선생님'을 높이고 있다.

④ ⓓ 열심히 준비했어요. ⇒ 상대 높임
종결 표현 '해요체'

➡ 종결 표현 '해요체'를 통해 청자인 '선생님'을 높이는 상대 높임법이다.

⑤ ⓔ 이상으로 발표를 마치겠습니다. ⇒ 상대 높임
종결 표현 '하십시오체'

➡ 수업 중 발표를 하는 공식적인 상황이므로 상대 높임의 종결 표현 중 격식체인 '하십시오체'를 사용하고 있다.

교/과/서/밖/개/념/플/러/스

① 성분 ② 절 ③ 안은 ④ 연결 ⑤ 기 ⑥ 관형어 ⑦ 게 ⑧ 서술어 ⑨ 라고 ⑩ 고 ⑪ 원인 ⑫ 객관적 ⑬ 질문 ⑭ 요구 ⑮ 느낌

한글 맞춤법의 기본 원리 III

08강 총칙, 대표적인 한글 맞춤법 규정

교과서 개념 알기

활동 1 ① 달, 마중, 어깨, 원고 ② 반짝이, 굳이, 아랫집, 귓불, 신라

활동 2 ① ㉠ ② ㉡ ③ ㉠ ④ ㉡ ⑤ ㉠ ⑥ ㉡ ⑦ 마지 ⑧ 거치다 ⑨ 다치다 ⑩ 가치 ⑪ ㅈ, ㅊ ⑫ ㄷ, ㅌ

활동 3 (1) ㉠ (2) ㉡ (3) ㉢ (4) ㉡ (5) ㉣ (6) ㉢ (7) ㉡
① 명사 ② 부사 ③ 텃마당 ④ ㉡ ⑤ 툇마루 ⑥ ㉤
⑦ 봇뚝 ⑧ ㉣ ⑨ 사산님 ⑩ ㉥

활동 4 (1) 우리가∨아는∨것은∨그∨최선의∨노력뿐이∨없다는∨것이다.
(2) 봄이∨오면∨진달래∨개나리∨등∨어여쁜∨꽃들이∨잔뜩∨핀다.
(3) 마을에서∨유명했던∨김∨사장이∨떠난∨지∨며칠이∨흘렀다.
(4) 동생은∨형에게∨쌀∨한∨자루를∨꾸려고∨눈치를∨살피고∨있었다.
(5) 나는∨나대로∨열심히∨일하여∨꿈∨같은∨목표를∨한∨개라도∨이루겠다.

개념 확인

01 (1) 소리, 어법, 단어 (2) 된소리 (3) 원형 (4) 만
02 (1) 달맞이 (2) 합격률 (3) 해쓱한 (4) 돗자리 (5) 걸음

내신 문제로 다지기

01 ② 02 ⑤ 03 ④ 04 ① 05 ④ 06 ⑤
07 ② 08 ② 09 ④ 10 ⑤ 11 ②
12 차∨한∨잔으로도∨삶에∨대한∨잔잔한∨기쁨과∨감사를∨누릴∨수∨있을∨것이다. 13 ※ 해설 참조

01 정답 | ②

정답 풀이

〈보기〉의 한글 맞춤법 규정은 제1장 총칙에 대한 내용으로, 한글 맞춤법의 기본 원칙을 다루고 있다. 한글 맞춤법에서 표준어를 소리대로 적는 것이 원칙인 이유는 한글이 하나하나의 글자가 언어의 음과 상관없이 일정한 뜻을 나타내는 문자인 표의 문자가 아니라, 말소리를 그대로 기호로 나타낸 문자인 표음 문자이기 때문이다.

02 정답 | ⑤

정답 풀이

드러나다: 들-+-어+나-+-다 → 드러나다[드러나다]
소리대로 적음.(㉠)

➡ 각 단어의 형태소 분석을 하면 원형을 밝혀 적었는지, 소리대로 적었는지 파악할 수 있다. '드러나다'는 발음과 표기가 동일하므로 어법에 맞게 적은 ㉡이 아니라 소리대로 적은 ㉠의 예에 해당한다.

오답 풀이

① 무덤: 묻-+-엄 → 무덤[무덤]
소리대로 적음.(㉠)

② 마중: 맞-+-웅 → 마중[마중]
소리대로 적음.(㉠)

③ 따님: 딸+-님 → 따님[따님]
소리대로 적음.(㉠)

④ 숲: 숲 → 숲[숩]
→ 어법에 맞도록 적음.(㉡)

03 정답 | ④

정답 풀이

손∨놓고∨지켜만∨볼∨수는∨없지.
명사 동사 동사 보조사 동사 보조사 의존 명사 형용사

➡ 문장을 단어(품사) 단위로 분석한 뒤, 앞말에 붙여 써야 하는 조사 이외의 단어를 붙여 쓴 부분은 없는지 파악해야 한다. '수'는 의존 명사이므로 앞말과 띄어 써야 한다.

오답 풀이

① 낮인데∨달이∨떠∨있어.
명사 조사 명사 조사 동사 동사

② 아름다운∨하늘이∨있다.
형용사 명사 조사 동사

③ 그∨사람은∨좋아할∨만하다.
관형사 명사 조사 동사 보조 형용사

⑤ '하늘과∨바람과∨별과∨시'를∨읽었다.
명사 조사 명사 조사 명사 조사 명사 조사 동사

04 정답 | ①

정답 풀이

싹뚝 → 싹둑[싹뚝] (○)
→ 받침 'ㄱ' 뒤의 된소리되기 → 같은 음절이나 비슷한 음절이 겹쳐 나는 경우 ×
⇒ 된소리로 적지 않음.

➡ 한글 맞춤법 제5항에 의하면 두 모음 사이에서 나는 된소리, 'ㄴ, ㅁ, ㄹ, ㅇ' 받침 뒤에서 나는 된소리와 같이 한 단어 안에서 까닭 없이 나는 된소리는 다음 음절의 첫소리를 된소리로 적어야 한다. 이러한 환경을 두 모음 사이에서 나는 된소리, 'ㄴ, ㄹ, ㅁ, ㅇ' 받침 뒤에서의 된소리로 규정하고 있다. 다만, 'ㄱ, ㄷ' 받침 뒤에서 나는 된소리는 같은 음절이나 비슷한 음절이 겹쳐 나는 경우가 아니면 된소리로 적지 않는다. 따라서 '싹뚝'의 경우 'ㄱ' 받침 뒤에 같거나 비슷한 음절이 겹쳐 나는 경우가 아니므로, 된소리가 아닌 '싹둑'으로 적는 것이 적절하다.

오답 풀이

② 소쩍새
두 모음 사이에서 나는 된소리 → 된소리로 적어야 함.

③ 갑자기[갑짜기]
→ 받침 'ㅂ' 뒤의 된소리되기 → 같은 음절이나 비슷한 음절이 겹쳐 나는 경우 ×
⇒ 된소리로 적지 않음.

④ 깨끗하다
두 모음 사이에서 나는 된소리 → 된소리로 적어야 함.

⑤ 해쓱하다
두 모음 사이에서 나는 된소리 → 된소리로 적어야 함.

05 정답 | ④

정답 풀이

묻-+-히-+-다 → 묻히다[무치다] [무티다]
받침 'ㄷ'+'-히-' → 무티다 → [무치다]
'ㄷ'과 'ㅎ'이 'ㅌ'으로 줄어 'ㅊ'으로 소리 남. → 그럼에도 'ㄷ'으로 적어야 함.

➡ 한글 맞춤법 제6항에 의하면 'ㄷ, ㅌ' 받침 뒤에 종속적 관계를 가진 '-이(-)'나 '-히'가 오면 그 'ㄷ, ㅌ'이 'ㅈ, ㅊ'으로 소리 나더라도 'ㄷ, ㅌ'으로 적어야 한다. 따라서 '묻히다'는 [무치다]로 발음되더라도 '묻히다'로 적어야 한다.

오답 풀이

① 끝+이 → 끝이[끄치]
받침 'ㅌ'+'이' 'ㅌ'이 'ㅊ'으로 소리 남.

② 해+돋-+-이 → 해돋이[해도지]
받침 'ㄷ'+'-이' 'ㄷ'이 'ㅈ'으로 소리 남.

③ 맏-+-이 → 맏이[마지]
받침 'ㄷ'+'-이' 'ㄷ'이 'ㅈ'으로 소리 남. → 그럼에도 'ㄷ'으로 적어야 함.

⑤ 핥-+-이-+-다 → 핥이다[할치다]
받침 'ㅌ'+'-이-' 'ㅌ'이 'ㅊ'으로 소리 남. → 그럼에도 'ㅌ'으로 적어야 함.

06 정답 | ⑤

정답 풀이

출산률 → 'ㄴ' 받침 뒤의 '률'은 '율'로 적어야 함. → 출산율(○)

➡ 한글 맞춤법 제11항에 근거하여 해당 한자어가 단어의 첫머리에 왔는지, 첫머리 이외의 경우에는 모음이나 'ㄴ' 받침 뒤에 '렬, 률'이 이어지고 있는지의 여부를 확인해야 한다. '출산률'은 한자음 '률'이 'ㄴ' 받침 뒤에 이어지고 있으므로, [붙임 1] 규정에 따라서 '출산율'로 적어야 한다.

오답 풀이

① 이별 ← 리별 → 한자음 '리'가 단어의 첫머리에 옴. → 두음 법칙에 따라 '이'로 적어야 함.

② 용궁 ← 룡궁 → 한자음 '룡'이 단어의 첫머리에 옴. → 두음 법칙에 따라 '용'으로 적어야 함.

③ 차례 → 단어의 첫머리 이외의 경우이므로, 본음대로 적어야 함.

④ 쌍룡 → 단어의 첫머리 이외의 경우이므로, 본음대로 적어야 함.

07 정답 | ②

정답 풀이

집+-웅 → 지붕
어근+접사 '-웅' → 명사 ⇒ 소리대로 적음.

➡ 한글 맞춤법 제19항에 의하면 어간에 '-이'나 '-음/-ㅁ'이 붙어서 명사로 된 것과 '-이'나 '-히'가 붙어서 부사로 된 것은 원형을 밝혀 적는다. 이는 해당 접사가 비교적 널리 여러 어간에 결합하며, 어간 형태소의 뜻이 유지되는 경우가 많아 의미 파악을 쉽게 하기 위함이다. 반면에 이외의 접사가 붙어서 다른 품사로 바뀐 것은 원형을 밝히지 않고 소리 나는 대로 적는다. '지붕'은 어근 '집'에 '-이'나 '-음/-ㅁ' 이외의 접사 '-웅'이 붙어 명사가 된 경우이다.

오답 풀이

① 먹-+-이 → 먹이
어간 + 접사 '-이' → 명사 ⇒ 원형을 밝혀 적어야 함.

③ 얼-+-음 → 얼음
어간 + 접사 '-음' → 명사 ⇒ 원형을 밝혀 적어야 함.

④ 높-+-이 → 높이
어간 + 접사 '-이' → 명사 / 부사 ⇒ 원형을 밝혀 적어야 함.

⑤ 떡+볶-+-이 → 떡볶이
어간 + 접사 '-이' → 명사 ⇒ 원형을 밝혀 적어야 함.

08 정답 | ②

정답 풀이

대가(代加) → [대가]
한자어이며 합성어도 아님. → 사이시옷을 적는 경우에 해당하지 않음.

➡ 한글 맞춤법 제30항에 의하면 어근 중 적어도 하나가 순우리말인 합성어이며 앞말이 모음으로 끝났을 때 (1) 뒷말의 첫소리가 된소리로 나거나, (2) 뒷말의 첫소리 'ㄴ, ㅁ' 앞에서 'ㄴ' 소리가 덧나거나, (3) 뒷말의 첫소리 모음 앞에서 'ㄴㄴ' 소리가 덧나면 앞말에 사이시옷을 받치어 적는다. '대가(代加)'의 경우 한자어이고 합성어도 아니므로 사이시옷을 적는 경우에 아예 해당되지 않는다.

오답 풀이

① 후(後)+날 → 훗날[훈날]
한자어+순우리말 'ㄴ' 앞에서 'ㄴ' 소리가 덧남.

③ 나무+잎 → 나뭇잎[나문닙]
순우리말+순우리말 뒷말의 첫소리 모음 앞에서 'ㄴㄴ' 소리가 덧남.

④ 머리+기름 → 머릿기름[머릳끼름 / 머리끼름]
순우리말+순우리말 뒷말의 첫소리가 된소리로 남.

⑤ 아래+마을 → 아랫마을[아랜마을]
순우리말+순우리말 'ㅁ' 앞에서 'ㄴ' 소리가 덧남.

09 정답 | ④

정답 풀이

하늘만큼 사랑해.
조사 → 앞말에 붙여 써야 함.

➡ 한글 맞춤법 제41항에 의하면 조사는 앞말에 붙여 쓰고, 제42항에 의하면 의존 명사는 앞말과 띄어 써야 한다. 조사는 주로 체언과 결합하고 의존 명사는 주로 앞에 관형어를 필요로 하므로 이를 바탕으로 띄어 쓰는 근거를 파악해야 한다. ④에서 '만큼'은 앞말과 비슷한 정도나 한도임을 나타내는 격 조사이므로 앞말에 붙여 써야 한다.

오답 풀이

① 할 수 있다.
의존 명사 → 앞말과 띄어 써야 함.

② 나는 너뿐이야.
조사 → 앞말에 붙여 써야 함.

③ 꽃을 사러 가자.
조사 → 앞말에 붙여 써야 함.

⑤ 말하는 대로 될 거야.
의존 명사 → 앞말과 띄어 써야 함.

10 정답 | ⑤

정답 풀이

열무 삼십 단을 이고 시장에 간 우리 엄마 안 오시네.
→ 단위를 나타내는 명사

➡ 한글 맞춤법 제43항에 의하면 단위를 나타내는 명사는 모두 띄어 써야 하므로, 잎이나 채소 따위의 묶음을 세는 단위인 '단'은 띄어 쓰는 것이 적절하다.

오답 풀이

① 그 책을 다 읽는∨데 삼 일이 걸렸다.
의존 명사 → 단위를 나타내는 명사

② 그는 그저 하늘을 쳐다볼∨뿐이었다.
→ 의존 명사

③ 고향을 떠나온 지 벌써 삼∨년이 지났구나.
→ 단위를 나타내는 명사

④ 가을이 되자 사과, 배∨등 많은 과일이 나왔다.
→ 의존 명사

11 정답 | ②

정답 풀이

다섯 (사람)이 학교에 왔다.
명사 → 단위를 나타내는 명사는 앞말과 띄어 써야 함.

➡ 한글 맞춤법 제42항에 의하면 의존 명사는 앞말과 띄어 써야 하고, 제43항에 의하면 단위를 나타내는 명사도 앞말과 띄어 써야 한다. '사람'은 단위를 나타내는 명사이므로 앞말과 띄어 써야 한다. 나머지는 의존 명사이기 때문에 앞말과 띄어 쓰는 경우이다.

오답 풀이

① 믿을 (것)이 없다.
의존 명사 → 띄어 써야 함.

③ 의기는 웃고 있을 (뿐)이었다.
의존 명사 → 띄어 써야 함.

④ 시험을 본 (지) 이틀이 지났다.
의존 명사 → 띄어 써야 함.

⑤ 아는 (대로) 설명해 봐, 대영아.
의존 명사 → 띄어 써야 함.

12 정답 | 풀이 참조

정답 풀이

차∨한∨잔으로도∨삶에∨대한∨잔잔한∨기쁨과∨감사를∨누릴∨수∨있을∨것이다.
단위를 나타내는 명사 / 조사 / 조사 / 조사 / 조사 / 조사 / 의존 명사 / 의존 명사 / 조사

➡ 한글 맞춤법 띄어쓰기 규정에 의해 각 단어는 띄어 써야 하는데, 조사는 예외이다. 또한, 의존 명사나 단위를 나타내는 명사도 앞말과 띄어 써야 한다.

13 정답 | 반듯이 / 예 문맥상 '틀림없이 꼭'을 의미하는 '반드시'가 아니라, '반듯하다'의 의미가 있는 '반듯이'가 적절하다. '반듯이'는 어간 '반듯'에 '-이'가 붙어서 부사가 된 것이므로 어간에 '-이'가 붙어서 부사로 된 것은 어간의 원형을 밝히어 적어야 한다는 한글 맞춤법 제19항과 어법에 맞도록 적어야 한다는 제1항에 따라 '반드시'로 발음 나더라도 원형을 밝혀 '반듯이'로 적은 것이다.

서술형 해결

STEP 1 문장의 맥락을 고려하여 '반드시'와 '반듯이' 중 어떤 어휘가 적절한지 판단한다.

STEP 2 '반듯이[← 반듯+-이]'는 [반드시]로 소리 나는데 왜 어법에 맞게 원형을 밝혀 적어야 하는지 파악한다.

기/출/문/제/로/ 뛰/어/넘/기

14 ⑤ **15** ①

14 정답 | ⑤

정답 풀이

보기 2

(ㄱ) 우리는 웃을 수밖에 없었다.
조사 → 앞말에 붙여 씀.

(ㄴ) 아이들은 잠시 밖에 나가 있어야 했다.
밖(명사)+에(조사) → 앞말에 띄어 씀.

➡ (ㄱ)의 '밖에'는 조사로 한 단어이며, (ㄴ)의 '밖에'는 명사 '밖'과 조사 '에' 두 단어가 결합한 것이다.

오답 풀이

① (ㄱ)의 '밖에'는 앞말인 '수'에 붙어 쓰이고 있으므로 조사이다.
② (ㄱ)의 '밖에'는 '그것 말고는', '그것 이외에는'의 뜻을 나타내는 보조사로, 주로 뒤에 부정을 나타내는 말이 이어진다.
③ (ㄴ)의 '밖에'는 앞말과 띄어 쓴 것으로 보아, 명사 '밖'과 조사 '에'가 결합한 형태임을 알 수 있다.
④ (ㄴ)에서의 '밖'은 외부를 뜻하는 명사이므로 '바깥'과 바꾸어 쓸 수 있다.

15 정답 | ①

정답 풀이

㉠	도매가격	도매(都賣)+가격(價格)	한자어+한자어	사이시옷 ×
	도맷값	도매(都賣)+값	한자어+고유어	사이시옷 ○

➡ ⓐ가 아닌 ⓑ의 조건에 차이가 나서 사이시옷 표기 여부가 갈린 것이다.

오답 풀이

㉡	전세방	전세(傳貰)+방(房)	한자어+한자어	사이시옷 ×
	아랫방	아래+방(房)	고유어+한자어	사이시옷 ○

➡ ⓑ의 조건에 차이가 나서 사이시옷 표기 여부가 갈린 것이다.

㉢	버섯국	버섯+국	두 말 중 앞말이 자음으로 끝남.	사이시옷 ×
	조갯국	조개+국	결합하는 두 말 중 앞말이 모음으로 끝남.	사이시옷 ○

➡ ⓒ의 조건에 차이가 나서 사이시옷 표기 여부가 갈린 것이다.

㉣	인사말	인사+말	'ㄴ' 소리가 덧나거나 뒷말 첫소리가 된소리로 바뀌지 않음.	사이시옷 ×
	존댓말	존대+말	'ㄴ' 소리가 덧남.	사이시옷 ○

➡ ⓓ의 조건에 차이가 나서 사이시옷 표기 여부가 갈린 것이다.

㉤	나무껍질	나무+껍질	'ㄴ' 소리가 덧나거나 뒷말 첫소리가 된소리로 바뀌지 않음.	사이시옷 ×
	나뭇가지	나무+가지	뒷말의 첫소리 'ㄱ'이 된소리 'ㄲ'으로 바뀜.	사이시옷 ○

➡ ⓓ의 조건에 차이가 나서 사이시옷 표기 여부가 갈린 것이다.

09강 Ⅲ단원 종합 한글 맞춤법의 기본 원리 실전

교/과/서/ 개/념/ 정/리

1 ① 총칙 ② 단어 ③ 모음 ④ 소리 ⑤ 된소리 ⑥ 사이시옷 ⑦ 한자어 ⑧ 띄어쓰기

내/신/ 만/점/ 대/비

01 ⑤ 02 ② 03 ④ 04 ④ 05 ⑤ 06 ③
07 ③ 08 ⑤ 09 ③ 10 ④
11 (1) 소리대로 적음. (2) 어법에 맞도록 적음. (3) 어법에 맞도록 적음.
12 갑자기 문이 쾅 닫혔다. 13 (1) 자릿세 (2) 뒷머리 (3) 고래기름 14 ※ 해설 참조 15 ※ 해설 참조

01 정답 | ⑤

정답 풀이

선생님이∨나를∨정말∨사랑하시는구나!
명사 조사 대명사 조사 부사 동사

[선생니미]로 발음되더라도 어법에 맞게 '선생님이'로 적어야 함.

➡ 한글 맞춤법 제1항에 의하면 표준어를 소리대로 적되 어법에 맞도록 적어야 하고, 제2항에 의하면 문장의 각 단어는 띄어 써야 한다. 먼저 어법에 맞게 적었는지 확인하려면 소리대로 적은 단어를 파악해야 한다. 그리고 조사를 제외한 각 단어들을 띄어 썼는지 확인한다.

오답 풀이

거 → [꺼]로 발음되더라도 어법에 맞게 '거'로 적어야 함.

① 모두가∨착한∨학생일∨꺼야.
명사 조사 형용사 명사 조사 의존 명사 어미

② 아침마다∨심문이∨배달된다.
명사 조사 ⇒신문 조사 동사
'신문'이 [심문]으로 발음되는 경우가 있는데 어법에 맞게 '신문'으로 적어야 함.

③ 경제∨발전이∨시급한∨과제이다.
명사 명사 조사 형용사 명사 조사
각 단어는 띄어 씀을 원칙으로 함.

④ 그것은∨네가∨해야∨하는∨일∨아닐까?
대명사 조사 대명사 조사 동사 동사 명사 형용사
각 단어는 띄어 씀을 원칙으로 함.

02 정답 | ②

정답 풀이

깍두기 → 깍두기(○)
└→ 'ㄱ' 받침 뒤에 같거나 비슷한 음절이 오지 × → 된소리로 적지 않음.

➡ 한글 맞춤법 제5항에 의하면 한 단어 안에서 까닭 없이 나는 된소리는 다음 음절의 첫소리를 된소리로 적어야 한다. 다만, 'ㄱ, ㅂ' 받침 뒤에서 나는 된소리는 같은 음절이나 비슷한 음절이 겹쳐 나는 경우가 아니면 된소리로 적지 않는다. 따라서 '깍뚜기'의 경우 받침 'ㄱ' 뒤에서 'ㄷ'이 된소리로 발음 나도 원형을 밝혀 '깍두기'로 적어야 한다.

오답 풀이

① 오빠
└→ 두 모음 사이에서 나는 된소리 → 된소리로 적음.

③ 몹시
└→ 'ㅂ' 받침 뒤에 같거나 비슷한 음절이 오지 × → 된소리로 적지 않음.

④ 움찔
└→ 'ㅁ' 받침 뒤에서 나는 된소리 → 된소리로 적음.

⑤ 살짝
└→ 'ㄹ' 받침 뒤에서 나는 된소리 → 된소리로 적음.

03 정답 | ④

정답 풀이

기쁘다
└→ 두 모음 사이에서 나는 된소리(1번의 경우)

➡ 한글 맞춤법 제5항에 근거하여 된소리는 두 모음 사이에서 나는 된소리(〈보기〉의 1번)와 'ㄴ, ㄹ, ㅁ, ㅇ' 받침 뒤에서 나는 된소리(〈보기〉의 2번)로 구분할 수 있는데, '기쁘다'는 이 중에서 전자에 해당한다.

오답 풀이

① 훨씬
└→ 'ㄹ' 받침 뒤에서 나는 된소리(2번의 경우)

② 몽땅
└→ 'ㅇ' 받침 뒤에서 나는 된소리(2번의 경우)

③ 담뿍
└→ 'ㅁ' 받침 뒤에서 나는 된소리(2번의 경우)

⑤ 산뜻하다
└→ 'ㄴ' 받침 뒤에서 나는 된소리(2번의 경우)

04 정답 | ④

정답 풀이

샅샅+-이 → 샅샅이[삳싸치]
접사(종속적)
'ㅌ'이 'ㅊ'으로 소리 나더라도 'ㅌ'으로 적어야 함.

➡ 한글 맞춤법 제6항에 의하면 'ㄷ, ㅌ' 받침 뒤에 종속적 관계를 가진 '-이(-)'나 '-히-'가 오면 그 'ㄷ, ㅌ'이 'ㅈ, ㅊ'으로 소리 나더라도 'ㄷ, ㅌ'으로 적어야 한다. 따라서 '샅샅이' 역시 '샅샅'에 종속적 관계를 가진 접사 '-이'가 왔으므로, 'ㅌ'이 [ㅊ]으로 소리 나더라도 'ㅌ'으로 적어야 한다.

오답 풀이

① 같-+-이 → 같이[가치]
접사(종속적)
'ㅌ'이 'ㅊ'으로 소리 나더라도 'ㅌ'으로 적어야 함.

② 굳-+-이 → 굳이[구지]
접사(종속적)
'ㄷ'이 'ㅈ'으로 소리 나더라도 'ㄷ'으로 적어야 함.

③ 걷-+-히-+-다 → 걷히다[거치다]
접사(종속적)
'ㄷ'과 'ㅎ'이 만나 거센소리되기와 구개음화를 겪어 'ㅊ'으로 소리 나더라도 각각 'ㄷ'과 'ㅎ'으로 적어야 함.

⑤ 붙-+-이-+-다 → 붙이다[부치다]
접사(종속적)
'ㅌ'이 'ㅊ'으로 소리 나더라도 'ㅌ'으로 적어야 함.

05 정답 | ⑤

정답 풀이

백분+률 → 백분율
→ 'ㄴ' 받침 뒤의 '률'은 '율'로 적음.

➡ 한글 맞춤법 제11항에 근거하여 한자음 '랴, 려, 례, 료, 류, 리'를 쓸 때는 단어의 첫머리에 왔는지, 첫머리 이외의 경우에는 모음이나 'ㄴ' 받침 뒤에 '렬, 률'이 이어지고 있는지의 여부를 확인해야 한다. 그리고 두음 법칙을 적용하는 환경에 해당한다면 두음 법칙에 따라 써야 한다. 따라서 '백분률'은 '분'의 'ㄴ' 받침 뒤에 '률'이 온 경우이므로 '백분율'로 써야 적절하다.

오답 풀이

① 력+사 → 역사
→ 한자음 '려'가 단어의 첫머리에 오면 두음 법칙에 따라 '여'로 적음.

② 류+행 → 유행
→ 한자음 '류'가 단어의 첫머리에 오면 두음 법칙에 따라 '유'로 적음.

③ 량+심 → 양심
→ 한자음 '랴'가 단어의 첫머리에 오면 두음 법칙에 따라 '야'로 적음.

④ 출석+률 → 출석률
→ 단어의 첫머리 이외의 경우이고, 모음이나 'ㄴ' 받침 뒤가 아니므로 본음대로 적음.

06 정답 | ③

정답 풀이

낱낱+-이 → 낱낱이 (부사) → ⓑ의 예
명사 접미사

➡ '낱낱이'는 '여럿 가운데의 하나하나'라는 의미의 명사 '낱낱'에 접미사 '-이'가 결합하여 만들어진 부사이다. 그러므로 어간에 '-이'가 붙어 명사가 된 ⓐ의 예에 해당하지 않는다.

오답 풀이

① 꾸-+-ㅁ → 꿈 (명사) → ⓐ의 예
어간 접미사

② 놀-+-이 → 놀이 (명사) → ⓐ의 예
어간 접미사

④ 익-+-히 → 익히 (부사) → ⓑ의 예
어간 접미사

⑤ 높-+-이 → 높이 (부사/명사) → ⓐ, ⓑ의 예
어간 접미사

07 정답 | ③

정답 풀이

→ 뒷말의 첫소리가 된소리로 남. → 사이시옷 적음.
비누+방울 → 비눗방울[비누빵울 / 비눋빵울]
순우리말+순우리말

➡ 한글 맞춤법 제30항에 의하면 어근 중 적어도 하나가 순우리말인 합성어이며 앞말이 모음으로 끝났을 때 뒷말의 첫소리가 된소리로 나거나, 뒷말의 첫소리 'ㄴ, ㅁ' 앞에서 'ㄴ' 소리가 덧나거나, 뒷말의 첫소리 모음 앞에서 'ㄴㄴ' 소리가 덧나면 앞말에 사이시옷을 받치어 적는다. 따라서 '비누방울'은 순우리말인 '비누'와 '방울'이 결합한 합성어이며, 모음으로 끝난 앞말 '누'의 뒷말 첫소리가 'ㅃ'으로 된소리 나므로 사이시옷을 적어 '비눗방울'로 써야 적절하다.

오답 풀이

① 후+날 → 훗날[훈날]
한자어+순우리말 → 뒷말의 첫소리 'ㄴ' 앞에서 'ㄴ' 소리가 덧남. → 사이시옷 적음.

→ 뒷말의 첫소리가 된소리로 남. → 사이시옷 적음.
② 배+길 → 뱃길[배낄 / 밷낄]
순우리말+순우리말

④ 수도+물 → 수돗물[수돈물]
한자어+순우리말 → 뒷말의 첫소리 'ㅁ' 앞에서 'ㄴ' 소리가 덧남. → 사이시옷 적음.

→ 뒷말의 첫소리가 된소리로 남. → 사이시옷 적음.
⑤ 순대+국 → 순댓국[순대꾹 / 순댇꾹]
순우리말+순우리말

08 정답 | ⑤

정답 풀이

예사(例事)+일 → 예삿일[예산닐] 뒷말의 첫소리 모음 앞에서 'ㄴㄴ' 소리가 덧남.
한자어+순우리말 → 사이시옷 적음.

➡ 두 단어가 만나 합성어를 이루고 그 두 단어 중 하나 이상이 순우리말일 때, 뒷말의 첫소리 모음 앞에서 'ㄴㄴ' 소리가 덧나면 앞말에 사이시옷을 받치어 적는다. '예삿일'은 [예산닐]로 발음하는데, 'ㄴ' 소리가 덧나는 것이 아닌 'ㄴㄴ' 소리가 덧나는 예이다.

오답 풀이

→ 뒷말의 첫소리가 된소리로 남. → 사이시옷 적음.
① 장마+비 → 장맛비[장마삐 / 장맏삐]
순우리말+순우리말

→ 뒷말의 첫소리가 된소리로 남. → 사이시옷 적음.
② 꼭지+점(點) → 꼭짓점[꼭찌쩜 / 꼭찓쩜]
순우리말+한자어

③ 전기(電機)+세(稅) → 전기세[전기쎄]
한자어+한자어 → 뒷말의 첫소리가 된소리로 나지만 한자어로만 이루어진 합성어이기 때문에 사이시옷은 적지 않음.

④ 노래+말 → 노랫말[노랜말]
순우리말+순우리말 뒷말의 첫소리 'ㅁ' 앞에서 'ㄴ' 소리가 덧남. → 사이시옷 적음.

09 정답 | ③

정답 풀이

두+사람 → 두 사람
단위를 나타내는 명사 → 43항(ⓒ)

➡ 조사는 다른 말과의 문법적 관계를 표시하거나 다른 말의 뜻을 도와주는 역할을 하며 의존 명사는 의미가 형식적이어서 다른 말 아래에 기대어 쓰이고, 단위를 나타내는 명사는 주로 수관형사와 결합한다. '두 사람'에서 '사람'은 수 관형사 '두'와 쓰인 단위를 나타내는 명사이므로, ⓒ가 아닌 ⓑ의 예에 해당한다.

오답 풀이

① 성적+뿐 → 성적뿐
조사('그것만이고 더는 없음'의 뜻을 드러냄.) → 41항(ⓐ)

② 눈+같이 → 눈같이
조사('앞말이 보이는 전형적인 어떤 특징처럼'의 뜻을 드러냄.) → 41항(ⓐ)

④ 한+권 → 한 권
단위를 나타내는 명사 → 43항(ⓒ)

⑤ 한+모금 → 한 모금
단위를 나타내는 명사 → 43항(ⓒ)

10 정답 | ④

정답 풀이

그 길은 거쳐갈수밖에 없다. → 그 길은 거쳐갈 수 밖에 없다.
의존 명사 → 띄어 씀. / 조사 → 붙여 써야 함.

➡ 한글 맞춤법 제2항에 의하면 각 단어는 띄어 씀을 원칙으로 하고, 제41항에 의하면 조사는 앞말에 붙여 쓰며, 제42항과 제43항에 의하면 의

존 명사와 단위를 나타내는 명사는 띄어 써야 한다. 따라서 '밖에'는 조사이므로 앞말인 의존 명사 '수'에 붙여 써야 한다.

오답 풀이

① 나 물좀다오. → 나 물 좀 다오.
대명사 명사 부사 → 동사 → 각 단어는 띄어 써야 함.

② 나는 찬밥 처럼 방에 담겨 → 나는 찬밥처럼 방에 담겨
조사 → 붙여 써야 함.

③ 나도 그에 동의하는바이다. → 나도 그에 동의하는 바이다.
의존 명사 → 띄어 써야 함.

⑤ 내 일이나 열심히 하는게 좋겠어. → 내 일이나 열심히 하는 게 좋겠어.
의존 명사 → 띄어 써야 함.

11 정답 | (1) 소리대로 적음. (2) 어법에 맞도록 적음. (3) 어법에 맞도록 적음.

정답 풀이

(1) 넘- + -어 → 너머 (명사)
어간 '-음/-ㅁ'이 × 소리대로 적음.

(2) 울- + -음 → 울음[우름] (명사)
어간 어미 '-음' 어법에 맞도록 적음.

(3) 믿- + -음 → 믿음[미듬] (명사)
어간 어미 '-음' 어법에 맞도록 적음.

➡ 한글 맞춤법 제19항에 의하면 어간에 '-음/-ㅁ'이 붙어서 명사가 된 것은 원형을 밝혀 적는다. 이외의 말이 붙어 명사나 부사가 된 것은 원형을 밝혀 적지 않고 소리대로 적는다.

12 정답 | 갑자기 문이 쾅 닫혔다.

정답 풀이

갑짜기 문이 쾅 닫혔다. → 갑자기[갑짜기] 문이 쾅 닫혔다.
'ㅂ' 받침 뒤에서 나는 된소리는 된소리로 적지 않음.

➡ 한글 맞춤법 제5항에 따르면 'ㄱ, ㅂ' 받침 뒤에서 나는 된소리는 같은 음절이나 비슷한 음절이 겹쳐 나는 경우가 아니면 된소리로 적지 않는다. 따라서 '갑짜기'는 'ㅂ' 받침 뒤에서 같거나 비슷한 음절이 아닌데 된소리가 나는 것이므로, '갑자기'와 같이 된소리로 적지 않는 것이 적절하다.

13 정답 | (1) 자릿세 (2) 뒷머리 (3) 고래기름

정답 풀이

(1) 자리 + 세(貰) → [자리쎄 / 자릳쎄]
순우리말 + 한자어 뒷말의 첫소리가 된소리로 남. → 사이시옷을 적음.

(2) 뒤 + 머리 → [뒨머리]
순우리말 + 순우리말 → 뒷말의 첫소리 'ㅁ' 앞에서 'ㄴ' 소리가 덧남. → 사이시옷을 적음.

(3) 고래 + 기름 → [고래기름]
순우리말 + 순우리말 → 소리의 첨가나 교체가 없음. → 원형을 밝혀 적어야 함.

➡ 한글 맞춤법 제30항에 의하면, 어근 중 하나는 순우리말인 합성어가 앞말이 모음으로 끝나고, (1) 뒷말의 첫소리가 된소리로 나거나, (2) 뒷말의 첫소리 'ㄴ, ㅁ' 앞에서 'ㄴ' 소리가 덧나거나, (3) 뒷말의 첫소리 모음 앞에서 'ㄴㄴ' 소리가 덧나면 앞말의 받침에 사이시옷을 받치어 적어야 한다.

14 정답 | 넓이 / 예 '넓이'는 [널비]로 소리 나더라도 '넓이'로 적어야 한다. 한글 맞춤법 제19항에서 어간에 '-이'가 붙어서 명사가 된 것은 어간의 원형을 밝혀 적으라고 규정했기 때문이다. 어간에 '-이'가 붙어서 명사가 된 단어는 본래 뜻을 유지하고 있는데, 그렇기 때문에 어간의 원형을 밝힘으로써 단어의 의미 파악을 더 수월하게 할 수 있다.

서술형 해결

STEP 1 어간 '넓-'에 결합된 접사 '-이'의 성격을 파악한다.

STEP 2 접사 '-이'가 결합하여 형성된 단어의 경우 소리 나는 대로 적는지, 원형을 밝혀 어법에 맞게 적는지 파악한다.

STEP 3 원형을 밝혀 적는 이유가 무엇인지 파악한다.

15 정답 | 아버지가 방에 들어가신다. / 예 한글 맞춤법 제2항에 따르면 문장의 각 단어는 띄어 써야 하며, 제41항에 따르면 조사는 그 앞말에 붙여 써야 하므로 '아버지가 방에 들어가신다.'와 같이 조사인 '가'와 '에'는 앞말에 붙여 쓰고 각 단어는 띄어 쓰는 것이 맞는 표기이다. 이처럼 띄어쓰기를 해야 하는 이유는 정확하고 효과적인 의사소통을 위해서이다.

서술형 해결

STEP 1 문장에 쓰인 단어들을 파악하여 맥락에 맞게 띄어 쓴다.

STEP 2 띄어쓰기를 해야 하는 이유를 파악한다.

수/능/1/등/급/대/비

16 ⑤ 17 ⑤ 18 ④ 19 ③

16 정답 | ⑤

정답 풀이

하늘 → [하늘]: 소리대로 적음.

➡ 소리대로 적은 것은 발음 형태대로 적은 것을 의미한다. '하늘'의 발음은 [하늘]로 발음 형태대로 표기한 것이므로 ㉮에 해당한다.

오답 풀이

① 빛 → [빋]: 어법에 맞도록 적음.
② 옷 → [옫]: 어법에 맞도록 적음.
③ 잎 → [입]: 어법에 맞도록 적음.
④ 바깥 → [바깓]: 어법에 맞도록 적음.

17 정답 | ⑤

정답 풀이

합성어인 ⓜ '사랑니'의 경우 어근인 이(齒)는 본래의 의미를 유지하고 있지만 이와 관계없이 [니]로 소리가 나므로 '사랑니'로 적은 것이다.

오답 풀이

① ㉠ '드러나다'는 '알려지지 않은 사실이 널리 밝혀지다'라는 의미이며 '들다 + 나다'가 변하여 생긴 말로, '들다'와 '나다'가 가진 의미에서 멀어졌기 때문에 소리 나는 대로 표기한다.

② ㉡ '돌아가다'는 '원래의 있던 곳으로 다시 가거나 다시 그 상태가 되다.'라는 의미로 '방향을 바꾸다'라는 의미의 '돌다'가 가진 뜻이 유지되어 끊어 적는다.
③ ㉢ '웃음'은 '웃다'의 어간에 '-음'이 붙은 것으로 '웃다'라는 말의 본래 의미가 유지되어 끊어 적는다.
④ ㉣ '노름'은 '돈이나 재물을 걸고 서로 내기를 하는 일'을 이르는 말로 '놀다'의 의미에서 멀어졌으므로 소리대로 적는다.

18 정답 | ④

정답 풀이

[씩씩]
'ㄱ' 받침 뒤 같은 음절 → ⓒ의 경우

➡ [씩씩]은 'ㄱ' 받침 뒤에서 나는 된소리로, 같은 음절이 겹쳐 나는 경우(ⓒ)이므로 'ㄴ, ㄹ, ㅁ, ㅇ' 받침 뒤에서 나는 된소리(ⓑ)가 아니다.

오답 풀이

① [으뜸]
→ 두 모음 사이에 나는 된소리(ⓐ)가 맞음.
② [기쁘로]
→ 두 모음 사이에 나는 된소리(ⓐ)가 맞음.
③ [살짝]
→ 'ㄹ' 받침 뒤에서 나는 된소리(ⓑ)가 맞음.
⑤ [낙찌]
→ 'ㄱ, ㅂ' 받침 뒤에서 나는 된소리는, 같은 음절이나 비슷한 음절이 겹쳐 나는 경우가 아니면 된소리로 적지 않으므로(ⓒ) 된소리로 적지 않음.

19 정답 | ③

정답 풀이

그 일을 해낸 고등학생은 (일찌기, 일찍이) 없었다.
→ 일찍: 용언을 꾸며 주는 기능을 하는 부사
→ 부사에 '-이'가 붙어서 뜻을 더하는 경우에 해당함.(㉡)

➡ '일찍이'는 '일정한 시간보다 이르게'의 의미인 부사 '일찍'에 접사 '-이'가 붙어 뜻을 더하는 경우인 ㉡에 해당하므로, 부사의 원형을 밝혀 적어야 한다.

교과서 밖 개념 플러스

① ㅔ ② ㅣ ③ ㅔ ④ 꼬치 ⑤ 바테 ⑥ 할타 ⑦ ㅈ, ㅊ ⑧ 치 ⑨ ㄹ ⑩ 된소리 ⑪ ㄹ ⑫ ㄷ

IV 국어의 변화

10강 음운과 표기상의 변화

교과서 개념 알기

활동 ① ① ㆆ, ㆍ, ㆁ, ㅭ, ㅵ, ㆀ, ㅸ, ㅄ, ㅼ ② 서로 ③ 모음 조화 ④ 이르고자 ⑤ ㄴ ⑥ 마침내 ⑦ ㆍ ⑧ 뜻을 ⑨ 어두 자음군 ⑩ 펴지 ⑪ ㄷ, ㅈ ⑫ 스물 ⑬ ㅡ, ㅜ ⑭ 쉽게 ⑮ ㅸ

활동 ② ① 세로 ② 띄어쓰기 ③ 방점 ④ 성조 ⑤ 이어 적기 ⑥ 동국정운식

개념 확인

01 (1) 어두 자음군 (2) 두음 법칙 (3) 성조, 방점 (4) ㆍ(아래아)
02 (1) × (2) ○ (3) × (4) ○ (5) ×

내신 문제로 다지기

01 ② 02 ⑤ 03 ② 04 ③ 05 ⑤ 06 ④
07 ⑤ 08 ③ 09 ⑤ 10 ④ 11 ④ 12 ④
13 소리의 높낮이를 표시한다. 14 모미며얼구리며머리터리며술흔 15 ※ 해설 참조

01 정답 | ②

정답 풀이

중세 국어의 음운 'ㆁ'은 '센이응'이 아니라 '옛이응'이라고 부른다.

02 정답 | ⑤

정답 풀이

ᄠᅳ미니라
어두에 'ㅅ'과 'ㄷ' 두 음운이 동시에 자리함. → 어두 자음군

➡ 어두 자음군이란 어두에 서로 다른 두 개 이상의 자음이 오는 음운이다.

오답 풀이

① 혀여
→ 어두에 자음 'ㅎ' 하나만 자리함.

➡ '혀'의 'ㆀ'는 어두에 있지 않고, 서로 다른 자음이 동시에 온 것도 아니므로 어두 자음군이 아니다.

② 멀씨
→ 어두에 자음 'ㅁ' 하나만 자리함.

➡ '씨'의 'ㅆ'는 어두에 있지 않고, 서로 다른 자음이 동시에 온 것도 아니므로 어두 자음군이 아니다.

③ 바ᄅᆞ래
→ 어두에 자음 'ㅂ' 하나만 자리함.

④ ᄆᆞᄎᆞᆷ이니라
어두에 자음 'ㅁ' 하나만 자리함.

03 정답 | ②

정답 풀이

몬져
양성 모음 + 음성 모음

➡ 모음 조화란 양성 모음(ㆍ, ㅗ, ㅏ, ㅛ, ㅑ, ㅘ, ㅚ, ㅐ 등)은 양성 모음끼리, 음성 모음(ㅡ, ㅜ, ㅓ, ㅠ, ㅕ, ㅢ, ㅟ, ㅔ 등)은 음성 모음끼리 어울리는 현상이다. 중성 모음(ㅣ)은 양성 모음, 음성 모음 모두와 결합할 수 있었다.

오답 풀이

① 서르
음성 모음 + 음성 모음

③ 므른
음성 모음 + 음성 모음

④ 기픈
중성 모음 + 음성 모음

⑤ ᄀᆞᄆᆞ래
양성 모음 + 양성 모음 + 양성 모음

04 정답 | ③

정답 풀이

둏- + 고 → 됴코 > 좋고
ㅎ + ㄱ → ㅋ (축약) → 이어 적기가 아님.

➡ 이어 적기란 받침으로 끝난 앞말 뒤에 모음으로 시작하는 말이 결합하면, 앞말의 받침을 뒷말의 첫소리로 내려 적는 표기이다. 끊어 적기는 반대로 앞말의 받침과 뒷말의 첫소리를 구분해 원형을 밝혀 적는 표기이다. '됴코'는 '둏-+고'로 분석할 수 있는데, '둏'의 받침 'ㅎ'과 '고'의 첫소리 'ㄱ'이 만나 'ㅋ'으로 축약된 것이지, '둏'의 받침 'ㅎ'을 뒷말의 첫소리로 내려 적은 것이 아니다.

오답 풀이

① 믈 + 은 → 므른 > 물은 → 끊어 적기
앞말의 받침 'ㄹ'을 뒷말의 첫소리로 내려 적음.

② 싣- + -어 → 시러 > 실어 → 끊어 적기
앞말의 받침 'ㄷ'을 'ㄹ'로 바꾸어 내려 적음.

④ 님 + 을 → 니믈 > 님을 → 끊어 적기
앞말의 받침 'ㅁ'을 뒷말의 첫소리로 내려 적음.

⑤ 것 + -이- + -라 → 거시라 > 것이라 → 끊어 적기
앞말의 받침 'ㅅ'을 뒷말의 첫소리로 내려 적음.

05 정답 | ⑤

정답 풀이

중세 국어에서는 '中듕國귁(> 중국)'과 같이 한자음을 중국 원음에 가깝게 표기하는 동국정운식 표기를 사용하였는데, 이는 현실 한자음과는 거리가 멀어 세조 이후(1485년경) 소멸되었다.

오답 풀이

① 현대 국어에서는 가로쓰기를 하지만, 중세 국어에서는 세로쓰기를 했다.
② 중세 국어에서는 띄어쓰기를 하지 않았다.
③ 중세 국어에는 글자 왼쪽에 방점을 찍어 소리의 높낮이를 구별하는 성조가 있었다.
④ 중세 국어에서는 받침으로 끝난 앞말 뒤에 모음으로 시작하는 말이 결합하면 앞말의 받침을 뒷말의 첫소리로 내려 적는 이어 적기 표기법을 사용했다.

06 정답 | ④

정답 풀이

중세 국어에는 'ᄢᅳ메'와 같이 단어의 첫머리에 서로 다른 두 개 이상의 자음 연속체가 오는 어두 자음군이 존재했다.

오답 풀이

① 중세 국어에는 'ㆍ, ㅸ, ㅿ, ㆁ, ㆆ' 등과 같이 현대 국어에는 존재하지 않는 음운이 있었다.
② 중세 국어에서는 '서르(>서로)'와 같이 모음 조화가 잘 지켜졌다.
③ 중세 국어에는 소리의 높낮이를 통해 단어의 뜻을 분별하는 성조가 있었다. 이를 글자 왼쪽에 방점을 찍어 나타냈다.
⑤ 중세 국어에서는 '스믈(>스물)'과 같이 양순음 'ㅂ, ㅃ, ㅍ, ㅁ' 아래의 비원순 모음 'ㅡ/ㆍ'가 원순 모음 'ㅜ/ㅗ'로 바뀌는 원순 모음화가 일어나지 않았다.

07 정답 | ⑤

정답 풀이

니르고져 > 이르고자 ⇒ 모음 'ㅣ' 앞에서 'ㄴ'이 탈락

➡ 중세 국어와 달리 현대 국어에서는 'ㅣ, ㅑ, ㅕ, ㅛ, ㅠ' 앞에서의 'ㄹ'과 'ㄴ'은 없어지고, 'ㅏ, ㅗ, ㅜ, ㅡ, ㅐ, ㅚ' 앞의 'ㄹ'은 'ㄴ'으로 변하는 두음 법칙이 적용된다.

오답 풀이

① 펴디 > 펴지 ⇒ 모음 'ㅣ' 앞에서 'ㄷ'이 'ㅈ'으로 변함.

➡ 중세 국어에서는 구개음화 현상이 일어나지 않았지만, 현대 국어에서는 구개음화 현상이 일어남을 알 수 있다.

② ᄠᅳ들 > 뜻을

➡ 중세 국어의 어두 자음군이 현대 국어로 오면서 된소리로 바뀜을 알 수 있다.

③ 말ᄊᆞ미 > 말씀이
말ᄊᆞᆷ+이 → 말ᄊᆞ미

➡ 중세 국어에서는 이어 적기 표기법을, 현대 국어에서는 끊어 적기 표기법을 사용했음을 알 수 있다.

④ 뼌ᅙᅡᆫ킈 > 편하게
현대 국어에는 없는 음운

➡ 중세 국어에서 현대 국어로 오면서 소실된 음운들이 있음을 알 수 있다.

08 정답 | ③

정답 풀이

너겨 ← 너기- + -어
축약 → 이어 적기가 아님.

➡ 이어 적기란 받침으로 끝난 앞말 뒤에 모음으로 시작하는 말이 결합하면 앞말의 받침을 뒷말의 첫소리로 내려 적는 중세 국어의 주된 표기 방식이다. '너겨'는 '너기-+-어'로 분석할 수 있는데, '기-'와 '-어'가 결합하여 '겨'로 축약된 것이지 이어 적기한 것이 아니다.

오답 풀이

① 쁘들 ← 쁟+을
앞말의 받침 'ㄷ'을 뒷말의 첫소리로 내려 적음.

② 노미 ← 놈+이
앞말의 받침 'ㅁ'을 뒷말의 첫소리로 내려 적음.

④ 수ᄫᅵ ← 슙-+-이
앞말의 받침 'ㅂ'을 'ㅸ'으로 바꾸어 내려 적음.

⑤ ᄡᆞᄅᆞ미니라 ← ᄡᆞᄅᆞᆷ+이+-니-+-라
앞말의 받침 'ㅁ'을 뒷말의 첫소리로 내려 적음.

09 정답 | ⑤

정답 풀이

'펴디'의 현대어 풀이는 '펴지'로 중세 국어에서는 모음 'ㅣ' 앞에서 'ㄷ'이 'ㅈ'으로 변하는 구개음화 현상이 일어나지 않았음을 알 수 있다.

오답 풀이

① 「세종어제훈민정음」은 '세종 대왕께서 만드신, 백성을 가르치는 바른 소리'라는 뜻으로, 한글을 만든 이유와 사용법을 설명하고 있다.
② '쁘들'에서 어두에 서로 다른 두 개 이상의 자음이 동시에 오는 어두 자음군이 쓰였음을 알 수 있다.
③ 중세 국어에서 소리의 높낮이를 표시해 주는 방점은 글자 왼쪽에 찍었는데, 이 글에서도 방점의 존재를 확인할 수 있다.
④ 'ㆍ, ㆁ, ㆅ, ㅸ' 등과 같이 현대 국어에는 존재하지 않는 음운들이 사용되었음을 알 수 있다.

10 정답 | ④

정답 풀이

字ᄍᆞᆼ롤(字ᄍᆞᆼ+롤) > 자를
양성 모음+양성 모음 / 양성 모음+음성 모음

➡ '字ᄍᆞᆼ롤'의 경우 양성 모음 'ㆍ'와 양성 모음 'ㆍ'가 함께 쓰였고, '자를'의 경우 양성 모음 'ㅏ'와 음성 모음 'ㅡ'가 함께 쓰였다. 이를 통해 중세 국어 시기에는 모음 조화가 철저히 지켜진 편이었으나 현대 국어에 와서는 파괴되었음을 알 수 있다.

오답 풀이

① 나랏말ᄊᆞ미 > 나라의 말이
띄어쓰기 × / 띄어쓰기 ○
➡ 중세 국어에서는 현대 국어와 달리 띄어쓰기를 하지 않았음을 알 수 있다.

② 中듀ᇰ > 중
→ 동국정운식 한자음 표기
➡ '中(가운데 중)'을 현실 한자음에 가깝게 '듀ᇰ'으로 동국정운식 표기를 한 것에서, 현대 국어와는 다른 방식으로 한자음을 표기했음을 알 수 있다.

③ 펴디 > 펴지
구개음화 × / 구개음화 ○
➡ '펴디'에서 'ㅣ' 계열 모음 앞의 'ㄷ'이 'ㅈ'으로 변하지 않은 것으로 보아, 현대 국어와 달리 중세 국어에서는 구개음화가 일어나지 않았음을 알 수 있다.

⑤ 수ᄫᅵ
→ 순경음 비읍
➡ 현대 국어에는 쓰이지 않는 자음인 'ㅸ(순경음 비읍)'이 쓰였음을 알 수 있다.

11 정답 | ④

정답 풀이

모음 조화는 양성 모음은 양성 모음끼리, 음성 모음은 음성 모음끼리 어울리는 현상이다. 중세 국어 시기에 모음 조화는 철저히 지켜지는 편이었다. 〈보기〉에서 '남ᄀᆞᆫ', 'ᄇᆞᄅᆞ매', '하ᄂᆞ니', 'ᄆᆞᄅᆞᆫ', 'ᄀᆞᄆᆞ래', '바ᄅᆞ래' 등이 모두 모음 조화가 지켜진 예이다.

오답 풀이

| 보기 |

③ 전체적으로 띄어쓰기를 하지 않았음.　① 성조를 드러내는 방점
[불·휘기·픈남·ᄀᆞᆫᄇᆞᄅᆞ·매아·니:뮐·ᄊᆡ곶:됴·코여·름·하ᄂᆞ·니
⑤ '깊-+-은'으로, 앞말의 받침 'ㅍ'을 뒷말의 첫소리로 내려 적음.
:ᄉᆡ·미기·픈·므·른·ᄀᆞᄆᆞ·래아·니그·츨·ᄊᆡ:내·히이·러바·ᄅᆞ·래·가ᄂᆞ·니]
② 'ㆍ(아래아)'는 현대 국어에는 쓰이지 않는 모음

－「용비어천가」 제2장

12 정답 | ④

정답 풀이

동국정운식 한자음 표기란 한자음의 발음을 훈민정음으로 표현한 것으로, 음가 없는 종성 'ㅇ'이나 'ㅱ'을 적거나 현실 한자음 발음에 가깝게 쓴 것이 이에 해당한다. 〈보기〉에서 '世(대 세)'를 '세'가 아닌 '셰'로 표기한 것을 통해 중세 국어에서는 동국정운식 표기를 사용했음을 알 수 있다.

오답 풀이

| 보기 |

② 'ㆍ(아래아)'는 현대 국어에는 쓰이지 않는 모음
[孔·공子·ᄌᆞㅣ曾증子·ᄌᆞ드·려닐·러ᄀᆞᆯᄋᆞ·샤·ᄃᆡ·몸·이며얼굴·이며머·
⑤ 성조를 드러내는 방점
리털·이·며·ᄉᆞᆯ·ᄒᆞᆫ父·부母:모·씌받ᄌᆞ·온거·시·라敢:감·히헐·워샹히·오·
① '것+-이-+-라'로, 앞말의 받침 'ㅅ'을 뒷말의 첫소리로 내려 적음. → 이어 적기
디아·니:홈·이:효·도·ᄋᆡ비·르·소미·오·몸·을셰·워道:도·를行ᅘᆡᆼ·ᄒᆞ·야
일:홈·을後:후世:셰·예:베퍼·ᄡᅥ父·부母:모ᄅᆞᆯ:현·뎌케:홈·이:효·도·ᄋᆡ
① '일홈+을'로, 앞말의 받침 'ㅁ'을 뒷말의 첫소리로 내려 적지 않음. → 끊어 적기
ᄆᆞ·ᄎᆞᆷ·이니·라] → ③ 전체적으로 띄어쓰기를 하지 않았음.

－「소학언해」 중

13 정답 | 소리의 높낮이를 표시한다.

정답 풀이

성조는 음절 안에서 나타나는 소리의 높낮이로, 음절의 왼쪽에 방점으로 표시한다. 처음과 끝이 계속 낮은 소리인 '평성(平聲)'은 방점을 표기하지 않고, 처음과 끝이 계속 높은 소리인 '거성(去聲)'은 방점을 1개 표기하며, 처음은 낮고 끝은 높은 소리인 '상성(上聲)'은 방점을 2개 표기한다.

14 정답 | 모미며얼구리며머리터리며ᄉᆞᆯᄒᆞᆫ

정답 풀이

중세 국어 시기에는 띄어쓰기를 하지 않았으므로, 모두 붙여 써야 함.
몸이며 얼굴이며 머리털이며 ᄉᆞᆯᄒᆞᆫ
중세 국어 시기에는 이어 적기를 했으므로, 앞말의 받침은 뒷말의 첫소리로 내려 적어야 함.

➡ 이어 적기란 받침으로 끝난 앞말 뒤에 모음으로 시작하는 말이 결합하면 앞말의 받침을 뒷말의 첫소리로 내려 적는 방식으로, 중세 국어 시

기에 널리 쓰였다. 또한 중세 국어 시기에는 띄어쓰기를 하지 않았으므로 모든 단어를 붙여 써야 한다.

15

정답 | 예 모음 조화란 '효도'의 'ㅗ'와 '이'의 'ㆍㅣ'가 각각 양성 모음이어서 서로 결합하고 '쁟'의 'ㅡ'와 '을'의 'ㅡ'가 음성 모음이어서 각각 결합하듯이, 양성 모음은 양성 모음끼리 음성 모음은 음성 모음끼리 결합하는 현상이다.

서술형 해결

STEP 1 '효도'의 끝 모음과 '이'의 모음, '쁟'의 모음과 '을'의 모음의 성격을 파악한다.

STEP 2 양성 모음은 양성 모음끼리 음성 모음은 음성 모음끼리 결합하는 양상을 바탕으로 모음 조화에 대해 서술한다.

오답 풀이

① 모딘 > 모진
모음 'ㅣ' 앞에서 'ㄷ'이 'ㅈ'으로 변함.
➡ 중세 국어에는 구개음화 현상이 나타나지 않았음을 알 수 있다.

③ 하ᄂᆞᆯ히
아래아
➡ 현대 국어에는 쓰이지 않는 모음인 'ㆍ(아래아)'가 쓰였다.

④ 모ᄆᆞᆯ > 몸에
양성 모음+음성 모음
양성 모음+양성 모음
➡ 모음 조화가 지켜지지 않는 현대 국어와 달리, 중세 국어에서는 모음 조화가 잘 지켜졌음을 알 수 있다.

⑤ 열ᄫᅳᆫ
순경음 비읍
➡ 현대 국어에는 쓰이지 않는 자음인 'ㅸ(순경음 비읍)'이 쓰였다.

기출문제로 뛰어넘기

16 ② 17 ②

16

정답 | ②

정답 풀이

중세 국어에서는 글자의 왼쪽에 방점을 찍어 소리의 높낮이를 표시하였다. '아·니:뮐·씨'에서 '아'는 점이 없으므로 낮은 소리(평성), '니'와 '씨'는 점이 한 개이므로 높은 소리(거성), '뮐'은 점이 두 개이므로 처음은 낮고 나중은 높은 소리(상성)에 해당한다. 이를 고려할 때 ⓐ는 '평성-거성-상성-거성'으로 소리의 높낮이를 표시할 수 있다.

오답 풀이

① 아 니 뮐 씨
➡ '거성-평성-상성-평성'의 높낮이 표시이다.

③ 아 니 뮐 씨
➡ '상성-평성-거성-평성'의 높낮이 표시이다.

④ 아 니 뮐 씨
➡ '상성-거성-평성-거성'의 높낮이 표시이다.

⑤ 아 니 뮐 씨
➡ '평성-상성-거성-상성'의 높낮이 표시이다.

17

정답 | ②

정답 풀이

이어 적기는 한 음절의 종성을 다음 자의 초성으로 내려 적는 표기 방법을 말한다. 〈보기〉에서 '기픈', '어르믈' 등이 이에 해당한다. '없던'을 '업던'으로 표기하는 것은 종성을 'ㄱ, ㄴ, ㄷ, ㄹ, ㅁ, ㅂ, ㅅ, ㆁ'의 8자(또는 'ㅅ'을 제외한 7자)로 표기한다는 중세 국어의 받침 표기 방법에 따른 것이다.

11강 문법과 어휘상의 변화

교/과/서/ 개/념/ 알/기

활동 ① ① 의 ② ㅅ ③ 과 ④ 에 ⑤ 이 ⑥ 가 ⑦ 이, ㅣ

활동 ② ① 씀에 ② 움

활동 ③ ① 나시어 ② 서술의 주체 ③ 서로 꼭 들어맞으시니 ④ 서술의 주체 ⑤ 여쭙고 ⑥ 서술의 대상 ⑦ 믿으셨습니까 ⑧ 청자 ⑨ 샤, 시 ⑩ 즙 ⑪ 잇

활동 ④ ① 어리석은 ② 말 ③ 사람이(보통의 의미) ④ 놈이 ⑤ 가엾게, 불쌍하게 ⑥ 어여삐 ⑦ 까닭 ⑧ 젼ᄎᆞ ⑨ 말씀, 노미 ⑩ 어린, 어엿비

✅ 개념 확인

01 (1) ∅ (2) 이 3) ㅣ

02 (1) ᄋᆡ (2) ㅅ

03 (1) × (2) × (3) ○

04 (1) ㉠ (2) ㉡

내/신/ 문/제/로/ 다/지/기

01 ⑤	02 ④	03 ②	04 ④	05 ④	06 ③
07 ⑤	08 ②	09 ②	10 ③	11 ⑤	12 ④

13 ③ 14 객체 높임 선어말 어미

15 (1) 사람(보통의 의미) (2) 남자, 사람(낮춤의 의미) (3) 의미 축소

16 ※ 해설 참조

01 정답 | ⑤

정답 풀이

현대 국어에서 주격 조사로 사용되는 '가'는 중세 국어에서는 나타나지 않았다. 조사로서의 '가'는 근대 국어에서부터 나타나기 시작한다.

오답 풀이

① '의'는 중세 국어에서 유정 명사인 체언의 끝음절이 음성 모음을 가질 때 오는 관형격 조사이다.

② '을'은 중세 국어에서 자음으로 끝나는 체언의 끝음절이 음성 모음을 가질 때 오는 목적격 조사이다.

③ '에'는 중세 국어에서 비교 부사격 조사이거나 혹은 체언의 끝음절이 음성 모음을 가질 때 오는 처소 부사격 조사이다.

④ '이'는 중세 국어에서 비교 부사격 조사이거나 혹은 체언이 자음으로 끝날 때 오는 주격 조사이다.

02 정답 | ④

정답 풀이

중세 국어 시기에는 주격 조사로 '이/ㅣ/∅'의 세 이형태가 음운 환경에 따라 다르게 쓰였으며, 주격 조사 '가'는 이후에 나타난다. 자음 뒤에는 '이', 'ㅣ' 이외의 모음 뒤에는 'ㅣ', 'ㅣ' 모음 뒤에는 '∅'가 사용되었다.

오답 풀이

① 'ㅣ/∅'는 현대 국어에는 없는 형태의 주격 조사이다.

② 중세 국어에서는 '말ᄊᆞ미(말ᄊᆞᆷ+이)'처럼 자음으로 끝나는 체언 뒤에 주격 조사 '이'가 결합했다.

③ 주격 조사로서의 '가'는 17세기부터 나타나기 시작했다.

⑤ 중세 국어에서는 '불휘[불휘+∅]기픈남ᄀᆞᆫ(뿌리가 깊은 나무)'처럼 'ㅣ' 모음으로 끝나는 체언 뒤에 형태가 없으면서 격을 실현하는 주격 조사가 있었다.

03 정답 | ②

古聖(고셩)이同符(동부)ᄒᆞ시니(→ 옛날의 성인과 서로 꼭 들어맞으시니)
(이 → 과: 비교 부사격 조사)

➡ 중세 국어에는 현대 국어와 다른 의미와 형태로 쓰이는 격 조사가 다수 있었다. 특히 '이'는 주격 조사로 쓰이기도 했지만 '와/과'의 의미를 가진 부사격 조사로 쓰이기도 했다.

오답 풀이

① 海東(해동)六龍(육룡)이(→ 해동의 여섯 용이) (이: 주격 조사)

③ 周國大王(주국 대왕)이(→ 주국 대왕이) (이: 주격 조사)

④ 豳谷(빈곡)애사ᄅᆞ샤(→ 빈곡에 사시어) (애: 처소 부사격 조사)

⑤ 慶興(경흥)에사ᄅᆞ샤(→ 경흥에 사시어) (에: 처소 부사격 조사)

04 정답 | ④

정답 풀이

중세 국어의 명사형 전성 어미 '-옴/-움'은 어간이 양성 모음이냐, 음성 모음이냐와 같은 음운론적 환경에 따라 다르게 쓰이며 용언에 조사가 결합할 수 있게 하는 기능을 했다. '-옴/-움'은 형태만 다를 뿐 기능이나 의미는 동일했다. 그러므로 ⓑ의 '-옴'에 결합할 수 있는 조사가 ⓐ의 '-움'에 비해 제한적이라는 설명은 적절하지 않다.

오답 풀이

① ᄡᅮ메 ← ᄡᅳ- + -움 + 에 (ᄡᅳ-: 용언 'ᄡᅳ다'의 어간, -움: 명사형 어미, 에: 부사격 조사)

② 홈 ← ᄒᆞ- + -옴 (ᄒᆞ-: 용언 'ᄒᆞ다'의 어간, -옴: 명사형 어미)

③ ᄡᅳ- + -움 + 에 / ᄒᆞ- + -옴 + 이 : 명사형 어미가 어간에 결합했기 때문에 조사와 결합할 수 있음.

⑤ ᄡᅳ- + -움 / ᄒᆞ- + -옴 (ᄡᅳ-, -움: 음성 모음 / ᄒᆞ-, -옴: 양성 모음)

➡ 중세 국어에서는 모음 조화가 잘 지켜졌기 때문에, 어간 말음의 모음에 따라 결합되는 명사형 어미도 구분하여 사용했다. 어간 'ᄡᅳ-'의 모음은 음성 모음 'ㅡ'이므로 모음 조화에 따라 '-움'이 결합한 것이고, 어간

'ᄒᆞ-'의 모음은 양성 모음 'ㆍ'이므로 모음 조화에 따라 '-옴'이 결합한 것이다.

05 정답 | ④

정답 풀이

비르소미오(시작(됨)이고) ← 비르솜-[비릇- + -옴] + 이 + -오
용언의 어간 명사형 어미

오답 풀이

① 사ᄅᆞᆷ ⇒하나의 체언
② ᄹᅡᄅᆞᆷ미니라(따름이니라) ← ᄹᅡᄅᆞᆷ+이+-니라
↳하나의 체언
③ 몸 ⇒하나의 체언
⑤ 효도 ⇒하나의 체언

06 정답 | ③

정답 풀이

공지 ← 공ᄌᆞ + ㅣ
'ㅣ' 이외의 모음 뒤에 붙는 주격 조사

➡ 중세 국어에서는 'ㅣ' 이외의 모음으로 끝난 체언 뒤에 주격 조사로 'ㅣ'가 온다. 주격 조사 '이'가 붙는 경우는 체언이 자음으로 끝난 경우이다.

오답 풀이

① 니겨 > 익혀서 ⇒중세 국어와 달리 현대 국어에서는 모음 'ㅣ' 앞에서 'ㄴ'이 탈락
➡ 중세 국어에서는 'ㅣ, ㅑ, ㅕ, ㅛ, ㅠ' 앞에서 'ㄹ'과 'ㄴ'이 없어지는 두음 법칙이 적용되지 않았다.

② ᄡᅮ메 ← ᄡᅳ- + -움 + 에
명사형 어미 부사격 조사
용언 'ᄡᅳ다'의 어간
➡ 중세 국어에서는 명사형 어미로 '-옴/-움'이 쓰였고, 부사격 조사로 '에'가 쓰였다.

④ 부모ᄅᆞᆯ ← 부모 + ᄅᆞᆯ
양성 모음으로 끝난 체언 뒤에 붙는 목적격 조사
➡ 중세 국어에서는 양성 모음으로 끝난 체언 뒤에 목적격 조사로 'ᄅᆞᆯ'이 쓰였다.

⑤ (가)와 (나)를 통해 중세 국어는 띄어쓰기를 하지 않았고, 글자의 왼쪽에 방점을 찍어 소리의 높낮이를 표시함으로써 의미를 분별했음을 알 수 있다.

07 정답 | ⑤

정답 풀이

중세 국어에서 쓰인 높임의 선어말 어미에는 주체 높임 선어말 어미(-시-/-샤-), 객체 높임 선어말 어미(-ᅀᆞᆸ(ᅀᆞᄫᆞ)-/-ᄌᆞᆸ(ᄌᆞᄫᆞ)-/-ᄉᆞᆸ(ᄉᆞᄫᆞ)-), 상대 높임 선어말 어미(-이/잇-)가 있었다.

08 정답 | ②

정답 풀이

상대 높임 선어말 어미 '-이-'는 평서문에, '-잇-'은 의문문에 쓰였다. 높임의 단계에 따라 다르게 쓰인 것은 아니다.

오답 풀이

① 현대 국어에서 높임의 선어말 어미는 주체 높임 선어말 어미 '-시-'만 있지만, 중세 국어에서는 주체 높임 선어말 어미(-시-/-샤-), 객체 높임 선어말 어미(-ᅀᆞᆸ(ᅀᆞᄫᆞ)-/-ᄌᆞᆸ(ᄌᆞᄫᆞ)-/-ᄉᆞᆸ(ᄉᆞᄫᆞ)-), 상대 높임 선어말 어미(-이/잇-)가 있었다.
③ 중세 국어에서 주체 높임 선어말 어미 '-시-'는 자음 어미 앞에서, '-샤-'는 모음 어미 앞에서 쓰였다.
④ 중세 국어에서 객체 높임 선어말 어미 '-ᄉᆞᆸ-'은 끝소리가 'ㄱ, ㅂ, ㅅ, ㅎ'인 어간 뒤에, '-ᄌᆞᆸ-'은 끝소리가 'ㄷ, ㅌ, ㅈ, ㅊ'인 어간 뒤에, '-ᅀᆞᆸ-'은 끝소리가 유성음인 어간 뒤에 쓰였다.
⑤ 중세 국어에서 객체 높임 선어말 어미 '-ᄉᆞᆸ-/-ᄌᆞᆸ-/-ᅀᆞᆸ-'은 뒤에 결합하는 어미가 자음일 때, '-ᄉᆞᄫᆞ-/-ᄌᆞᄫᆞ-/-ᅀᆞᄫᆞ-'은 뒤에 결합하는 어미가 모음일 때 쓰였다.

09 정답 | ②

정답 풀이

㉠ '묻ᄌᆞᆸ고(여쭙고)'의 높임의 대상은 목적어인 '셰존ㅅ 안부(세존의 안부)'이므로, 객체 높임을 실현하는 선어말 어미 '-ᄌᆞᆸ-'이 사용되었다.

오답 풀이

① ㉠ '묻ᄌᆞᆸ고'에 사용된 높임 표현은 객체 높임이다.
③, ④ ㉡ '니ᄅᆞ샤ᄃᆡ(말씀하시기를)'의 높임의 대상은 주체인 '야슈(야수)'이므로, 주체 높임을 실현하는 선어말 어미 '-샤-'가 사용되었다.
⑤ ㉢ '오시니잇고(오셨습니까)'의 높임의 대상은 주체이자 청자인 '목련'이므로, 주체 높임을 실현하는 선어말 어미 '-시-'와 상대 높임을 실현하는 선어말 어미 '-잇-'이 사용되었다.

10 정답 | ③

정답 풀이

개화기 이후에 서양 문물의 유입으로 인해 서양 외래어가 많이 들어왔으며, 일제 강점기를 거치면서 일본어가 많이 들어왔다. 후기 중세 국어 시기에는 한자어가 많이 유입되었다.

오답 풀이

① 후기 중세 국어 시기에는 한자어가 많이 유입되어 현재까지 쓰이고 있다.
② 중세 국어 시기에는 '온', '즈믄' 등 지금은 쓰이지 않는 고유어들이 많이 쓰였다.
④ 중세 국어의 어휘들 중에는 의미가 변화하거나 축소, 확대되어 현대 국어에서 쓰이는 경우가 있다.
⑤ 전기 중세 국어 시기에는 말과 매, 음식에 관한 단어들 중 몽골어에서 들어온 말들이 많았다.

11 정답 | ⑤

정답 풀이

어엿비: 불쌍하게 > 어여삐: 예쁘게 ⇒다른 의미로 이동
➡ '어엿비'는 '불쌍하게'라는 뜻에서 '예쁘게'라는 뜻으로 의미가 이동한 것이지 의미가 확대된 것은 아니다.

오답 풀이

① 말씀: 말 > 말씀: 남의 말을 높여 이르는 말, 자기의 말을 낮추어 이르는 말 ⇒ 높임이나 낮춤의 의미로 의미가 축소

② 서르: 서로 > 서로: 서로 (의미는 유지, 표기는 변화)

③ 젼ᄎᆞ: 까닭 > 소멸됨.

④ 어린: 어리석은 > 어린: 나이가 적은 ⇒ 다른 의미로 변함.

12 정답 | ④

정답 풀이

ᄠᅳ들 ← ᄠᅳᆮ+을
↳ 자음으로 끝나는 체언의 끝 음절이 음성 모음을 가질 때 오는 목적격 조사

➡ 받침으로 끝난 체언에 목적격 조사 '을'이 결합한 것은 맞지만, 앞말의 받침을 뒷말의 첫소리로 내려 적고 있으므로 원형을 밝혀 적은 것이 아니다.

오답 풀이

① 말ᄊᆞ미 ← 말ᄊᆞᆷ+이 (이어 적기)
↳ 자음으로 끝나는 체언 뒤에 오는 주격 조사

➡ 체언 '말ᄊᆞᆷ'의 말음 'ㅁ'을 뒤에 오는 주격 조사 '이'의 첫소리로 내려 적어 '말ᄊᆞ미'가 되었다.

② 듀ᇰ귁에 달아(→ 중국과 달라)
↳ 비교 부사격 조사

➡ 중세 국어에서는 '에'가 현대 국어의 비교 부사격 조사 '와/과'와 동일한 기능을 수행했다.

③ 배 ← 바+ㅣ
의존 명사 ↳ 'ㅣ' 모음 이외의 모음으로 끝나는 체언 뒤에 오는 주격 조사

⑤ 내(내가) ← 나+ㅣ
모음 ↳ 'ㅣ' 모음 이외의 모음으로 끝나는 체언 뒤에 오는 주격 조사

13 정답 | ③

정답 풀이

중세 국어의 객체 높임 선어말 어미 '-ᄌᆞᆸ-'은 현대 국어에서 사라졌다. '께'는 현대 국어에서 객체 높임 표현으로 사용되는 부사격 조사이다.

오답 풀이

① 중세 국어에서는 실현 환경에 따라 'ᄋᆡ/의, ㅅ'의 관형격 조사가 쓰였는데, 이는 현대 국어에 와서 '의'로 바뀌었다.

② 중세 국어에서는 'ᄊᆞ다(싸다)'의 의미가 '값이 나가다'였으나, 현대 국어에서는 정반대의 뜻인 '값이 저렴하다'로 그 의미가 변하였다. 이와 같이 중세 국어의 어휘들 중에는 형태는 같으나 의미가 변화되어 현대 국어에서 쓰이는 것들이 있다.

④ 'ᄒᆞᆯ배(하는 바가)'의 '배(바가)'는 의존 명사 '바'에 주격 조사 'ㅣ'가 붙은 것으로, 'ㅣ'는 현대 국어의 주격 조사 '가'에 대응된다.

⑤ 'ᄡᅮ메(씀에)'는 'ᄡᅳ-+-움+에'로 분석할 수 있는데, 어간 'ᄡᅳ-'에 명사형 어미 '-움'과 부사격 조사 '에'가 붙은 것으로, 명사형 어미 '-움'은 현대 국어의 명사형 어미 '-ㅁ'에 대응된다.

14 정답 | 객체 높임 선어말 어미

정답 풀이

부텻긔 묻ᄌᆞᆸ고 (부사어 '부텨'를 높임.)

➡ '-ᄌᆞᆸ-'은 용언 어간에 결합하여 목적어나 부사어를 높이는 객체 높임 선어말 어미이다.

15 정답 | (1) 사람(보통의 의미) (2) 남자, 사람(낮춤의 의미) (3) 의미 축소

정답 풀이

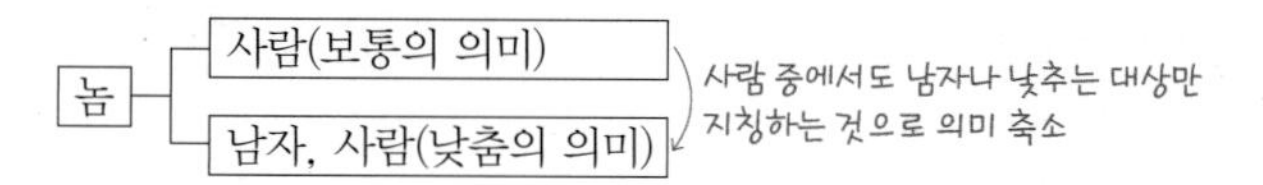

16 정답 | 예 '불휘'를 통해서는 'ㅣ' 모음으로 끝나는 체언 뒤에는 형태가 없는 주격 조사가 결합하여 격을 실현함을 알 수 있고, '기픈'을 통해서는 이어 적기가 활발히 일어났음을 알 수 있으며, 'ᄂᆞᆯ군'을 통해서는 이어 적기가 일어났음과 현대 국어에는 쓰이지 않는 모음(ㆍ)이 쓰였음을 알 수 있다.

서술형 해결

STEP 1 제시된 문장이 이어 적기가 되어 있다는 점을 고려하여 현대어 풀이와 비교한다.

STEP 2 현대어 풀이를 바탕으로 단어별로 중세 국어의 특징을 파악한다.

기/출/문/제/로/ 뛰/어/넘/기

17 ⑤ 18 ①

17 정답 | ⑤

정답 풀이

안부 묻ᄌᆞᆸ고(← 묻-+-ᄌᆞᆸ-+-고) > 안부를 여쭙고
서술의 객체인 '안부를'을 높이는 객체 높임 선어말 어미

➡ ㉤은 객체 높임 선어말 어미 '-ᄌᆞᆸ-'을 통해 목적어인 '안부를'을 높이는 객체 높임을 실현하였을 뿐, 현대 국어처럼 '여쭙다'와 같은 특수 어휘를 사용하지는 않았다.

오답 풀이

① 효도홈(← 효도ᄒᆞ-+-옴) > 효도함
↳ 명사형 어미

➡ ㉠은 '효도ᄒᆞ-+-옴'으로 분석되는데 현대어 풀이 '효도함'과 비교해 보았을 때, 중세 국어에서는 명사형 어미로 '-옴'을 사용하였고 현대 국어에서는 '-ㅁ'을 사용하였음을 알 수 있다.

② ᄠᅳ디
↳ 현대 국어에서는 사용되지 않는 어두 자음군

③ 성손ᄋᆞᆯ(← 성손+ᄋᆞᆯ) > 성손을
↳ 목적격 조사

➡ ⓒ은 '성손+올'로 분석되는데 현대어 풀이 '성손을'과 비교해 보았을 때, 중세 국어에서는 자음으로 끝나는 체언의 끝음절이 양성 모음을 가질 때 목적격 조사 '올'이 오는 반면, 현대 국어에서는 체언의 끝 음절 모음에 상관없이 목적격 조사 '을'이 옴을 알 수 있다.

④ (하늘이) 성손올 내시니이다(← 내-+-시-+-니-+-이다) > 하늘이 성손을 내셨습니다 서술의 주체인 '하늘'을 높이는 주체 높임 선어말 어미

➡ ⓔ은 문장의 주체인 '하늘'을 높이고자 현대 국어와 동일하게 주체 높임 선어말 어미 '-시-'를 사용하고 있다.

18 정답 | ①

정답 풀이

ⓐ 나랗+올 → 나라홀(나라를) (이어 적기 / 모음으로 시작하는 조사)

➡ 〈보기 1〉의 '쫗+이 → 짜히'의 예시에서 'ㅎ' 종성 체언이 모음으로 시작하는 조사를 만나면 'ㅎ'은 뒤따르는 모음에 이어 적는 것을 알 수 있다. 따라서 '나랗+올' 역시 'ㅎ' 종성 체언이 모음으로 시작하는 조사를 만났으므로, '나라홀'과 같이 이어 적어야 한다.

ⓑ 긿+ㅅ → 긼(길과) (소실됨. / 관형격 조사)

➡ 〈보기 1〉의 '쫗+ㅅ → 쫏'의 예시에서 'ㅎ' 종성 체언이 관형격 조사 'ㅅ'을 만나면 'ㅎ'이 탈락하는 것을 알 수 있다. 따라서 '긿+ㅅ' 역시 'ㅎ' 종성 체언이 관형격 조사를 만났으므로, '긼'과 같이 'ㅎ'이 탈락해야 한다.

ⓒ 않+과 → 안콰 (ㅎ+ㄱ → ㅋ(축약) / 'ㄱ'으로 시작하는 조사)

➡ 〈보기 1〉의 '쫗+도 → 짜토'의 예시에서 'ㅎ' 종성 체언이 'ㄱ, ㄷ'으로 시작하는 조사를 만나면 'ㅎ'이 뒤따르는 'ㄱ, ㄷ'과 어울려 'ㅋ, ㅌ'으로 축약되는 것을 알 수 있다. 따라서 '않+과' 역시 'ㅎ' 종성 체언이 'ㄱ'으로 시작하는 조사를 만났으므로, '안콰'와 같이 'ㅎ'과 'ㄱ'이 'ㅋ'으로 축약되어야 한다.

Ⅳ단원 종합

12강 국어의 변화 실전

교과서 개념 정리

① 된소리 ② 두음 법칙 ③ 구개음화 ④ 적용 ⑤ 모음 조화
⑥ 성조 ⑦ 세로, 가로 ⑧ 띄어쓰기 ⑨ 이어, 끊어 ⑩ 가 ⑪ 에
⑫ 명사형 ⑬ 시, 샤 ⑭ 객체 ⑮ 상대 ⑯ 축소

내신 만점 대비

01 ⑤ 02 ② 03 ① 04 ④ 05 ⑤ 06 ③
07 ② 08 ⑤ 09 ④
10 'ㆍ(아래아)'가 'ㅏ'와 'ㅣ'로 바뀌었다. 11 여르미
12 ※ 해설 참조 13 ※ 해설 참조

01 정답 | ⑤

정답 풀이

'ㅸ, ㅿ'과 같은 음운은 현대 국어의 음운으로는 발음하기 어려운 소리이다. 그러므로 'ㅸ, ㅿ'은 현대 국어에 와서 동일한 소리를 가진 다른 음운으로 교체된 것이 아니라 음운이 소실되며 음가도 소실된 것이다.

오답 풀이

① 'ᄆᆞᅀᆞᆷ > 마음'과 같이 'ㆍ(아래아)'는 현대 국어로 오면서 'ㅏ'나 'ㅡ' 등으로 바뀌었다.
② 중세 국어에서는 'ᄢᅳ메'와 같이 어두에 서로 다른 둘 이상의 자음이 오는 어두 자음군이 쓰였다.
③ '서르 > 서로', 'ᄉᆞᆯ흔 > 살은'과 같이 중세 국어에서는 음성 모음은 음성 모음끼리, 양성 모음은 양성 모음끼리 결합하는 모음 조화가 현대 국어보다 잘 지켜졌다.
④ 'ᄯᆞ롬 > 따름'과 같이 'ㅼ'과 같은 어두 자음군은 현대 국어로 오면서 'ㄸ'과 같은 된소리로 바뀌어 쓰였다.

02 정답 | ②

정답 풀이

방점은 중세 국어에서 각 음절의 성조를 표시하기 위한 표기법으로, 평성은 점이 없고, 거성은 한 점, 상성은 두 점을 글자의 왼쪽에 찍었다. 방점은 임진왜란 이후 소멸되어 현대 국어에서는 표기에도 나타나지 않는다.

03 정답 | ①

정답 풀이

객체 높임 표현이란 부사어나 목적어를 높이는 높임 표현으로, 중세 국어에서는 객체 높임의 선어말 어미 '-ᅀᆞᆸ(ᅀᆞᄫ)-/-ᄌᆞᆸ(ᄌᆞᄫ)-/-ᄉᆞᆸ(ᄉᆞᄫ)-'으로 실현되었다. 그러나 이 글에는 이를 확인할 수 있는 문법 요소가 드러나지 않는다. 또한 중세 국어의 객체 높임 표현이 현대 국어의 객체 높임 표현보다 더 체계적이라고 비교할 수도 없다.

오답 풀이

④ 현실 한자음에 가깝게 표기하는 원칙 → 동국정운식 표기

③ 서르(음성 모음+음성 모음) > 서로(음성 모음+양성 모음) → 모음 조화가 잘 지켜짐.

> 나·랏:말ᄊᆞ·미中듀ᇰ國·귁·에달·아文문字·ᄍᆞᆼ·와·로서르ᄉᆞᄆᆞᆺ·디아·니ᄒᆞᆯ·ᄊᆡ·이런젼·ᄎᆞ·로어·린百·ᄇᆡᆨ姓·셩·이니르·고·져·홇배이·셔·도ᄆᆞ·ᄎᆞᆷ:내제·ᄠᅳ·들시·러펴·디:몯홇·노·미하·니·라·내·이·ᄅᆞᆯ爲·윙·ᄒᆞ·야:어엿·비너·겨·새·로·스·믈여·듧字·ᄍᆞᆼ·ᄅᆞᆯᄆᆡᇰ·ᄀᆞ노·니:사ᄅᆞᆷ:마·다:ᄒᆡ·ᅇᅧ:수·ᄫᅵ니·겨·날·로·ᄡᅮ·메便뼌安한·킈ᄒᆞ·고·져ᄒᆞᇙᄯᆞᄅᆞ·미니·라

② ᄒᆡᅇᅧ > 하여 → 현대 국어에는 쓰이지 않는 음운이 쓰였으며 어휘의 형태도 변함.

⑤ 'ᄡᅮᆷ-+에'로 앞말의 받침 'ㅁ'을 뒷말의 첫소리로 내려 적음. → 이어 적기

04 정답 | ④

정답 풀이

동국정운식 한자음 표기는 훈민정음 창제 후 당시 우리나라의 현실 한자음이 중국의 원음과 너무 다른 것을 해소하기 위해 중국 원음에 가깝게 적으려고 정한 표기법이다. 한자음을 우리말로 표기할 때 초성, 중성, 종성을 갖추어 적는 것이 원칙이었는데, 종성이 없는 경우 음가가 없는 'ㅇ'이나 'ㅱ'을 붙였다. ㉣ '爲(할 위)'의 경우 종성이 없으므로 음가가 없는 'ㅇ'을 붙여 '윙'으로 표기한 것이므로, 종성 'ㅇ'도 실제로 발음되었다는 것은 적절하지 않다.

오답 풀이

① '말ᄊᆞᆷ+이'로 앞말의 받침을 뒷말의 첫소리로 내려 적음. → 이어 적기

② 니르고져 > 이르고자 → 'ㅣ' 모음 앞 어두의 'ㄴ'이 'ㅇ'으로 바뀌는 두음 법칙이 적용되지 않았음.

> 나·랏㉠:말ᄊᆞ·미中듀ᇰ國·귁·에달·아文문字·ᄍᆞᆼ·와·로서르ᄉᆞᄆᆞᆺ·디아·니ᄒᆞᆯ·ᄊᆡ·이런젼·ᄎᆞ·로어·린百·ᄇᆡᆨ姓·셩·이㉡니르·고·져·홇배이·셔·도ᄆᆞ·ᄎᆞᆷ:내제㉢·ᄠᅳ·들시·러펴·디:몯홇·노·미하·니·라·내·이·ᄅᆞᆯ㉣爲·윙·ᄒᆞ·야:어엿·비너·겨·새·로·스·믈여·듧字·ᄍᆞᆼ·ᄅᆞᆯᄆᆡᇰ·ᄀᆞ노·니:사ᄅᆞᆷ:마·다㉤:ᄒᆡ·ᅇᅧ:수·ᄫᅵ니·겨·날·로·ᄡᅮ·메便뼌安한·킈ᄒᆞ·고·져ᄒᆞᇙᄯᆞᄅᆞ·미니·라

③ 어두에 두 개 이상의 자음이 동시에 옴. → 어두 자음군

⑤ 현대 국어에서는 쓰이지 않는 음운들

05 정답 | ⑤

정답 풀이

'비르소미오'는 '비릇-(동사 어간)+-옴-(명사 파생 접미사)+이(서술격 조사)+-오(대등적 연결 어미)'로 분석되는 어휘로, 현대어로 풀이하면 '시작이고'이다. 따라서 '감히 헐게 하여 상하게 하지 아니함이 효도의 시작이고'가 적절한 현대어 풀이이다.

06 정답 | ③

정답 풀이

㉢ ᄒᆞᆰ

'ㅅ'과 'ㄱ'을 어두에 나란히 씀. → 현대 국어에서는 쓰이지 않음.

➡ 중세 국어에는 어두에 서로 다른 자음을 나란히 쓰는 어두 자음군이 존재했으나, 현대 국어로 오면서 대부분의 어두 자음군은 된소리로 바뀌었다. 따라서 'ᄒᆞᆰ'가 현대 국어와 동일한 방식으로 음운을 배치하였다는 설명은 적절하지 않다.

오답 풀이

① ㉠ ᄃᆞ려 'ㆍ(아래아)' → 현대 국어에서는 쓰이지 않는 음운

② ㉡ 닐오ᄃᆡ > 이르되

'ㅣ' 모음 앞 어두의 'ㄴ'이 'ㅇ'으로 바뀌지 않음. → 두음 법칙이 적용되지 않았음.

④ ㉣ ᄒᆞ시더니

→ '흠의 죽자'라는 말을 한 '워늬 아바님'을 높이는 주체 높임의 선어말 어미

⑤ ㉤ 나를 → '양성 모음+양성 모음'으로 모음 조화가 지켜짐.

07 정답 | ②

정답 풀이

중세 국어의 부사격 조사 '애/에'는 앞말의 모음에 따라 다르게 쓰였으나, 현대 국어에서는 '에'가 단일 형태로 쓰인다. 따라서 중세 국어의 조사의 의미가 다양했던 것은 아니다.

오답 풀이

① ᄠᅳ들 > 뜻을

중세 국어에서는 어두에 두 개 이상의 자음이 나란히 오는 어두 자음군이 쓰임.

③ ᄆᆞᄎᆞᆷ > 마침

'ㆍ(아래아)'가 'ㅏ'로 바뀜.

'ㆍ(아래아)'가 'ㅣ'로 바뀜.

④ 닐러 > 일러 중세 국어에서는 'ㅣ' 모음 앞 어두의 'ㄴ'이 'ㅇ'으로 바뀌는 두음 법칙이 적용되지 않았음.

⑤ 字ᄍᆞᆼᄅᆞᆯ > 자를

→ 소실됨.

➡ 중세 국어에서는 현실 한자음 발음에 가깝게(字), 종성에 'ㅇ'을 채워 넣는 동국정운식 한자음 표기가 쓰였다.

08 정답 | ⑤

정답 풀이

㉤ 몸이며 ← 몸+이며

체언의 말음을 뒷말의 첫소리로 내려 적지 않음.

➡ 중세 국어에서 근대 국어로 오면서 이어 적기와 끊어 적기를 혼용하였다. '몸+이며'를 이어 적기하면 '모미며'가 되는데, '몸이며'로 표기한 것은 이어 적기가 아닌 끊어 적기를 한 것임을 알 수 있다.

오답 풀이

① ㉠ 빈곡애 > 빈곡에

부사격 조사

➡ 중세 국어에서는 앞말 끝음절의 모음에 따라 '애/에'의 부사격 조사가 구별되어 쓰였으나, 현대 국어에서는 부사격 조사로 단일 형태인 '에'만 쓰인다.

② ㉡ 제업을 ← 제업+을

음성 모음+음성 모음 → 모음 조화가 지켜짐.

③ ㉢ 여르시니

→ '여는' 행위의 주체인 '주국 대왕'을 높이는 선어말 어미

④ ㉣ 시조ㅣ ← 시조+ㅣ

'ㅣ' 모음 이외의 모음으로 끝난 체언 뒤 → 주격 조사 'ㅣ'가 결합

09 정답 | ④

정답 풀이

이어 적기란 앞말의 받침을 모음으로 시작하는 뒷말의 첫소리로 내려 적는 표기 방식이다. 그러나 〈보기〉의 '몸이며', '얼굴이며', '머리털이며', '홈이', '일홈을' 등의 사례를 통해 중세 국어에서 근대 국어로 오면서 끊어 적기도 혼재되어 쓰였음을 알 수 있다.

오답 풀이

② '일러 말씀하시'는 행위의 주체인 '공ᄌᆞ'를 높임. → 주체 높임 선어말 어미

| 보기 |

孔·공子·ᄌᆡ曾증子·ᄌᆞᄃᆞ·려닐·러ᄀᆞᄅᆞ·샤·ᄃᆡ·몸·이며얼굴·이며머·리털·이·며·ᄉᆞᆯ·ᄒᆞᆫ父·부母:모·ᄭᅴ받ᄌᆞ·온거·시·라敢:감·히헐·워샹히·오·디

① 오디 > 오지 → 'ㅣ' 모음 앞의 'ㄷ'이 'ㅈ'으로 바뀌는 구개음화가 적용되지 않았음.

아·니:홈·이:효·도·ᄋᆡ비·르·소미·오·몸·을셰·워道:도·ᄅᆞᆯ行ᄒᆡᇰ·ᄒᆞ·야일:홈·을後:후世:셰·예:베퍼·ᄡᅥ父·부母:모ᄅᆞᆯ:현·뎌케:홈·이:효·도·ᄋᆡᄆᆞ·ᄎᆞᆷ·이니·라

⑤ 비르소미오(> 시작이고), 현대 국어에서는 소멸된 어휘도 사용됨.

③ 양성 모음 'ㅗ'+음성 모음 'ㅡ' → 모음 조화가 지켜지지 않음.

10 정답 | 'ᆞ(아래아)'가 'ㅏ'와 'ㅣ'로 바뀌었다.

정답 풀이

'ᆞ(아래아)'가 'ㅣ'로 바뀜.

ᄆᆞᄎᆞᆷ내 > 마침내

'ᆞ(아래아)'가 'ㅏ'로 바뀜.

11 정답 | 여르미

정답 풀이

이어 적기

여름+이 → 여르미

앞말의 받침이 자음으로 끝남. → 주격 조사 '이'가 붙음.

➡ '여름'이 받침으로 끝났으므로 주격 조사 '이'를 취하며 이어 적기 표기를 적용해 '여르미'로 적어야 한다.

12 정답 | 예 '수ᄫᅵ'를 통해서는 현대 국어에 쓰이지 않는 음운 'ᄫ'이 쓰였다는 점과 이어 적기가 일어났음을 알 수 있고, '니겨'를 통해서는 두음 법칙이 적용되지 않았음과 이어 적기가 일어났음을 알 수 있다.

서술형 해결

STEP 1 제시된 중세 국어 문장이 이어 적기가 되어 있다는 점을 고려하여 현대어 풀이와 비교한다.

STEP 2 현대어 풀이를 바탕으로 단어별로 중세 국어의 음운상, 표기상 특징을 파악한다.

13 정답 | 예 'ᄃᆞ려'를 통해 현대 국어에는 쓰이지 않는 음운(ᆞ)이 존재했음을 알 수 있고, '닐오ᄃᆡ'를 통해 두음 법칙이 적용되지 않았다는 점을 알 수 있으며, '둘히'를 통해 '둘ㅎ'와 같은 형태의 'ㅎ' 종성 체언이 존재했음을 알 수 있다. 또한 '둘ㅎ'에 결합한 '이'와 '머리'에 형태 없이 결합한 주격 조사를 통해 주격 조사가 앞말의 음운에 따라 다르게 쓰였음을 알 수 있다.

서술형 해결

STEP 1 제시된 중세 국어 문장을 현대어 풀이와 비교한다.

STEP 2 현대어 풀이를 바탕으로 단어별로 중세 국어의 특징을 파악한다.

수/능/ 1/등/급/ 대/비

14 ② 15 ③ 16 ④ 17 ①

14 정답 | ②

정답 풀이

㉡ 보미 ← 봄+이

체언의 받침 'ㅁ'을 모음으로 시작하는 조사에 내려 적음. → 이어 적기

➡ '보미'는 체언 '봄'과 부사격 조사 '이'의 형태를 밝혀 적은 끊어 적기를 한 것이 아니고, 체언의 받침을 조사의 첫음절에 내려 적은 이어 적기를 한 것이다.

오답 풀이

① ㉠ � ← 안+ㅅ > 안의

관형격 조사

양성 모음+음성 모음 → 모음 조화 ×

③ ㉢ 석ᄃᆞᄅᆞᆯ ← 석 ᄃᆞᆯ을

양성 모음+양성 모음 → 모음 조화 ○

④ ㉣ 니ᅀᅥ시니 > 이어지니

반치음 → 현대 국어에서 쓰이지 않는 자음

⑤ ㉤ ᄡᅳᄂᆞ니라 > 쓰느니라

첫 음절 초성에 서로 다른 자음을 나란히 붙여 씀. → 어두 자음군

15 정답 | ③

정답 풀이

㉠ 왕이 부텻긔 더옥 경신ᄒᆞᆫ ᄆᆞᅀᆞ믈 내ᅀᆞᄫᅡ

높이는 대상

➡ 객체는 문장에서 목적어나 부사어가 지시하는 대상을 가리킨다. '내ᅀᆞᄫᅡ'에는 객체 높임 선어말 어미 '-ᅀᆞᆸ-'이 포함되어 있으며, 그 선어말 어미가 높이는 대상은 부사어인 '부텻긔'에서의 '부텨'이다.

㉡ 듣-+-ᄌᆞᆸ-+-ᄋᆞ며 → 듣ᄌᆞᄫᆞ며 > 들으며

어간 말음이 'ㄷ'이고 객체 높임 선어말 어미 뒤에 모음으로 시작하는 어미가 옴.
→ 객체 높임 선어말 어미 '-ᄌᆞᆸ-'

➡ 어간 '듣-'과 어미 '-ᄋᆞ며' 사이에 오는 객체 높임 선어말 어미가 어떤 것인지 알기 위해서는 그 음운론적 환경을 파악해야 한다. 이 경우는 어간 말음이 'ㄷ'이고 객체 높임 선어말 어미 뒤에 모음으로 시작하는 어미가 오는 경우에 해당하므로, 객체 높임 선어말 어미는 '-ᄌᆞᆸ-'으로 실현된다. 그러므로 결합형은 '듣-+-ᄌᆞᆸ-+-ᄋᆞ며'를 이어 적은 '듣ᄌᆞᄫᆞ며'와 같다.

16 정답 | ④

정답 풀이

중세 국어에서 앞말이 'ㅣ' 모음으로 끝나면 주격 조사를 따로 표기하지 않았다. 따라서 앞말이 모음이라고 예외 없이 주격 조사 'ㅣ'가 사용되는 것은 아니다.

오답 풀이

① 현대 국어의 주격 조사 중에는 중세 국어에서 사용하지 않았던 '가'가 있다.

② 주격 조사가 붙는 앞말이 'ㅣ' 모음으로 끝나면 주격 조사를 따로 표기하지 않았다.

③ 현대 국어의 목적격 조사의 형태는 '을/를'인데 중세 국어의 목적격 조

사의 형태는 '올/을/롤/를'이었으므로, 중세 국어의 목적격 조사의 형태가 더 다양했다고 볼 수 있다.

⑤ 중세 국어에서 앞말의 모음이 양성 모음일 때 목적격 조사로 '올/롤'을 사용하였고, 앞말이 자음으로 끝나면 '올/을'을 사용하였다. 따라서 앞말이 양성 모음이고 자음으로 끝났을 때 쓰이는 목적격 조사는 '올'임을 알 수 있다.

17 정답 | ①

정답 풀이

㉠ 거붑+의 — 관형격 조사 '의'가 붙음.
└ '거붑(거북)'은 동물+관형격 조사 앞말의 모음이 음성 모음 'ㅜ'

㉡ 하늘+ㅅ — 관형격 조사 'ㅅ'이 붙음.
└ '하늘(하늘)'은 사람도, 동물도 아님.

교/과/서/ 밖/ 개/념/ 플/러/스

① 상형 ② ㅿ ③ 합성 ④ ㅡ ⑤ 7종성 ⑥ 끊어 ⑦ ·
⑧ 된소리 ⑨ 성조 ⑩ ㅣ ⑪ 원순 모음화 ⑫ 가 ⑬ 의
⑭ 옴, 움

부록 • 단어

기/출/문/제/로/ 다/지/기

01 ① 02 ① 03 ③ 04 ④ 05 ② 06 ⑤
07 ④ 08 ④

01 정답 | ①

정답 풀이

하늘 / 이 / 매우 / 높 / 고 / 푸르 / 다

- 하늘: 자립 형태소, 실질 형태소
- 이: 의존 형태소, 형식 형태소
- 매우: 자립 형태소, 실질 형태소
- 높: 의존 형태소, 실질 형태소
- 고: 의존 형태소, 형식 형태소
- 푸르: 의존 형태소, 실질 형태소
- 다: 의존 형태소, 형식 형태소

➡ '하늘이 매우 높고 푸르다'의 자립 형태소는 '하늘', '매우'로 2개이다.

오답 풀이

② 형식 형태소는 '이', '-고', '-다'로 3개이다.
③ 의존 형태소는 '이', '높-', '-고', '푸르-', '-다'로 5개이다.
④ 실질 형태소이면서 의존 형태소는 '높-', '푸르-'로 2개이다.
⑤ 실질 형태소이면서 자립 형태소는 '하늘', '매우'로 2개이다.

02 정답 | ①

정답 풀이

뛰놀다 ← 뛰-+놀다
(용언의 어간+용언 → 비통사적 합성어)

➡ 통사적 합성어는 우리말의 일반적인 배열 방식에 따라 만들어진 합성어이고, 비통사적 합성어는 우리말의 일반적인 배열 방식에 어긋나게 만들어진 합성어이다. '뛰놀다'는 '뛰-(용언의 어간)+놀다(용언)'의 결합으로 이루어진 합성어이다. 우리말에서는 어간 다음에 반드시 어미가 와야 하는데, '뛰놀다'는 어미 없이 용언이 이어지고 있으므로 비통사적 합성어이다.

오답 풀이

② 몰라보다 ← 모르-+-아+보다
(용언의 어간+연결 어미+용언 → 통사적 합성어)
➡ '용언의 어간+연결 어미+용언'의 구성이므로 우리말의 일반적인 배열 방식에 따라 만들어진 통사적 합성어이다.

③ 타고나다 ← 타-+-고+나다
(용언의 어간+연결 어미+용언 → 통사적 합성어)
➡ '용언의 어간+연결 어미+용언'의 구성이므로 우리말의 일반적인 배열 방식에 따라 만들어진 통사적 합성어이다.

④ 지난달 ← 지나-+-ㄴ+달
(용언의 어간+관형사형 전성 어미+명사 → 통사적 합성어)
➡ '용언의 어간+관형사형 전성 어미+명사'의 구성이므로 우리말의 일반적인 배열 방식에 따라 만들어진 통사적 합성어이다.

⑤ 굳은살 ← 굳-+-(으)ㄴ+살
(용언의 어간+관형사형 전성 어미+명사 → 통사적 합성어)
➡ '용언의 어간+관형사형 전성 어미+명사'의 구성이므로 우리말의 일반적인 배열 방식에 따라 만들어진 통사적 합성어이다.

03 정답 | ③

정답 풀이

- 하늘은 맑고 바다는 푸르다.
  조사 → 단어의 자격 ○ / 의존 형태소 / 앞말이 자음이면 '은', 모음이면 '는'
- 그의 말은 듣지 말고 내 말을 들어라.
  용언의 어간 → 실질 형태소 / 의존 형태소 / 음운 환경에 따라 형태 변함.
- 나는 물고기를 잡았지만 놓아주었다.
  선어말 어미 → 형식 형태소 / 의존 형태소 / 양성 모음 어간과는 '-았-', 음성 모음 어간과는 '-었-'

➡ '하늘은 맑고 바다는 푸르다.'의 '은'과 '는'은 조사로, 단어의 자격을 가지고 반드시 다른 말과 결합하여 쓰이는 의존 형태소이다. 이때 앞말이 자음으로 끝나면 '은'이, 모음으로 끝나면 '는'이 온다. '그의 말은 듣지 말고 내 말을 들어라.'의 '듣-'과 '들-'은 '듣다'의 어간으로, 실질적인 의미를 지니지만 반드시 다른 말(어미)과 결합하여 쓰이는 의존 형태소이다. 모음으로 시작하는 어미가 오면 어간의 모습이 '들-'로 바뀌는 것에서 음운 환경에 따라 형태가 변함을 알 수 있다. '나는 물고기를 잡았지만 놓아주었다.'의 '-았-'과 '-었-'은 선어말 어미로, 문법적 의미를 나타내고 반드시 다른 말과 결합하여 쓰인다. 이때 양성 모음으로 된 어간과는 '-았-'이, 음성 모음으로 된 어간과는 '-었-'이 어울린다. 따라서 예문의 밑줄 친 말들은 모두 다른 말과 결합하여 쓰이고, 음운 환경에 따라 그 형태가 바뀌는 공통점을 지닌다.

오답 풀이

①, ② 조사인 '은'과 '는'에만 해당하는 설명이다.
④, ⑤ 어간인 '듣-'과 '들-'은 동작이라는 실질적 의미를 나타내는 실질 형태소이다.

04 정답 | ④

정답 풀이

열 / 에 / 아홉 / 은 / 매우 / 착실한 / 학생 / 이다.

열	에	아홉	은	매우	착실한	학생	이다
체언	관계언	체언	관계언	수식언	수식언	체언	관계언
수사	보조사	수사	보조사	부사	형용사	명사	서술격 조사

➡ '아홉'은 수사이고, '학생'은 명사이므로 서로 다른 품사이다.

오답 풀이

① '착실한'과 '이다'는 활용하여 그 형태가 변하는 가변어이다.
② '열'은 수사이고, '학생'은 명사로 둘 다 체언이다.
③ '은'은 보조사이고, '이다'는 서술격 조사로 둘 다 관계언이다.
⑤ '매우'는 부사이고, '착실한'은 형용사이다.

05 정답 | ②

정답 풀이

묻어 ← 묻- + -어 → '묻고, 묻게, 묻으며' 등으로 규칙 활용
용언 '묻다'의 어간

➡ '묻다'는 '일을 드러내지 아니하고 속 깊이 숨기어 감추다'의 뜻으로 사용되는 동사로 '묻고, 묻어, 묻게, 묻으며' 등으로 규칙적으로 활용된다.

오답 풀이

① 퍼 ← 푸- + -어
'우'가 모음 어미 앞에서 탈락

➡ '우'가 모음 어미 앞에서 탈락하는 '우' 불규칙이다.

③ 들으면서 ← 듣- + -으면서
'ㄷ'이 모음 어미 앞에서 'ㄹ'로 변함.

➡ 'ㄷ'이 모음 어미 앞에서 'ㄹ'로 변하는 'ㄷ' 불규칙이다.

④ 도와 ← 돕- + -아
'ㅂ'이 모음 어미 앞에서 'ㅗ'로 변함.

➡ 'ㅂ'이 모음 어미 앞에서 '오/우'로 변하는 'ㅂ' 불규칙이다.

⑤ 올라 ← 오르- + -아
'르'가 모음 어미 앞에서 'ㄹㄹ' 형태로 변함.

➡ '르'가 모음 어미 앞에서 'ㄹㄹ' 형태로 변하는 '르' 불규칙이다.

06 정답 | ⑤

정답 풀이

'초콜릿이 순식간에 녹았다.'의 '녹다'는 '녹다 [2] ㉠'이 아니라 '녹다 [1] ㉡'에 해당한다. 따라서 주어 이외의 다른 문장 성분을 필요로 하지 않는다.

오답 풀이

① 사전 자료에 따르면 '굳다'는 동사인 '녹다'와 달리 동사와 형용사의 두 개의 품사로 쓰인다.
② 사전 자료의 하단 반의어에 따르면 '녹다 [1] ㉡'은 '굳다 [I] ㉠'과 반의 관계임을 알 수 있다.
③ '굳다 [II]'의 뜻과 제시된 용례 '굳은 결심'을 통해, '마음을 굳게 닫다'를 용례로 추가할 수 있음을 알 수 있다.
④ '녹다 [2] ㉡'의 뜻과 제시된 용례 '우리 정서에 녹아 든 외국 문화'를 통해, '글에는 글쓴이의 생각이 녹아 있다.'를 용례로 추가할 수 있음을 알 수 있다.

07 정답 | ④

정답 풀이

말썽꾸러기였던 나는 시간이 흐르고 나서야 부모님의 드높은 사랑을 깊이 깨닫게 되었다.
- 말썽꾸러기: 말썽(명사) + -꾸러기(접미사)
- 흐르고: 흐르-(용언의 어간) + -고(어미)
- 드높은: 드-(접두사) + 높다(형용사)
- 깊이: 깊-(형용사의 어간) + -이(접미사) → 깊이(부사)
- 되었다: 되-(용언의 어간) + -었-(선어말 어미) + -다(종결 어미)

➡ '깊이'의 '-이'는 어미가 아니라 형용사의 어간 '깊-'과 결합해 부사 '깊이'를 만드는 파생 접사이다.

오답 풀이

① '드높은'의 '드-'는 형용사 '높다'의 앞에 붙어 '심하게'의 뜻을 더해 주는 파생 접사이다.
② '말썽꾸러기'의 명사 '말썽'과 접미사 '-꾸러기'의 결합으로 만들어진 파생어로, '말썽'은 '일을 들추어내어 트집이나 문젯거리를 일으키는 말이나 행동'을 의미하고 '-꾸러기'는 '그것이 심하거나 많은 사람'을 의미하는데, 이 둘이 결합한 '말썽꾸러기'는 "말썽꾼'을 낮잡아 이르는 말'을 의미하므로, '말썽'과 '말썽꾸러기'는 별개의 단어라고 할 수 있다.
③ '되었다'의 '-었-'은 어간 '되-'에 결합하여 과거 시제의 의미를 부여하는 선어말 어미이다.
⑤ '흐르고'의 '-고'는 어간 '흐르'에 결합하여 문법적 기능을 표시하는 어미이다. 따라서 기본형인 '흐르다'가 사전에 표제어로 등재된다.

08 정답 | ④

정답 풀이

높다랗다 ← 높- + -다랗다

형용사 ← 형용사의 어간 + 접미사(한정적 접사)

➡ ㉮는 어근과 결합하여 새로운 단어를 만들 때 어근의 품사를 바꾸는 지배적 접사를 의미한다. '높다랗다'는 형용사 어근 '높'에 접미사 '-다랗다'가 붙어 만들어진 형용사로, 접미사 '-다랗다'는 품사를 바꾸지 않는 한정적 접사임을 알 수 있다.

오답 풀이

① 행복하다 ← 행복 + -하다

형용사 ← 명사 + 접미사(지배적 접사)

➡ '행복하였다'의 기본형 '행복하다'는 명사 '행복'에 접미사 '-하다'가 붙어 만들어진 형용사로, 접미사 '-하다'는 품사를 바꾼 지배적 접사임을 알 수 있다.

② 찰랑거리다 ← 찰랑 + -거리다

동사 ← 부사 + 접미사(지배적 접사)

➡ '찰랑거린다'의 기본형 '찰랑거리다'는 부사 '찰랑'에 접미사 '-거리다'가 붙어 만들어진 동사로, 접미사 '-거리다'는 품사를 바꾼 지배적 접사임을 알 수 있다.

③ 좁히다 ← 좁- + -히다

동사 ← 형용사의 어간 + 접미사(지배적 접사)

➡ '좁혔다'의 기본형 '좁히다'는 형용사 '좁다'의 어간 '좁-'에 접미사 '-히다'가 붙어 만들어진 동사로, 접미사 '-히다'는 품사를 바꾼 지배적 접사임을 알 수 있다.

⑤ 자랑스럽다 ← 자랑 + -스럽다

형용사 ← 명사 + 접미사(지배적 접사)

➡ '자랑스럽다'는 명사 '자랑'에 접미사 '-스럽다'가 붙어 만들어진 형용사로, 접미사 '-스럽다'는 품사를 바꾼 지배적 접사임을 알 수 있다.

531
PROJECT